아이 엠 아두니

THE GIRL WITH THE LOUDING VOICE

I am ADUNNI

아이 엠 아두니

. . .

아비 다레 소설 | **박혜원** 옮김

MOBIDICBOOKS

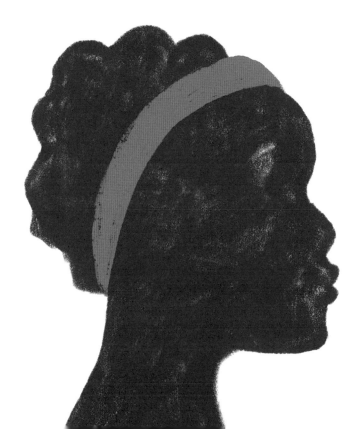

CONTENTS

나의 어머니, 테주 소모린 교수님께

아름답고 명석한 데다

2019년 나이지리아 최초로

조세학 교수가 되신 사실도 자랑스럽지만,

교육의 중요성을 강조하며

제가 최고의 교육을 받을 수 있도록

많은 희생을 감당하셨기에

어머니에게 이 책을 바칩니다.

나이지리아는 서아프리카에 자리 잡고 있다. 인구는 세계 7위로 약 1억 800만 명, 아프리카인 7명 중 1명은 나이지리아 사람이다. 세계에서 여섯 번째로 큰 원유 수출국이며 국내총생산(GDP)는 5,685억 달러다. 아프리카에서 가장 부유한 나라지만 안타깝게도 1억 명이 넘는 인구가 하루에 1달러 이하로 연명하며 빈곤에 허덕인다.

– <나이지리아에 관한 사실들> 과거부터 현재까지, 제5판 2014년

1장

오늘 아침, 아빠가 나를 거실로 불렀다.

아빠는 쿠션이 깔려 있지 않은 소파에 몸을 깊이 묻은 채 나를 응시했다. 나를 바라보는 특유의 저 눈빛. 아무 이유 없이 나를 후려치고 싶다는, 내 입 안이 똥으로 가득 차 있어 입을 벌리는 순간 온 집 안이 똥 냄새로 진동할 거라는, 그런 눈빛.

"아빠?" 뒷짐을 지고 무릎을 꿇었다. "부르셨어요?"

"더 가까이 와라." 아빠가 명령했다.

아빠는 지금, 어떤 불길한 말을 하려는 참이다. 눈동자를 보면 알 수 있다. 아빠의 눈은 작열하는 태양 빛에 오랫동안 시달린 갈색 돌멩이처럼 흐릿하다. 3년 전, 학교를 그만두라고 할 때도 똑같은 눈이었다. 그때 반에서 제일 나이가 많았던 나는 아이들에게 늘 '이모'라고 불렸다. 학교를 그만둬야 했던 날, 그리고 엄마가 돌아가시던 날. 그날들이 진심으로 살면서 겪은 최악의 순산이었다.

아빠가 더 가까이 와서 앉으라고 해도 나는 대꾸할 말이 없다. 우리 집 거실은 마쯔다 경차만큼이나 쪼그맣다. 그런데 지금보다 더 가까이 와서 앉으라니, 입 속으로 비집고 들어오라는 건가? 그래서 나는 꿈쩍도 하지 않고 그저 무릎을 꿇은 채 아빠가 속내를 털어놓기만을 기다렸다.

아빠가 헛기침을 컥 하더니 딱딱한 나무 등받이에 등을 기댔다. 쿠션은 우리 집 막둥이인 카유스가 오줌을 워낙 많이 싸서 못 쓰게 됐다. 카유스는 아기 때부터 무슨 저주에 걸린 것처럼 오줌을 싸댔다. 쿠션이 엉망이 됐기 때문에 엄마는 쿠션을 아예 카유스의 베개로 삼아 그걸 베고 자게 했다.

거실에는 망가진 텔레비전이 있다. 첫째이자 우리 집 큰아들인 오빠가 2년 전 옆 마을에서 폐품 수거 일을 할 때 쓰레기 더미에서 구해 관상용으로 거실에 놓은 것이다. 현관문 옆 구석 자리에 뒀더니, 거실에 잘생긴 왕자님이 들어앉은 것처럼 그럴듯했다. 심지어 왕자가 쓴 왕관처럼 텔레비전 위에다 작은 꽃병도 올려놓았다. 손님이 오면 아빠는 텔레비전이 멀쩡한 것처럼 굴었다. "아두니, 바다 씨가 저녁 뉴스 보게 와서 텔레비전 좀 틀어봐라." 그러면 나는 "아빠, 리모컨이 없어졌어요." 하고 대답했다. 그러면 아빠는 고개를 절레절레 흔들며 바다 씨에게 이렇게 말하는 것이었다. "쓸모없는 자식들 같으니! 리모컨을 또 잃어버렸다네요. 자, 밖에 가서 앉읍시다. 술이나 마시며 우리의 조국, 나이지리아의 서러움을 잊어봅시다."

바다 씨가 그게 거짓말인 줄 몰랐다면 분명 머리에 문제가 있는 것이다.

스탠드형 선풍기도 있었다. 그런데 선풍기 날개 두 개가 없어서 바람이 나와봤자 거실을 온통 뜨겁게 달굴 뿐이었다. 아빠는 저녁이면 선풍기 바로 앞에 앉아 발목을 꼰 채 엄마가 죽은 뒤로는 마누라처럼 껴안고 사는 술병에 입을 대고 마셔댔다.

잠시 후 아빠가 입을 뗐다. "아두니, 네 엄마가 죽었잖니." 아빠가 말을 하면 온몸에서 술 냄새가 났다. 술을 마시지 않을 때조차도 피부와 땀에서 술 냄새가 진동했다.

"네, 아빠. 알아요." 이미 다 아는 사실을 왜 말하는 걸까? 엄마 일로 내 심장에 구멍이 뻥 뚫렸고 그 구멍을 고통으로 꽉 틀어막았지만, 어딜 가든 고통스럽게 느껴지는 그 사실을. 엄마가 3개월 동안 매일같이 기침할 때마다 거품이 이는 걸쭉하고 시뻘건 피를 손에 쏟아대던 일을 내가 어찌 잊을까! 밤에 자려고 눈을 감으면 아직도 그 피가 아른거리는데. 어쩔 땐 그 비릿한 맛이 혀에 느껴질 지경인데.

"저도 알아요, 아빠. 또 무슨 좋지 않은 일이 생겼나요?"

아빠가 한숨을 쉬었다. "집주인이 나가라고 하는구나."

"어디로 나가요?" 나는 가끔 아빠가 걱정됐다. 엄마가 죽은 다음부터 말도 안 되는 소리만 늘어놨다. 집에 아무도 없는 거 같으면 혼자 중얼거리거나 울기도 했다.

"세수하시게 물을 좀 떠 올까요? 아침도 차려놨어요. 좀 전에 절인 땅콩을 넣고 빵을 구웠어요."

"집세로 3만 나이라*가 나왔다. 세를 못 내면 다른 집을 알아봐야 한다." 3만 나이라는 엄청나게 큰돈이다. 아빠는 내 학비를 낼 돈 7천 나이라도 없었다. 나는 아빠가 나이지리아 전체를 이 잡듯 뒤져도 그 돈을 구하지 못한다는 걸 알고 있다. 학비와 집세, 생활비는 물론 돈이란 돈은 몽땅 엄마가 벌어왔다.

"그 큰돈을 어디서 구해요?"

"모루푸 말이다. 너도 알지? 그 사람이 어제 우리 집에 왔었다. 나를 만나러 왔지."

"택시 모는 그 모루푸 아저씨요?" 모루푸는 같은 마을에 사는 숫염소처럼 생긴, 나이 많은 택시 운전기사다. 부인이 둘인데다 학교에 다니지 않는 애가 네 명이나 있다. 그 집 애들은 더러운 바지를 입은 채 마을 개천 주변을 뛰어다니고, 호시탐탐 설탕 상자를 노리거나, 수웨**를 하거나, 손바닥이 까질 때까지 손뼉을 치며 놀기만 한다. 모루푸 아저씨가 왜 우리 집에 왔지? 뭐 할 말이 있었나?

아빠가 어색한 미소를 지었다. "사람 참 좋더라. 모루푸 말이다. 어제 우리 집세를 대신 내준다고 해서 깜짝 놀랐다. 3만 나이라를 전부 말이다."

"그럼, 그게 잘된 일인가요?" 영문을 몰라 다시 물었다. 대가를 바라지 않고 남의 집세를 대신 내준다는 사람이 없다는 걸 알기 때문이다. 왜 모루푸 아저씨가 우리 집세를 대신 내겠다고 했을까? 뭘 바라는 거지? 예

* 나이라: 나이지리아의 화폐 단위
** 수웨: 땅따먹기와 비슷한 놀이

전에 아빠한테 돈을 꿨나? 나는 아빠를 쳐다봤다. 내가 생각하는 건 아닐 거라는 희망을 품은 눈빛으로. "아빠?"

아빠는 한동안 말이 없더니 침을 꿀꺽 삼키고 이마에 맺힌 땀을 닦았다. "그래. 그 집세는… 네 신붓값의 일부다."

"신붓값이라뇨? 내가 신부라고요?" 심장이 갈래갈래 쪼개지기 시작했다. 나는 이제 곧 열다섯이 되는 열네 살인데다가, 멍청하고 한심한 노인네와 결혼할 생각은 추호도 없었다. 어서 학교로 돌아가 선생님이 되는 공부를 해서 돈도 벌고 차도 사고 쿠션 있는 소파를 놓은 좋은 집에 살며 아빠와 두 형제를 도울 생각 뿐이다. 나는 늙은 남자든 젊은 남자든, 그 누구하고도 영원히 결혼할 생각이 없었기 때문에 한 번 더 물어보았다. 아주 천천히. 그래서 내가 하는 모든 말이 아빠 귀에 쏙쏙 박혀 도저히 내 말을 잘못 들을 수 없도록. "아빠, 말씀하신 신붓값이라는 게 저를 두고 하는 말이에요, 아니면 다른 사람을 말하는 거예요?"

그러자 아빠는 고개를 아주 천천히 끄덕였다. 내 눈에 그렁그렁 맺힌 눈물이나 떡 벌어진 입은 안중에도 없는 듯했다. "널 말하는 거란다. 아두니, 넌 다음 주에 모루푸와 결혼할 거야."

2장

　태양이 하늘에서 뒷걸음쳐 내려와 깊은 밤 어둠 속으로 숨을 무렵 나는 야자나무 매트에 앉았다. 자꾸 내 발에 들러붙는 카유스의 다리를 차내며 벽에 등을 기댔다.

　머릿속이 오늘 아침부터, 대답할 수 없는 질문들로 꽉 들어차, 돌덩이처럼 무거웠다. 부인이 둘이고 애가 넷 딸린 남자의 아내가 된다는 건 어떤 의미일까? 이미 부인이 둘씩이나 있는데 모루푸 아저씨는 왜 또 아내를 맞으려는 걸까? 그리고 아빠는 왜 내 생각은 아랑곳하지 않고 늙은 아저씨에게 나를 팔아넘기려는 걸까? 생전에 엄마와 한 약속을 왜 지키지 않지?

　쏟아지는 의문에 문드러지는 가슴을 부여잡고 한숨을 쉬며 창가로 걸어갔다. 창밖으로 보이는 달이 붉었다. 하늘에 낮게 걸린 모양새가 마치 하나님이 성난 눈알을 뽑아내 우리 집 앞에다 던져놓은 것 같았다.

오늘 밤은 반딧불이가 다채로운 빛을 뿜으며 날아다니고 있다. 초록, 파랑, 노랑이 어둠 속에서 저마다 춤을 추며 반짝였다. 오래전 엄마가 밤에 날아다니는 반딧불이는 늘 사람들에게 좋은 소식을 전한다고 했다. "반딧불이는 천사의 눈이란다. 아두니, 저기 좀 보렴. 저 나무, 나뭇잎에 앉아 있는 거. 저건 우리에게 돈이 들어온다는 뜻일 거야." 그때는 반딧불이가 무슨 말을 하고 싶은 건지 잘 몰랐지만, 그게 돈이 들어온다는 소리가 아니란 건 알았다.

엄마가 돌아가시자 내 안에 있던 빛이 사라졌다. 여러 달이 흐르는 동안 나는 나 자신을 어둠 속에 처박아놓고 지냈다. 어느 날 카유스가 방에서 어깨를 들먹거리며 울고 있던 나를 보고는, 두려움에 사로잡힌 똥그란 눈으로 말했다. 내가 울면 자기 가슴이 무척 아프다며 이제 그만 울라고.

그날 나는 슬픔을 주워 담아 가슴 안에 구겨 넣고 잠가버렸다. 내가 단단해져서 카유스와 아빠를 챙길 수 있게. 하지만 가끔은, 오늘 같은 날은 그 슬픔이 가슴에서 슬금슬금 올라와 혀로 내 얼굴을 핥았다.

어떤 날은 눈을 감으면 장미꽃 같은 엄마가 보였다. 반짝이는 잎에 노랗고 빨갛고 보랏빛이 도는 장미. 숨을 깊이 들이마시면 엄마 냄새까지 맡을 수 있다. 민트 차나무 주변에 핀 장미 나무의 향긋한 냄새. 야간 폭포에서 막 머리를 감고 나왔을 때 나던 코코넛 비누 냄새.

엄마는 긴 머리카락을 검은 실과 함께 땋아 두꺼운 밧줄처럼 돌돌 감고 다녔다. 머리 위에 작은 타이어를 두세 개 이고 있는 것처럼 보였다. 어떨 땐 실을 빼서 머리카락이 등으로 내려오게 한 다음 나무 빗으로 빗었다. 엄마는 종종 나를 우물 옆 의자에 앉히고 내가 들고 있던 나무 빗으로 온 마을에 음식 볶는 냄새가 진동하도록 코코넛 오일을 잔뜩 발라 머리를 땋아 올려주기도 했다.

엄마는 나이가 많지 않았다. 돌아가실 때가 겨우 40대였으니까. 나는 매일같이 엄마의 미소와 조용한 목소리, 부드러운 팔, 입보다 더 많은 걸 말해주던 눈동자를 떠올렸다. 그러면 내 영혼은 길기갈기 찢어졌다.

그 악마 같은 병을 얻기 전, 엄마는 언제나 바쁘게 이리저리 돌아다녔다. 마을 사람들을 위해 온갖 일을 도맡아 했다. 매일 퍼프-퍼프*를 백 개씩 튀겨 이카티 시장에 내다 팔았다. 가끔 뜨거운 기름에서 가장 빛깔 좋게 튀겨진 오십 개를 골라 아간 마을에 사는 꼬부랑 할머니 이야에게 가져다주라고 하셨다.

이야 할머니와 엄마가 서로 어떻게 아는 사이인지는 알 수 없었다. 게다가 이야는 요루바어로 늙은 여자라는 뜻이기 때문에 진짜 이름인지도 몰랐다. 내가 아는 거라곤 엄마가 늘 이야 같은 이카티 주변에 사는 아픈 할머니들에게 음식을 나눠드렸다는 사실뿐이다. 김이 모락모락 나는 아말라, 가재나 콩, 도도를 넣은 오크라 수프, 부드럽고 기름진 플랜테인** 등등.

한번은 엄마가 멀리 걷기엔 몸 상태가 좋지 않아 내가 이야 할머니한테 퍼프-퍼프를 가져다드렸다. 그리고 그날 밤 집에 가서 엄마한테 멀리 걷지 못할 정도로 아픈데 왜 사람들에게 음식을 자꾸 보내냐고 물었다.

* 퍼프-퍼프: 밀가루 반죽을 빵처럼 빚어 튀긴 음식
** 플랜테인: 바나나와 비슷한 열매

그랬더니 엄마는 "아두니, 늘 이웃을 도와야 하는 거야. 네 상황이 좋지 않아도. 네 주변 상황이 아주아주 좋지 않아도." 하고 말했다.

하나님께 기도하는 법, 머리카락에 실을 끼워 손질하는 법, 비누 없이 옷을 빠는 법, 매월 손님이 찾아오기 시작했을 때 속옷을 바꿔 입는 법을 가르쳐준 건 엄마였다.

엄마가 병으로 죽더라도 나를 시집보내버리지 말라고 가느다랗게 떨리는 소리로 아빠에게 애원하던 엄마의 목소리가 머릿속에 울리는 것 같아 목구멍이 막혀왔다. 아빠 목소리도 들렸다. 두렵지만 강해 보이려고 애쓰며 엄마에게 대답하던 목소리. "그런 말도 안 되는, 죽는다는 소리 좀 하지 마. 아무도 안 죽어. 아두니는 그 어떤 남자랑도 결혼 안 한다고. 알아들어? 학교에 가서 당신이 원하는 걸 하게 될 거야. 당신한테 맹세해! 당신은 그저 어서 빨리 낫기나 해!"

하지만 엄마는 빨리 낫지 않았다. 아빠가 그 약속을 하고 나서 이틀 후, 엄마는 하늘로 떠났다. 그리고 아빠가 엄마와 한 그 모든 약속을 잊었기에 나는 늙은 아저씨와 결혼해야 한다. 아빠가 쓸 생활비, 집세, 말도 안 되는 기타 등등의 돈이 필요하기 때문에 나는 모루푸와 결혼해야 한다.

생각이 여기에 미치자 짜디짠 눈물이 흘렀다. 매트로 돌아가 눈을 감으니 엄마가 장미꽃으로 나타났다. 하지만 이제 장미는 반짝이는 잎에 노랗고 빨갛고 보랏빛을 띠는 탐스러운 꽃이 아니었다. 장미꽃은 죽어가는 아내와 한 약속을 모조리 잊은 한 남자의 더러운 발에 짓밟혀 고통스러운 듯 축축이 젖은 갈색빛이었다.

3장

옛 기억과 함께 서러움이 복받쳐 그날 밤 결국 잠을 이루지 못했다.

첫닭이 꼬끼오 울음을 터트렸다. 하지만 나는 매일같이 하던 일을 하려고 자리에서 일어나지 않았다. 마당을 쓸거나 빨래를 하거나 아빠가 아침밥으로 먹는 콩을 가는 대신 매트에 가만히 누워 눈을 감고 주변의 모든 소리에 귀를 기울였다. 멀리서 들려오는 뭔가 억울하다는 듯한 수탉의 울음소리, 아침마다 망고나무에서 발랄하게 지저귀는 찌르레기의 익숙한 울음소리. 멀리서 농부가 나무 밑동을 도끼로 내리치는 소리. 퍽, 퍽, 퍽. 누군가가 마당을 빗질하는 소리. 다른 집 엄마가 아이들을 깨워 양동이에 담긴 물 말고 항아리에 담긴 물로 씻으라고 독촉하는 소리.

아침마다 들리는 귀에 익은 소리였다. 하지만 오늘은 이 모든 소리가 내 심장을 후벼팠다. 결혼식 날짜가 다가온다는 불길한 소리로 들렸기 때문이다.

몸을 일으켜 앉았다. 카유스는 아직 매트에서 자고 있다. 두 눈은 감고 있지만 일어날까 말까 망설이는 듯했다. 엄마를 묻고 돌아온 날부터 카유스는 눈꺼풀을 심하게 떨기 시작했다. 머리를 좌우로 흔들며 눈꺼풀을 파르르 떨곤 한다. 나는 카유스에게 다가가 손바닥으로 눈꺼풀을 지그시 누르고 진정될 때까지 귓가에 대고 소곤소곤 노래를 불러줬다.

카유스는 이제 겨우 열한 살이다. 예전에는 못된 짓만 골라 해서 밉상이었지만, 지금은 내 사랑을 독차지하고 있다. 카유스가 마을 공터에서 남자애들에게 고양이랑 싸운 애라고 놀림당하고 달려와 우는 건 내 품이었다. 한번은 아빠가 어릴 때부터 늘 골골거리던 카유스를 데리고 용하다는 주술사를 찾아갔었다. 그 주술사는 질병의 혼령을 쫓아낸다며 카유스 볼을 면도날로 이리저리 세 번이나 그어놨다. 그래서 카유스 얼굴에는 커다란 고양이와 싸우다가 발톱에 긁힌 것 같은 자국이 있다.

카유스에게 학교에서 배운 내용을 모조리 가르친 것도 나다. 더하기, 빼기부터 과학이랑 영어까지. 아빠는 카유스를 학교에 보낼 돈도 없었기 때문이다. 공부를 열심히 해야만 장래가 밝다고 누누이 강조한 것도 바로 나다.

내가 모루푸랑 결혼하면 카유스는 누가 돌보지? 장남이 돌보나?

세상만사 귀찮다는 얼굴로 침대에 뻗어 있는 오빠. 우리 집 장남의 얼굴을 쳐다보니 한숨이 절로 나왔다. 오빠 이름은 알라오다. 하지만 오빠를 이름으로 부르는 사람은 아무도 없다. 아빠는 맏이니까 제대로 대우해준다는 의미로 우리 셋이 같이 쓰는 방에 있는 하나뿐인 침대에서 오빠를 자게 했다. 대단한 대접이라고 할 순 없다. 침대 위에 깔린 구멍이 숭숭 난 얄따란 매트리스는 우글대는 빈대의 부엌이자 화장실이기 때문이다. 게다가 가끔 매트리스에서 시장 광장에서 일하는 벽돌공들의 겨드랑이 냄새 같은 악취가 난다. 그 아저씨들이 인사한답시고 팔을 올리면 농담이 아니라 진짜 냄새 때문에 죽을 수도 있다.

장남이 어떻게 카유스를 돌보겠나? 오빠는 정비공 일 말고는 밥이며 청소며 아무것도 할 줄 모르는데. 웃는 일도 거의 없는 열아홉 살 반이다. 팔다리는 어찌나 튼튼한지, 망고나무 가지처럼 두꺼운 게 꼭 권투 선수 같다. 장남은 가끔 카심모터스에서 밤새 일하기도 한다. 밤늦게 집에 돌아오는 날이면 곧바로 침대에 쓰러져서 잔다. 그때 장남은 피곤한지 코를 드르렁 골았고, 내쉬는 숨이 어찌나 뜨거운지 내 얼굴에 더운 바람이 느껴졌다.

장남의 가슴이 전혀 일정하지 않은 박자로 오르락내리락하는 광경을 멍하니 지켜보다가 카유스에게 고개를 돌려 어깨를 가볍게 톡톡 쳤다. "카유스, 일어나봐."

카유스는 한쪽 눈을 먼저 비비며 뜨고 다른 쪽 눈도 떴다. 잠에서 깨고 싶을 땐 늘 그렇게 한다. 한쪽 눈을 먼저 뜨고 조금 있다가 다른 쪽 눈을 뜬다. 두 눈을 동시에 뜨면 무슨 문제라도 생기는 줄 아는지.

"누나, 잘 잤어?" 카유스가 물었다.

난 거짓말을 했다. "잘 잤어. 너는?"

"잘 못 잤어." 카유스가 일어나 내 옆에 앉았다. "형이 그러던데? 누나가 모루푸랑 다음 주에 결혼한다고. 그거 나 놀리려고 하는 말이지?"

나는 카유스의 자그마하고 차가운 손을 잡았다. "그런 거 아니야. 나 진짜 다음 주에 결혼해."

카유스는 고개를 주억거리며 입술을 꽉 깨물었다. 그러고 한 마디도 하지 않은 채 내 손을 세게 쥐었다.

"결혼해도 나 보러 올 수 있어? 공부 가르치러? 야자유 볶음밥 해줄 수 있어?"

나는 어깨를 으쓱였다. "야자유 볶음밥 만드는 건 하나도 어렵지 않아. 그냥 쌀을 물에 세 번 씻은 다음에 그릇에 담아 불려서 신선한 후추를 가져다가…." 눈물이 입술로 흘러 들어와 말을 삼켰다. 눈물이 주르르 흘러내렸다. "나 모루푸랑 결혼하기 싫어. 카유스, 아빠한테 제발 말 좀 해주라."

"울지 마. 누나. 누나가 울면 나도 울 거 같단 말이야."

카유스와 나는 손을 꼭 부여잡고 숨죽여 울었다.

"누나, 도망가." 카유스가 눈물을 닦으며 말했다. 커다래진 눈동자는 두려운 희망으로 가득했다. "멀리 도망가서 숨어."

"안 돼." 나는 고개를 저었다. "도망가다가 촌장한테 잡히면 어떡해? 아사비가 당한 거 잊었어?"

아사비는 이카티에 사는 여자애다. 우리 집 장남과 같이 카심모터스에서 일하던 타파라는 남자애랑 진지하게 사귀고 있었다. 그래서 얼굴도 모르는 늙은이랑 결혼하기 싫다고 했다. 하지만 어쩔 수 없이 늙은 아저씨와 강제로 결혼해야 했고, 다음 날 타파와 함께 도망치고 말았다. 하지만 불행히도 그리 멀리 가진 못했다. 마을 사람들이 국경 앞에서 아사비를 붙잡아 흠씬 두들겨 팼다. 타파는 어떻게 했느냐고? 사람들은 그 불쌍한 남자애를 마치 키우던 닭처럼 마을 광장에 매달았다가 이카티 숲에 시체를 던져버렸다. 촌장은 타파가 다른 사람의 아내를 훔쳤으니 죽어 마땅하다고 했다. 이카티에서 도둑은 예외 없이 벌을 받고 죽어야 하니까. 아사비는 103일 동안 방에 가두었다. 남편 집에 가만히 앉아 도망가지 않는 법을 배워야 한다고 말이다.

하지만 아사비는 결국 아무것도 배우지 않았다. 103일 동안 감금당한 후에도 밖으로 나오지 않았다. 결국, 지금도 방에서 나오지 않고 있다. 멍하니 벽만 쳐다보며 머리카락을 뽑아 먹는다. 눈썹을 뽑아 브래지어에 감추고 혼잣말을 중얼거리거나 타파의 영혼과 말하곤 한다.

"네가 모루푸 집으로 와서 나랑 놀 수 있을지도 몰라. 강에서도 널 볼 수 있고. 시장에서도 그렇고 어디서나 만날 수 있지."

"그럴까? 모루푸가 나를 자기 집에 못 오게 하고 누나랑 못 놀게 하면 어떡해?"

내가 대답할 말을 찾고 있는데 장남이 몸을 뒤척였다. 그러고는 두 다리를 쩍 벌리더니 방귀를 빵 뀌었다. 금세 고약한 죽은 쥐 냄새가 방 안에 가득했다.

카유스가 킁 웃으면서 손으로 코를 감싸 쥐었다. "어쩌면 이 집에서 형아 방귀 냄새를 맡으며 사느니 모루푸랑 결혼하는 편이 나을지도 몰라."

나는 카유스의 손을 잡고 희미하게 따라 웃었다.

카유스가 다시 잠들기를 기다렸다가 조용히 방을 나갔다.

아빠는 우물 옆 부엌 의자에 앉아 있었다. 서서히 아침이 시작되려는 듯, 해가 막 뜰 참이었다. 하늘의 어두운 장막 뒤에서 오렌지 반쪽이 빠끔 나와 있는 것 같았다. 아빠는 바지만 입은 채 신발도 신지 않은 모습이었다. 입 한쪽으로 작은 나뭇조각을 질겅질겅 씹고 있었다. 한 손에 검은색 라디오를, 다른 손으로는 라디오를 작동하게 하려고 돌멩이를 들고 있었다. 아빠는 카유스가 태어난 후로 매일 아침마다 라디오를 틀었다. 그래서 나는 모랫바닥에 몸을 낮춘 채 손을 뒤로하고 라디오 소리가 나기를 기다렸다.

아빠가 라디오 옆면을 돌멩이로 세 번 두드렸다. 콩, 콩, 콩. 그러자 라디오가 지지직거렸다. 잠시 후 남자 목소리가 흘러나왔다 "좋~~~~은 아침입니다! OGFM 89.9입니다. 우리나라를 대표하는 방송!"

아빠가 씹던 나뭇조각을 내 옆으로 퉤 뱉었다. 아침부터 내가 눈앞에서 알짱거리는 게 거슬려 내 머리통을 후려치고 싶은 눈빛이었다. "아두니, 6시 아침 뉴스 들으려는데 왜 그러냐?"

"안녕히 주무셨어요? 아빠. 집에 콩이 없어서요. 에니탄네 엄마한테 빌리러 가도 될까요?"

사실 부엌 물통에다 콩을 불리고 있었지만, 눈앞에 닥친 결혼식에 대해 털어놓을 누군가가 필요했다. 에니탄과 나는 ABC와 1, 2, 3을 읽을 줄 알게 됐을 때부터 절친이다. 에니탄네 엄마는 작게 농사를 짓는데 돈은 언제든 나중에 생기면 갚으라며 그동안 여러 번 우리 집에 콩이나 얌, 에구시*를 빌려주었다.

난데없이 아빠가 웃음을 터트려 깜짝 놀랐다. "잠깐만 있어봐라."

아빠는 라디오를 의자에 아주 조심스레 올려놓았지만, 두 번 지지직하는 소리가 났다. 그러더니 그냥 툭 꺼지고 말았다. 완전히 맛이 간 거 같았다. OGFM 89.9는 이제 전혀 나오지 않았고, 우리나라를 대표하는 방송도 들을 수 없었다. 아빠는 침묵시위에 들어간 검은색 네모 상자를 잠시 바라보더니 화를 내기 시작했다. 그러고는 대뜸 의지에 있던 라디오를 후려쳐 박살을 냈다.

"아빠!" 나는 두 손으로 머리를 감싸 쥐었다. "아빠, 왜 라디오를 망가트려요? 왜요?" 텔레비전도 작동하지 않는데 이제는 라디오조차 노란색과 빨간색, 갈색 전선이 얼기설기 삐져나온 조각난 플라스틱에 불과할 뿐이었다.

아빠는 다시 거칠게 숨을 몰아쉬더니 왼쪽 엉덩이를 들어 바지 뒷주머니에 손을 넣었다. 그리고 나서 주머니에서 50나이라를 꺼내 내게 주었다. 나는 더럽고 해진, 시가 냄새가 나는 돈을 보고 눈이 뚱그레졌다. 아빠가 나한테 줄 돈이 어디서 났지? 모루푸한테 받은 건가? 받은 돈을 래퍼** 끝에 말아 넣으니 속이 배배 꼬이는 거 같았다.

고맙다는 말은 하지 않았다.

아빠가 입을 열었다. "아두니, 내 말 잘 들어라. 콩은 꼭 돈을 주고 사야 한다. 그리고 에니탄네 엄마에게 말해라. 네 결혼식 후에 나, 네 이 애비가…" 아빠는 마치 자신을 죽이기라도 할 것처럼 세게 가슴을 내리쳤

---

* 에구시: 수박과 비슷한 과일로 씨는 갈아서 주로 수프로 만들어 먹는다.
** 래퍼: 나이지리아 여자들이 입는 긴 치마

다. "그동안 우리한테 준 거 전부 갚는다고 전해라. 모조리 갚는다고. 수천 나이라라고 해도 말이다. 다 갚을 거야. 동전 하나까지. 그렇게 전해라. 알 아들었느냐?"

"네, 아빠."

나는 간신히 대답하고는 바닥에 있던 조각난 라디오를 보며 뻣뻣한 입술을 움직여 어색한 미소를 지었다. "그리고 새 라디오도 살 거다. 제대로 된 거로. 새 텔레비전도 살 수도 있지. 쿠션 소파도. 새로운… 아두니?" 아빠는 나를 슬며시 쳐다보며 씩씩대더니 "뭘 보고 있는 거냐? 얼른 가라! 빨리!" 하고 소리를 질렀다.

나는 아빠 앞에서 사라지며 한 마디도 하지 않았다.

에니탄네 집은 강 뒤로 차갑고 축축한 모래로 덮인 좁은 길을 따라가면 나왔다. 왼쪽으로는 풀숲이 내 키만큼 높고 오른쪽도 마찬가지였다. 하늘에서 해가 화창하게 비치는데도 마을의 이쪽 공기는 왠지 더 차가웠다. 나는 노래를 부르며 걸었다. 차마 신나게 부르진 못하고 머리를 낮추고 작게 불렀다. 풀숲 뒤로 마을 아이들이 강에서 몸을 씻으며 놀고 있었기 때문이다. 지금 누군가가 나를 발견하고 이름을 부르면 짜증 나니까. 이 말도 안 되는 결혼식에 무슨 한심한 계획 같은 게 있느냐고 제발 묻지 않았으면 하니까. 걸음을 재촉했다. 마른 모래가 밟히기 시작하는 오른쪽 끝에서 에니탄네 집으로 방향을 틀었다.

에니탄네 집은 우리 집과 완전히 딴판이다. 에니탄네 엄마가 농사를 아주 잘 지었기 때문에 작년이었나, 붉은 진흙 집 위에 시멘트를 덧바르기 시작했다. 그렇게 집을 고치기 시작하더니 지금은 쿠션 있는 소파에 좋은 매트리스가 깔린 침대도 있다. 스탠드형 선풍기는 돌아갈 때 소리가 하나도 나지 않았다. 텔레비전도 멀쩡히 잘 나왔다. 가끔 외국 영화가 잡히기도 했다.

에니탄은 집 뒤쪽 우물에서 굵은 밧줄을 내려 양동이로 물을 긷고 있었다. 나는 이름을 부르기 전에 에니탄이 양동이를 내려놓길 기다렸다.

"이야! 이렇게 이른 아침부터 우리 집에 발걸음을 하시다니!" 에니탄이 무슨 거수경례라도 하듯 손을 휙 쳐들었다. "아두니, 새신부 아니신가!"

과장되게 머리를 숙여 인사하려고 해서 내가 에니탄의 이마 가운데를 딱 때렸다. "그만해! 나 신부 아니야! 아직은 아니란 말이야."

"하지만 곧 될 거잖아." 에니탄은 래퍼를 가슴께로 들어 올려 이마를 훔쳤다. "특별하게 인사해주려고 했지. 아두니, 넌 가끔 이렇게 곧잘 화를 내더라. 그래, 오늘 아침은 뭐가 문제니?"

"네 엄마는 어디 계셔?" 에니탄네 엄마가 집에 있으면 지금 결혼 얘기는 할 수 없다. 에니탄네 엄마는 내가 왜 늙은 남자와 결혼하길 싫어하는지 이해하지 못하는 사람 중에서도 최악이기 때문이다. 저번에 내가 에니탄에게 결혼하는 게 무섭다고 하소연하는 소리를 우연히 듣더니 내 귀를 사정없이 잡아당기며 당장 그 말을 취소하고 돌봐줄 남자가 생긴다는 사실에 하나님께 감사하라고 야단이었다.

"지금 농장에 계셔. 아, 네가 왜 얼굴이 죽상인지 알겠다. 따라와. 콩

저기 있는데….”

“나 먹을 거 받으려고 온 거 아니야.”

“그런데 얼굴이 왜 그 모양이야?”

나는 고개를 푹 숙였다. “생각해봤는데… 아빠한테 모루푸와 결혼하지 않게 해달라고 빌어보려고.” 목소리가 어찌나 기어들 듯 작게 나오는지 나도 내 목소리가 잘 안 들릴 지경이었다. “네가 같이 가서 빌어주면 안 될까? 네가 같이 가면, 어쩌면 아빠가 마음을 바꿀지도 모르잖아.”

“너네 아빠한테 빌어달라고?” 에니탄이 목소리를 높였다. 황당하고 화가 난 듯 뭔가 단단한게 느껴지는 목소리였다. “왜? 지금 네 팔자가 상팔자라서?”

나는 괜스레 발톱으로 모래를 쑤셨다. 날카로운 돌멩이가 발가락에 끼었다. 내가 결혼하기 싫어하는 걸 왜 아무도 이해하지 못하는 걸까? 학교에 다닐 때 반에서 내가 가장 나이가 많았다. 같은 반에 지모라는 멍청한 남자애는 그걸 빌미로 맨날 나를 놀렸다. 하루는 내가 책상 쪽으로 걸어가는데 지모가 “아두니 이모, 이모 친구들은 다 중학교에 다니는데 이모는 왜 아직도 초등학교에 다니지?” 하고 물었다. 내 기분을 상하게 해서 울리려는 속셈이 뻔했다. 내가 다른 아이들처럼 학교를 제때 갈 수 없었기 때문이다. 하지만 나는 우는 대신 지모 눈동자 속 악마를 노려보았다. 그랬더니 지모도 나를 쏘아보았다. 지모의 역삼각형 얼굴을 빤히 쳐다보자 지모도 끝까지 내 시선을 피하지 않았다. 그래서 내가 두 귀를 잡고 혀를 쭉 내밀며 “네 얼굴은 자전거 안장이랑 똑같이 생겼는데 넌 왜 자전거 가게에 있지 않고 여기 있는 기니?” 하고 놀렸다. 한순간에 교실이 웃음소리로 들썩거렸다. 선생님이 긴 자로 책상을 세 번 두드리며 "조용!"이라고 외칠 때까지 내가 아주 똑 부러지게 대처한 거 같아 마음이 뿌듯했다.

학교에 다닐 때 아이들은 늘 나를 비웃었다. 내가 문제의 원인인 것처럼 취급할 때마다 나는 일부러 문제가 될 법하게 대답했다. 고개를 빳빳이 치켜들고 언제나 나 자신을 위해 싸웠다. 학교는 누구나 배우러 갈 수 있는 곳이니까. 배우는 데는 나이가 상관없지 않은가. 공부는 누구나 할 수 있다고 믿었다. 공부를 열심히 했고 성적도 좋았다. 덧셈과 뺄셈, 영어 점수가 점점 더 높아가던 때였다. 바로 그때, 아빠가 학비 낼 돈이 없다며 학교를 그만두라고 했다. 그때부터 나는 내가 공부한 내용을 잊지 않으려고 애썼다. 장이 서는 날엔 마을 남자애들과 여자애들을 다 모아놓고 ABC와 1, 2, 3을 가르치기까지 했다. 돈을 벌어보겠다는 마음으로 가르친 건 아니다. 하지만 아주머니들이 가끔 내 손에 20나이라 정도 되는 돈이나 옥수수 한 자루, 쌀 한 그릇, 정어리 통조림 따위를 쥐여주곤 했다.

그렇게 돈 되는 걸 받은 날은 차곡차곡 모아두었다. 아이들을 가르치는 건 무척 즐거운 일이었다. 내가 "A는 뭐라고?" 그러면 아이들이 "A는 apple, 애, 애, 애플" 하고 눈을 반짝이며 또랑또랑한 목소리로 대답하는 게 너무도 예뻐 보였다. 물론 텔레비전에 나온 사과 말고 진짜 사과를 본 애는 한 명도 없었지만.

"그럼 장이 서는 날에 누가 마을 아이들을 가르쳐?"

에니탄이 팔짱을 탁 끼더니 눈알을 굴렸다. "그 애들도 다 엄마, 아빠 있거든! 그리고 네 아이가 태어나면 그때 직접 가르치면 되잖아."

나는 눈물을 눈동자에 가둬두려고 입술을 꽉 깨물었다. 우리 마을 사람들은 결혼을 좋은 일로 여긴다. 여자애들은 대부분 남편이 누구라도 좋으니 아내가 되고 싶어 한다. 하지만 나는, 이 아두니는 아니다. 아빠가 결혼 이야기를 꺼낸 다음부터, 늙은이의 아내가 되는 것보다 더 나은 게 있지 않을까 하는 생각에 마음이 쩍쩍 갈라지는 것 같았다. 아무리 애를 써도 좋게 여겨지지 않았다. 심지어 아빠가 찾을 수 없는 곳으로 멀리 도망칠까도 생각해봤다. 하지만 내 형제들과 내가 자란 마을을 두고 어떻게 떠난단 말인가! 그리고 지금 에니탄조차 내 마음을 이해하지 못하는데.

나는 고개를 들어 에니탄의 얼굴을 바라보았다. 에니탄은 열세 살 때부터 결혼하고 싶어 했다. 하지만 어릴 때 사고로 윗입술이 접히고 왼쪽으로 비틀어지는 바람에 아무도 에니탄의 아빠에게 결혼 이야기를 꺼내지 않았다. 에니탄은 학교나 공부에 별 신경을 쓰지 않았다. 그저 머리를 땋는 게 행복한 아이였다. 요새는 남편감이 나타날 때까지 화장품 가게를 해볼까 궁리 중이다.

"그래서 우리 아빠한테 가서 같이 빌어주지 않겠다는 거야?"

에니탄이 고개를 저으며 분통을 터트렸다. "빌긴 뭘 빌어? 아두니, 이게 너희 가족에게 얼마나 좋은 일인지 알잖아. 네 엄마가 돌아가신 이후로 네가 얼마나 고생했는지 생각해봐." 에니탄이 한숨을 내쉬었다. "후, 네가 결혼하기 싫어하는 거 알아. 학교에 다니고 싶어 하는 것도 알아. 하지만 아두니, 곰곰히 잘 생각해봐. 결혼하면 네 가족 형편이 얼마나 나아질지 생각해봐. 그리고 내가 너네 아빠한테 애걸복걸한다고 해도 꿈쩍도 안 하실 분이라는 거 너도 알잖아. 내가 장담하는데, 모루푸 같은 남자가 나랑 결혼한다면 난 정말 행복할 거라고!" 에니탄이 한 손으로 입을 가리더니 수줍게 웃었다. "내 결혼식이라면 이렇게 춤을 출 거야." 에니탄은 치마를 무릎까지 올려 잡은 다음 발을 왼쪽에서 오른쪽 그리고 오른쪽에서 왼쪽으로 혼자만의 장단에 맞춰 동동 굴렀다. "어때? 괜찮니?"

나는 아빠가 오늘 아침 라디오를 부순 일을 떠올렸다. 모루푸에게 받은 돈으로 새 리디오를 사려는 거겠지.

"춤이 괜찮냐니까?" 에니탄이 다시 물었다.

"너 다리에 무슨 병이라도 걸린 거 같다." 마음이 너무나도 무거워 입 안에 뭐가 가득찬 것처럼 씁쓸하게 말했다.

에니탄은 옷을 내려놓고 손가락으로 턱을 괸 다음 하늘을 올려다봤다. "어디, 우리 아두니의 기분을 좀 나아지게 하려면 무슨 말을 해야 할까, 엉? 무슨 말을… 아! 그걸 보면 네 기분이 나아지겠다." 에니탄이 내 손을 잡아끌고 집 앞으로 갔다. "얼른 와서 이 화려한 화장품들을 한번 보세요. 이게 전부 내 결혼식 때 쓰려고 모아둔 거라고. 초록색 아이 펜슬 보이지? 초록색이야! 이리 와. 내가 보여줄게. 이걸 보면 너도 기분이 아주 좋아질 거야! 자, 그런 다음에 강에 가서…"

"오늘은 안 돼." 나는 잡혔던 손을 빼내고 뒤로 돌아 눈물을 감췄다. "할 일이 산더미야. 그게 다… 결혼식 준비 때문에."

"그렇겠지. 오후에 내가 너네 집에 가서 화장 한번 해줄까?"

나는 고개를 젓고 천천히 걷기 시작했다.

에니탄이 외쳤다. "아두니, 기다려! 립스틱 어떤 색깔 가져갈까? 빨간색은 신부가 바르는 색이고 분홍색은 젊은…."

"검은색 가져와. 장례식 때 바르는 검은색!" 나는 혼잣말을 하며 모퉁이를 돌았다.

4장

엄마가 죽기 2년 전, 웬 차가 한 대 우리 집 마당으로 미끄러져 들어오더니 망고나무 앞에 멈춰 섰다.

나는 나무 아래서 아빠의 러닝셔츠를 빨고 있다가 차를 보고 손에서 비누 거품을 탁탁 털어냈다. 번쩍이는 검은색 차였다. 커다란 바퀴에 잠든 물고기 눈처럼 생긴 헤드라이트. 이런 건 부자들이 타는 차 아닌가. 그때 차 문이 열리더니 한 남자가 나왔다. 에어컨 바람과 담배, 향수 냄새가 훅 끼쳤다. 그렇게 키가 큰 사람은 난생처음 보았다. 구운 땅콩 같은 갈색 피부에 보기 좋은 얼굴과 긴 턱을 보자 잘생긴 말이 떠올랐다. 비싸 보이는 초록색 레이스 천으로 만든 바지를 입고 날렵한 머리에는 같은 색 모자를 쓰고 있었다.

"안녕. 난 이도우를 만나러 왔는데." 날렵한 말투에 부드러운 목소리였다. "지금 집에 계시니?"

이도우는 엄마 이름이다. 매달 세 번째 일요일에 모여서 기도 모임을 하는 아줌마 다섯 명 말고 엄마를 찾는 손님이 온 건 처음이었다.

나는 아침 햇살에 눈이 부셔 눈을 가렸다. "안녕하세요. 누구세요?"

"지금 집에 계시니? 내 이름은 에이드란다."

"밖에 나가셨어요. 앉아서 기다리실래요?"

"안타깝지만 기다릴 순 없구나. 이카티 마을에 있는 할머니 산소에 성묘하러 잠깐 온 거란다. 내가 해외에 있을 때 돌아가셨거든. 공항 가는 길에 인사나 할까 했지. 오늘 밤에 돌아가거든."

"돌아가요? 비행기로? 해외로요?" 미국이니 런던이니, 해외라는 말을 들어보긴 했었다. 텔레비전에서도 봤는데, 연필처럼 뾰족한 코, 두꺼운 밧줄처럼 숱 많은 머리카락에 노란 피부를 가진 여자랑 남자가 나왔다. 그때까지 내 두 눈으로 해외에서 온 사람을 본 적은 한 번도 없었다. 라디오에서도 가끔 들어봤다. 어찌나 영어를 빨리 말하던지. 사람들을 헷갈리게 하는 무슨 슈퍼파워를 갖고 있나 보다, 생각했다.

나는 구운 땅콩 색 피부에 거품 스펀지처럼 짧은 검은 머리카락을 가진 훤칠한 남자를 멍하니 쳐다보았다. 해외 텔레비전에 나온 사람들하고는 하나도 닮지 않았다. "어디에서 왔어요?"

그가 가지런한 하얀 이를 드러내며 부드럽게 웃었다. "영국 런던에서 왔단다."

"그런데 왜 그 사람들처럼 피부가 노란색이 아니에요?"

그는 잠시 얼굴이 굳어지더니 곧 하하 하고 웃음을 터트렸다. "넌 분명 이도우의 딸이로구나. 이름이 뭐지?"

"아두니입니다."

"이도우가 네 나이였을 때처럼, 똑같이 예쁘구나."

"감사합니다. 엄마는 이야 할머니를 만나러 옆 마을에 가셨어요. 내일에나 올 거예요. 전할 말이 있으면 전해드릴게요."

"이런, 정말 인타깝구나. 그러면 임마에게 에이드가 찾아왔었다고 전해줄래? 내가 잊지 않았다고, 그렇게 말해주렴."

이 말을 남기고 차에 올라타더니 부르릉대며 사라졌다. 저 사람이 누굴까. 우리 엄마를 어떻게 알까. 온갖 잡생각이 머리를 떠나지 않았다. 엄마가 돌아오자 나는 해외, 그것도 영국에서 에이드라는 남자가 엄마를 보러 왔다고 말했다. 엄마는 화들짝 놀랐다. "에이드 씨가?" 그러더니 귀가 먹은 것처럼 묻고 또 물었다. "에이드 씨가?"

엄마는 이내 아빠한테 들리지 않게 소리 죽여 울기 시작했다. 그로부터 3주가 지나서야 나는 엄마가 왜 그렇게 놀라며 울었는지 들을 수 있었다. 에이드 씨는 부유한 집안 출신이라고 했다. 오래전, 그는 라고스에 살았는데 명절 동안 할머니와 지내기 위해 이카티 마을에 왔다. 하루는 엄마가 퍼프-퍼프를 팔고 있는데 에이드 씨가 와서 좀 샀단다. 그리고 엄마에게 한눈에 반했다. 아주 홀라당 빠져버렸다. 엄마는 그가 첫 남자 친구였으며 유일하게 사랑한 남자라고 했다. 둘은 결혼하기로 했다. 하지만 엄마가 학교에 다니지 않았기 때문에 에이드 씨의 가족은 두 사람의 결혼을 허락하지 않았다. 에이드 씨가 엄마와 결혼하지 못하면 죽어버리겠다고 하자, 가족은 에이드 씨를 비행기에 억지로 태워 해외로 보내버렸다.

이후 엄마는 계속 울기만 했고, 외갓집 식구들은 결국 사랑하지도 않는 아빠와 억지로 결혼시켰다. 그런데 지금, 아빠는 내게도 똑같은 짓을 하는 것이다.

그날 엄마가 말했다. "아두니, 난 학교에 가지 않았기 때문에 사랑하는 사람과 결혼도 할 수 없었어. 나는 이 마을 밖으로 나가고 싶었단다. 돈도 많이 벌고 책도 잔뜩 읽고. 하지만 그게 다 불가능했지." 그러더니 내 손을 덥석 잡았다. "아두니, 하나님은 내 마음을 아실 거야. 나는 마지막 땀 한 방울까지 짜내 너를 학교에 보낼 생각이란다. 네가 인생에서 기회를 얻길 간절히 바라기 때문이야. 훌륭한 영어를 말할 수 있도록 공부해야 해. 나이지리아에서는 모든 사람이 영어를 쓰지만, 더 좋은 영어를 말할수록 더 좋은 직업을 가질 수 있으니까."

엄마는 낮게 기침을 하고 매트에서 자세를 바꾸더니 계속 말을 이어갔다. "네가 학교에 다닌다면 이 마을에서 아무도 너보고 결혼하란 소리를 안 할 거야. 하지만 네가 학교에 가지 않으면 열다섯이 되자마자 아무하고나 결혼하라고 할 거다. 애야, 네가 받은 교육이 네 목소리가 되는 거야. 네가 말하려고 입을 열지 않아도 너 대신 말해줄 거야. 하나님이 부르시는 그날까지 말해줄 거야."

그날, 나는 사는 동안 아무것도 얻지 못한다고 하더라도 학교만은 꼭 다니겠다고 다짐했다. 초등학교를 마치고 중학교, 대학교까지 가서 반드시 선생님이 되리라. 나는 아무 소리나 내고 싶지 않았다.

나는 커다란 목소리를 내고 싶었다.

"아빠?"

아빠는 소파에 앉아 멍하니 텔레비전을 쳐다보고 있다. 회색 유리 화면을 아무 생각 없이 보고 있으면 무슨 마법이라도 일어나 선거 뉴스 방송을 볼 수 있을 거라는 듯 말이다.

"아빠?" 내가 앞으로 나갔다. 이제 저녁 시간이라 거실은 바닥에 놓인 초의 불빛으로 흐릿했고 촛농이 흘려내려 소파 다리 옆이 지저분했나.

"저예요. 아두니예요."

아빠가 요루바어로 말했다. "나 눈 멀지 않았다. 밥 다 했으면 좀 덜어서 이리로 가져와라."

"드릴 말씀이 있어요." 나는 무릎을 꿇고 아빠의 두 다리를 부여잡았다. 엄마가 죽고 나서 어쩌면 다리가 이렇게 가늘어지는지 놀라울 따름이었다. 마치 바지 천만 붙잡고 있는 느낌이다.

"제발, 아빠."

아빠는 엄했다. 언제나 딱딱한 표정으로 온 집안 식구들과 싸우려고 들었다. 그래서 에니탄을 데려와 같이 빌고 싶었던 거다. 아빠가 집에 있을 때면 온 식구가 죽은 듯이 굴어야 했다. 말하지 마. 웃지도 마. 움직이지도 마. 엄마가 죽기 전에 아빠는 늘 엄마에게 소리를 질렀다. 오래전, 딱 한 번이지만 엄마를 때리기도 했다. 아빠가 뺨을 때려 엄마 볼이 퉁퉁 부었었다. 아빠가 소리치는데 엄마가 대들었다는 것이다. 여자들은 남자가 말할 때 말대꾸하면 안 되었다. 그 이후로 엄마를 또 때리진 않았지만 그와 동시에 다시는 행복하지도 않았다.

아빠는 땀이 흥건한 이마를 번뜩이며 나를 내려다봤다. "뭐냐?"

"저 모루푸랑 결혼하기 싫어요. 그러면 아빠는 누가 돌봐요? 카유스랑 오빠는 남자잖아요. 요리도 못 해요. 빨래도 못 하고 마당 청소도 못 해요."

"내일, 모루푸가 우리 집에 염소 네 마리를 갖고 올 거다." 아빠는 가느다란 손가락을 네 개 펼쳐 보이며 영어로 말하기 시작했다. "하나, 둘, 세엣, 넷." 그러고는 침을 퉤 뱉었는데 침방울이 내 윗입술에 닿았다. "닭도 가져온다. 씨암탉이야. 아주 비싸지. 쌀 두 가마니도 가져오고. 돈도. 그 말을 안 했구나. 아두니, 5천 나이라다. 5천. 집에 멀쩡한 여자애가 있지. 너는 집에 있으면 안 되는 나이다. 그쯤 됐으면 애 한둘은 낳았어야지."

"저를 모루푸랑 결혼시키는 건 제 미래를 몽땅 쓰레기통에 처박는 거나 마찬가지예요. 아빠, 난 공부 머리가 좋잖아요. 아시잖아요. 선생님도 그랬어요. 제가 다시 학교에 다닐 수만 있다면 좋은 직업을 구해서 아빠를 모실 수 있어요. 다시 학교에 가면 반에서 제일 나이가 많겠지만, 하나도 신경 안 써요. 공부도 빨리 따라잡을 자신 있어요. 금방 학교를 마치고 선생님이 되면 월급을 모아서 집도 지어드리고 좋은 차도, 검은색 벤츠로 사드릴게요."

아빠는 코를 문지르며 콧방귀를 꼈다. "지금 집세 낼 돈은커녕 음식 살 돈도 없다. 선생이 되면 뭐 하냐? 하나 볼 거 없다. 쓸데없는 고집만 늘지. 못된 말만 하고. 지금 네가 하는 말도 무자라서, 엉? 톨라처럼 되고 싶은 거냐?"

톨라는 바다 씨네 딸이다. 스물다섯인데 머리카락이 길고 얼굴이 아가마 도마뱀처럼 생겼다. 바다 씨는 톨라를 이단라 마을에 있는 학교에 보냈고 지금 톨라는 은행원이다. 자동차도 있고 돈도 있지만, 아직껏 남편감을 만나지 못했다. 사람들은 톨라가 사방에서 남편이 될 만한 사람을 찾았지만 아무도 그녀와 결혼하길 원하지 않는다고 했다. 머리가 길고 아가마 도마뱀처럼 생겨서 그렇거나 아니면 남자처럼 돈을 벌기 때문이라는 거다.

"톨라는 돈을 많이 벌잖아요. 바다 씨를 돌보고요."

아빠는 고개를 저으며 자기 손바닥을 두 번이나 때렸다. "남편도 없이? 하나님 맙소사, 절대 안 될 일이다. 나를 돌보는 건 내 아들들이 할 일이야. 장남이 카심모터스에서 정비 기술을 배우고 있잖니. 머지않아 카유스도 그럴 거고. 너는 어쩌겠니? 아무것도 못 하지. 곧 열다섯 살이 될 테니 결혼하기에 딱 좋은 나이다."

아빠가 목을 긁으며 다시 코를 킁킁거렸다. "어제 모루푸가 말하길 네가 잘해서 첫아이를 아들로 낳으면 나한테 1만 나이라를 더 주겠다고 하더라."

엄마가 죽고 나서 가슴에 돌덩어리가 들어 앉았는데 또 다른 돌덩어리가 굴러 들어온 느낌이 들었다

"하지만 엄마와 약속했잖아요. 그 약속을 잊은 거예요?"

아빠가 고개를 저으며 말했다. "아두니, 약속이 밥을 먹여주냐, 집세를 내주냐. 모루푸는 좋은 사람이다. 이건 좋은 일이야. 좋은 일!"

나는 아빠의 다리를 붙잡고 눈물로 발을 적시며 계속 애원했다. 하지만 아빠는 꿈쩍도 하지 않고 연신 고개만 저었다. "이건 좋은 일이라니까.

행복한 일이다. 이도우도 행복할 거야. 모두가 행복해질 거다."

　　다음 날 아침, 모루푸가 오자 아빠는 닭과 염소를 갖고 와줘서 감사하다고 인사하라며 나를 불렀다. 나는 나가지 않을 작정이었다. 대신 카유스를 불러 아빠에게 매달 오는 손님이 찾아왔다고 전하라고 했다. 배가 아파서 못 나간다고. 나는 매트에 누워 엄마의 래퍼를 머리까지 뒤집어쓴 채 거실에서 아빠와 모루푸가 독한 진을 한 병 따는 소리와 땅콩 까먹는 소리를 들었다.

　　모루푸가 크게 웃음을 터트리며 요루바어로 내년에 있을 선거와 보코하람*이 지난달 학교에서 여자애들을 수도 없이 훔쳐 갔다는 얘기, 택시 사업에 대해 떠드는 소리를 들었다.

　　나는 그날 밤이 될 때까지 그 자리에 누워 엄마의 래퍼를 눈물로 적셨다. 하늘이 마치 젖은 흙처럼 시커먼 색으로 물들었다.

* 보코하람: 나이지리아의 이슬람 극단주의 테러조직. "서양식 교육은 죄악"이란 뜻으로 여학생 납치, 강제 결혼, 사살 테러 등으로 악명이 높다.

5장

나와 에니탄은 우리 집 부엌 뒷마당에 있다.

에니탄은 내일 열릴 결혼식을 위한 신부 화장을 연습하는 중이다. 내 볼에 하얀 파우더를 바르고 검은색 아이 펜슬로 눈동자를 따라 꾹꾹 눌러 아이라인을 그렸다.

우리 집 부엌에는 텔레비전에서 보던 가스레인지니 전기 장치니 그런 건 하나도 없다. 불을 지필 때 쓰는 통나무 세 개에 그 위로 가마솥만 하나 덜렁 놓여 있다. 흰 플라스틱 그릇을 싱크대로 쓰고 내가 지금 앉아 있는 작은 나무 의자가 전부다. 마을 목수인 켄두가 집 마당에 있는 망고나무로 만들어준 멋진 의자다.

"아두니, 이렇게 하니까 너 진짜 올로리* 같다." 에니탄이 일부러 아프게 하는 건지 아이 펜슬이 내 머릿속까지 파고드는 느낌이 들었다. "왕의 부인 납시오!"

에니탄의 목소리에는 웃음기가 서려 있다. 결혼하는 친구를 위해 자신이 화장을 해준다고 생각하니 한없이 기쁘고 자랑스러운 모양이었다. 내 턱을 들더니 마을 회관 텔레비전에 나왔던 인도 사람처럼 이마 가운데에 아이 펜슬로 점을 그렸다. 그리고 양쪽 눈썹을 펜슬로 그린 다음 입술에 빨강 립스틱을 발랐다.

"아두니, 이제 센다. 하나, 둘, 셋. 자! 눈떠!"

나는 눈을 깜빡깜빡하다 떴다. 에니탄이 가슴 높이로 들고 있는 거울에 비친 내 모습이 눈물에 어른거렸다.

"봐봐. 예쁘지?"

내 얼굴을 여기저기 만져봤다. 어, 그래. 마치 에니탄이 화장을 해줘서 고맙다는 듯 대답했다. 하지만 눈에 검은색으로 칠한 부분은 누가 팔꿈치로 한 대 때린 것처럼 보였다.

"너 얼굴이 왜 이렇게 죽상이니? 아직도 모루푸랑 결혼하는 게 싫어서 그래?"

대답을 하려고 했지만 에니탄이 듣기엔 헛소리일 테고 눈물만 줄줄 흘러 기껏 해준 화장을 다 망칠 거 같았다.

에니탄이 한숨을 내쉬며 도저히 이해할 수 없다는 듯, 왜 이렇게 괴로워하는지 알 수 없다는 듯 말했다. "어휴, 모루푸 집에 돈이 많잖아. 모루푸가 너랑 네 가족을 잘 돌봐줄 거야. 좋은 남편이 생긴다면 인생에서 뭘

---

* 올로리: 아프리카에서 영감을 받은 명품 브랜드

더 바라겠니?"

내가 겨우 입을 뗐다. "너 그 아저씨, 이미 부인이 두 명 있는 거 알지? 그리고 애가 넷이나 있어."

에니탄이 웃었다. "그래서? 너를 봐. 결혼하는 게 얼마나 운 좋은 건데! 이렇게 좋은 일을 허락하신 하나님께 감사해. 말도 안 되는 생각으로 그만 좀 질질 짜고."

"모루푸는 내가 공부를 마치는 걸 도와주지 않을 거야." 심장이 터질 듯 부풀어 오르더니 눈물이 터지며 볼을 타고 흘렀다. "자기도 학교에 안 다녔잖아. 내가 학교에 안 가면 어떻게 직업을 구하고 돈을 벌 수 있겠어?" 내가 어떻게 큰 목소리를 내겠어?

"아주 걱정을 사서 하는구나. 이 마을에서 학교 가는 건 아무 소용이 없어. 우린 라고스에 사는 게 아니잖아. 학교가 어쩌고저쩌고하는 얘긴 다 잊어버려. 모루푸랑 결혼해서 이쁘고 귀여운 사내아이를 낳아. 어휴, 모루푸네 집이 멀지 않잖아. 내가 놀러 갈게. 화장품 가게 일이 덜 바쁠 땐 강가에 가서 같이 놀자." 에니탄은 햇살처럼 노란 드레스 주머니에서 나무 빗을 꺼내 내 머리카락을 빗기 시작했다. "슈쿠* 스타일로 땋고 싶은데. 그러려면 빨강 구슬을 여기, 여기, 여기에 달아야 해." 에니탄은 내 머리 가운데와 왼쪽 귀 근처, 오른쪽 귀 뒤를 만졌다.

"그렇게 해줄까?"

"네 맘대로 해." 난 아무런 관심이 없었다.

---

* 슈쿠: 머리를 실과 함께 길게 땋아 하나나 둘로 묶는 것. 돌돌 말아 올리기도 한다.

에니탄은 흥이 난다는 듯 신나는 목소리로 "아두니, 이카티의 신부라네. 신부님, 크게 한 번 웃어주시겠어요." 하더니 손가락을 내 옆구리에 넣고 사정없이 간지럽혔다. 그러자 죽상이던 내 얼굴에 웃음이 번졌고 가슴이 아플 때까지 웃음을 멈출 수 없었다.

마당 멀찍이 있는 망고나무 옆에서 우리 집 장남이 가마솥을 두껍고 기다란 밧줄에 매달아 우물에 넣고 있다. 우물은 아빠의 할아버지가 만든 것이다. 증조할아버지가 진흙과 쇠, 땀으로 만들었다고 했다. 엄마가 살아 있을 때 증조할아버지가 어떻게 우물에 몸을 던져 스스로 목숨을 끊었는지 말해주었다. 증조할아버지는 어느 날 물을 길어 오겠다며 우물가에 갔다가 그냥 우물로 떨어졌다고 한다. 3일 동안 증조할아버지가 어디에 있는지 아무도 몰랐다. 사람들은 숲속을 뒤지고, 농장과 마을 광장은 물론 심지어 마을 영안실까지 다 뒤졌지만 찾지 못했다. 그런데 우물에서 썩은 달걀 냄새와 똥 냄새가 진동하기 시작했다. 며칠 만에 찾은 증조할아버지의 시체는 다리, 코, 배, 잇몸, 배꼽 할 것 없이 어찌나 퉁퉁 부었는지 영락없이 임신부 같았다고 했다. 온 마을 사람들이 증조할아버지의 죽음을 애도했고, 3일 동안 가슴을 치며 울었다고 한다. 지금 장남을 보니 마음 한구석에 문득, 장남이 우물 안으로 떨어져 내 결혼식이 취소됐으면 좋겠다는 생각이 들었다. 하지만 오빠를 두고 이런 생각을 하면 안 되지 싶어 마음을 고쳐먹었다.

장남이 물을 길어 양동이에 물을 붓고 눈썹에 맺힌 땀을 훔치는데 아빠가 왔다. 한 손으로는 자전거를 밀고 한 손으로는 초록색 해진 천을 든 채였다. 제일 좋은 바지를 입고 심지어 작은 빨강 배가 그려진 파란색 앙카라*까지 입고 있었다. 마치 왕의 행차라도 맞으러 가는 행색이었다. 장남은 바닥에 납작 엎드려 이마가 모래에 닿도록 아빠에게 인사를 올렸다. 그러고는 초록색 천을 받아들고 자전거를 닦기 시작했다. 에니탄은 내 머리카락을 빗으로 가른 다음, 빠르고 세게 빗기 시작했다.

"아야, 살살 좀 해." 머리카락이 뇌 안쪽에서부터 당겨지는 기분이 들었다.

"미안." 에니탄이 내 고개를 숙이게 하고 머리를 땋기 시작했다. 첫 부분을 다 땋아 고개를 드니 장남이 자전거를 다 닦아놓았다. 아빠가 땅에 침을 퉤 뱉더니 발로 짓이긴 다음 자전거에 올라타고 마당을 빠져나갔다.

에니탄이 화장과 머리를 다 끝내자 나는 우스꽝스러워진 얼굴을 씻어냈다. 그리고 부엌 바깥의 아까와 똑같은 자리, 똑같은 의자에 그대로 앉아 옥수수 잎을 떼며 옥수수알을 양동이에 던졌다.

오후에 시작했는데 지금은 달이 하늘 높이 휘영청 떴다. 밤은 덥고 삭막했다. 등이 달걀 껍데기처럼 곧 파삭 깨질 듯이 아팠고 손가락은 옥수수 물이 들어 노랗고 아렸다. 옥수수알을 그만 뽑고 싶었지만, 그거라도 집중해서 하면 내 정신이 오락가락하거나 복잡해지지 않았다.

양동이가 반쯤 차 한쪽으로 옮겨놓고 발을 쭉 뻗자 등에서 우두둑 소리가 났다. 양동이에 차가운 물을 한 그릇 붓고 천으로 덮어두었다.

내일 아침, 마을에 큰일이 있을 때면 늘 요리를 맡아 하는 시시 이모가 우리 집에 온다. 시시 이모는 불은 옥수수에 고구마와 설탕, 생강을 섞

---

*앙카라: 화려한 패턴이 프린트된 옷감으로 만든 옷

고 같이 갈아서 결혼식 때 마실 쿠누를 만들 것이다.

나는 바닥이 붉은 모래 천지인 건 신경도 안 쓰고 옥수수 열 개를 한쪽으로 뻥 차버렸다. 내일 옥수수가 더 필요하면 직접 까라지. 난 그만할 거야. 손가락이 참기 힘들 만큼 아렸다. 온몸이 희고 가는 옥수수수염 천지라 마치 작은 뱀이 우글대는 것 같았다.

아빠가 거실에서 모자를 코에 올려놓고 코를 골며 자고 있었다. 아빠 발 옆에는 결혼식 답례품으로 쓸 흑맥주 세 상자가 놓여 있었다. 상자 하나에 병이 하나 없나 했더니 빈 병이 활활 타고 있는 촛대 옆 바닥에 굴러다니고 있었다. 나는 내일이 오기 전, 제발 다시 한 번 생각해달라고 더 말해볼까, 잠시 망설였다. 하지만 밖에 불려둔 옥수수와 부엌에 산더미같이 쌓인 얌과 쌀, 피망 자루 그리고 집 뒤에 있는 닭 두 마리와 염소 네 마리를 떠올렸다.

내일 아침 일찍부터 나 때문에 비싼 옷과 신발을 차려입고 좋은 가방을 든 채 우리 집에 올 시시 이모랑 에니탄, 동네 사람들의 얼굴이 떠올랐다. 나는 아빠 발치에 있는 흑맥주 병을 보고 한숨을 내쉬고 거실 문 쪽으로 몸을 낮춰 촛불에 바람을 후 불었다.

어둠 속에 아빠를 놔두고 방으로 들어갔다. 벗은 옷을 탈탈 털어 옥수수수염을 털고 창가에 올려 말렸다.

래퍼를 가슴에 두른 다음 카유스 옆에 몸을 뉘였다. 매트에 머리를 묻고 잠을 청해보았지만 머리 전체가 숨을 쉬는 느낌이었다. 마치 에니탄이 내 머리카락을 쫙 당겨 땋으면서 머리에다 뜨거운 입김을 불었던 것처럼. 다시 일어나 벽에 등을 기대고 밖에서 살랑대는 부드러운 바람 소리를 들었다. 난 가끔 카유스가 되고 싶었다. 남자랑 결혼할 일도 없고 사는 데 아무 걱정이 없으니까. 카유스가 걱정하는 거라곤 뭘 먹고 어디서 공을 찰까, 그 고민뿐이었다. 결혼이나 신붓값은 생각할 필요도 없었다. 내가 계속 공부를 가르쳤기 때문에 학교 공부도 걱정하지 않았다.

에니탄은 모루푸가 집을 갖고 있다고 했다. 그리고 집에 멀쩡히 굴러다니는 자동차도 있고 음식도 쌓여 있으며 아빠와 카유스, 심지어 장남에게 줄 돈도 많다고 했다. 카유스에게 돈이 들어온다는 건 좋은 일이다. 에니탄이 말한 대로 행복하다고 생각할 수도 있을 것이다.

입술을 쭉 찢어 웃어보았다. 하지만 가슴이 날개를 퍼덕이는 새들로 가득 찬 듯 답답했다. 새들이 발을 동동 구르고 부리로 쪼아대서 엉엉 소리 내 울고 싶었다. 새들에게 심장을 그만 벌렁대게 하라고 애원하고 싶었다. 밤을 향해 고함을 지르고 내일이 절대 오지 않게 해달라고 외치고 싶었다. 하지만 카유스가 아기처럼 곤히 자고 있어 차마 깨울 수가 없었다. 그래서 래퍼 끝을 잡아 공처럼 만들어 앙 물자 오후 내내 맛보았던 옥수수와 눈물의 저릿한 맛이 났다.

진이 다 빠지도록 울고 나니 더는 눈물도 나오지 않았다. 입에 물고 있던 옷을 뱉고 코를 훌쩍였다. 내일은 올 것이다. 내가 할 수 있는 일은 아무것도 없다. 누워서 눈을 감았다. 다시 떠보았다. 감는다. 뜬다. 내 옆에서 부스럭거리는 소리가 들렸다. 떨리는 소리. 카유스?

일어나 앉아 카유스를 가만히 만져보았다. "카유스, 괜찮니?"

하지만 어린 동생은 마치 내가 뜨거운 손가락으로 꼬집기라도 한 듯, 손을 매몰차게 뿌리쳤다. 그러더니 매트에서 벌떡 일어나 바닥에 있던 슬리퍼를 뻥 차버리고는 내가 왜 그러느냐고 묻기도 전에 어둠 속으로 달려 나갔다.

나는 멍하니 앉아 귀를 기울였다. 카유스의 발이 방 밖으로 다다닥 나가더니 문을 차는 소리가 울렸다.

쾅. 쾅. 쾅.

카유스가 내 이름을 수없이 외치며 서럽게 우는 소리, 분노하는 소리가 들려왔다. 결국 잠에서 깬 아빠가 카유스에게 욕을 퍼부으며 둘 중 하나를 고르라고 고함쳤다. 시끄럽게 구는 걸 그만두든지, 거실로 와서 제대로 한번 맞아보든지. 나는 매트에서 몸을 일으켜 카유스를 찾아 나섰다. 카유스는 우리 방 벽에 등을 기댄 채 바닥에 앉아 있었다. 손으로 왼쪽 발을 비비며 울다가 또 발을 비비고 울었다.

나는 쪼그려 앉아 발을 잡고 있던 카유스의 손을 잡았다. 그런 다음 꼭 안아주었다. 아무런 말도 하지 않고 오래오래 그렇게 안아주었다. 카유스는 어느새 내 어깨에 기대 깊은 잠에 빠졌다.

6장

결혼식은 마치 내가 나오는 영화를 보는 것 같았다.

내가 보인다. 아빠 앞에 무릎을 꿇는다. 아빠는 남편의 집으로 잘 가길 바란다는 기도를 올린다. 내 입술이 벌어지더니 같이 기도하는 사람들을 향해 "아멘" 하는 목소리가 들린다. 내 머리로는 지금 무슨 일이 벌어지고 있는 건지, 하나도 이해하지 못하고 있다.

내 얼굴을 덮고 있는 흰 레이스 천 사이로 모든 게 보인다. 망고나무 아래에 서 있는 여자들, 남자들. 하나같이 파란색 계열의 옷을 입고 신발은 신지 않았다. 말하는 북*을 겨드랑이에 낀 나이 지긋한 남자가 북 옆의 줄을 당기며 북채로 친다. 퉁! 퉁! 퉁! 친구 에니탄과 루카가 신나게 춤

* 말하는 북 : 서아프리카에서 사용하는 모래시계 형태의 북으로 줄을 당겨 사람이 말하는 것처럼 톤과 운율을 조절할 수 있다.

을 추며 노래를 부른다. 한 상 가득 차려진 잔치 음식도 눈에 들어온다. 야자유 볶음밥과 생선, 얌과 도도*, 여자들을 위한 음료인 콜라와 쿠누, 조보**, 남자들을 위한 야자를 발효한 술과 독한 술인 진과 흑맥주, 오공고로***, 어린이들을 위해 쌓아둔 초콜릿까지.

내 눈은 모루푸가 손가락을 작은 꿀단지에 찍은 다음, 레이스 천을 들추고 내 이마에 세 번 찍는 걸 바라본다. "네 삶은 오늘부터 이 꿀처럼 달 것이다."

나는 말없이 바라보기만 한다. 심지어 모루푸가 아빠 앞에서 바닥에 머리가 닿게 일곱 번 절하고 아빠가 차가운 시체 같은 내 손을 잡아 모루푸의 손에 건네주고 말하는 모습도 보인다. "이 아이는 이제 당신의 아내요. 오늘부터 영원토록 당신의 것이오. 당신이 원하는 대로 하시오. 쓸모없어질 때까지 실컷 부려도 좋소! 이 아이가 다시는 내 집에서 잠들지 않기를!" 모든 사람이 웃는다. "축하해! 아멘! 축하합니다!"

내 눈은 그저 나를 바라보고 있다. 내 가슴속 제일 위에 놓았던 학교에서 찍은 사진이 바닥으로 떨어져 산산이 부서진다.

모루푸는 나를 태운 택시에 올라 우리 집 마당을 출발했다. 창문을 열더니 손을 흔들며 소리쳤다. "감사합니다! 감사해요!" 사람들은 길가 양쪽

* 도도: 바나나 비슷한 열매인 플렌테인을 튀긴 음식
** 조보: 히비스커스, 생강, 시나몬 등을 넣어 만든 음료
*** 오공고로: 주로 라피아 야자수 주스를 발효해 만드는 나이지리아에서 인기 있는 술

에 줄줄이 늘어선 채 우리에게 인사를 건네고 좋은 가정을 꾸리라고 빌어 줬다.

나는 모루푸 옆에 앉아 고개를 푹 숙이고 오늘 아침 에니탄이 손에 그려준 헤나 문신을 바라보며 지금 내 감정과 어떻게 이렇게 비슷한가 하고 생각했다. 얇은 검은 선이 이리저리 꼬여 있는 게 멀리서 보면 아름답지만, 자세히 들여다보면 그저 혼란스럽기만 했다.

"너 괜찮으냐?" 길가에 사람들이 보이지 않고 양쪽으로 키 큰 나무와 관목만 펼쳐지자 모루푸가 물었다. 바깥을 보니 세상이 빙빙 돌고 있었다. 해가 있던 곳은 이제 어둠이 내려앉았다. 하늘은 그저 빛나는 구멍이 수없이 뚫린 커다랗고 푸른 천일 뿐이었다. 바람이 내 얼굴을 스쳤다. 다른 신부라면, 행복한 신부라면 지금쯤 얼굴에 미소가 가득할 텐데. 별들을 바라보며 내가 결혼하다니 얼마나 큰 행운인가 할 텐데. 하지만 나는 고개를 푹 숙이고 눈꺼풀 뒤로 눈물을 가두려고 애쓰고 있다. 내 눈에서 절대 눈물이 흐르지 않도록 말이다. 이 남자 앞에서 울지 않을 것이다. 절대로, 절대로 내 감정을 보이지 않을 것이다.

"대답 안 해?" 모루푸가 좌회전하며 물었다. 곧 마을 경계에 닿을 것이다. "얼른! 나를 봐라!"

내가 고개를 들었다.

"그렇지. 아주 좋아. 넌 이제 결혼한 여자가 됐다. 내 아내란 말이다. 우리 집에 아내가 두 명 더 있다. 이름이 뭐라고 했지? 그래, 라바케와 카디자. 그 둘이 널 질투할 거다. 카디자는 그나마 말이 통하지만, 라바케는 달라. 널 괴롭힐 거야. 하지만 네가 그렇게 하도록 놔두면 안 되지, 그치?

라바케가 네게 해코지를 하거나 험악한 말을 하면 나를 불러라. 흠씬 두들겨 패줄 테니."

이 사람은 왜 자기 아내를 때리려는 걸까. 내 머리로는 이해가 안 됐다. 내가 나쁜 짓을 하면 나도 매를 맞을까?

"네, 알겠습니다." 바보처럼 주체하지 못한 눈물이 볼을 타고 흘렀다.

"어, 너 지금 우는 거냐?" 모루푸가 결혼식 때 머리에 썼던 필라를 획 벗어 뒷좌석에 던졌다.

"슬퍼서 우는 거냐?" 나는 고개를 끄덕여 그렇다고 했다. 모루푸가 우는 나를 보고 불쌍히 여겨 길가에 차를 세우길 열심히 기도하는 중이었다. 이건 큰 실수였다고, 다시는 나를 아내로 데려오지 않겠다고. 하지만 모루푸는 코를 킁킁거리더니 "너 얼른 눈물 닦고 방긋 웃는 게 좋을 거다. 내가 오늘 너랑 결혼하는 데 얼마를 썼는지 아느냐? 당장 입 벌리고 이가 보이도록 웃어라. 어서! 왜 나를 쳐다보니? 내가 네 아빠를 죽이기라도 했냐? 귓구멍이 막힌 거냐? 입 벌려!" 나는 얼굴이 일그러져라 이를 드러내 보였다.

"아주 좋아. 그렇게 웃어. 행복하다고 해. 신부는 언제나 행복한 거다."

차 안에 있는 우리는 마치 미친 사람들 같았다. 나는 이를 한껏 드러내고 있고 그는 신붓값으로 수천 나이라를 쏟아부었다는 둥 신나게 떠들어댔다. 이카티 빵집 교차로를 지나며 막 구운 빵 냄새가 나지 엄마 생각이 절로 났다. 사람들이 철문을 열고 우글우글 나오는 마을 사원도 지났다. 남자들은 잘라비야*를 입고 묵주와 플라스틱 주선사를 손에 들었다.

여자들은 히잡으로 머리를 가린 채 하나같이 누군가 쫓아오기라도 하듯 종종걸음으로 걸었다.

집에서 20분쯤 이동했을까. 모루푸가 이카티 식당에서 방향을 틀자 축구장 반 정도 되는 널찍한 마당이 나타났다. 마당 한가운데 시멘트로 지은 집이 서 있었다. 집은 어둑했고 네 개의 창문으로는 빛이 새어 나오시 않았다. 성면에 문은 없었고 나부로 만든 자그마한 출입구만 있었다. 출입구 앞에는 막대기에 달린 커튼이 저녁 바람에 펄럭였다. 모루푸가 구아바 나무 근처에 차를 세웠다. 나뭇가지는 사람의 손처럼 갈래갈래 뻗었고 무성한 나뭇잎이 마당 전체를 덮고 있어 마치 손가락이 잔뜩 달린 거 같았다. 마당에는 초록색 차가 한 대 더 있었다. 뒤 유리창이 유리가 아니라 파란색 나일론 가방 천으로 덮여 있었다.

"이게 내 집이다. 20년에 걸쳐 내가 직접 지었지." 모루푸가 초록색 자동차를 가리켰다. "저건 내 두 번째 택시다. 이 마을에 차가 두 대인 사람이 몇이나 있느냐?" 그러고는 어깨로 차 문을 밀어 열어젖혔다. "내려서 저기 가서 나를 기다려라. 트렁크에서 네 짐을 내리마."

나는 차에서 내려 길바닥에 있던 썩은 구아바 두 개를 발로 퍽 찼다. 집 안에서 인기척이 났다. 문이 열리고 닫히는 소리. 여자 하나가 집에서 나왔다. 살이 쪄 몸집이 두툼하고 엉덩이가 둥그런 게 허리에 두른 검은색 이로** 아래 파우파우***를 감추고 있는 거 같았다. 얼굴은 하얀 분필

* 잘라비야: 발목까지 오는 기다란 옷
** 이로: 허리춤에서 감아 입는 나이지리아 전통 치마
*** 파우파우: 파파야

을 다져서 파우더로 썼는지 온통 새하얬다. 손에 든 접시 위로 초의 불꽃이 어른거려 머리 망을 쓴 귀신처럼 보였다.

여자는 마치 신에게 초를 바치기라도 하듯 천천히, 마치 달걀 껍데기 위를 걷듯 다가오더니 내 앞에 멈춰 섰다.

"남편 훔치러 온 년. 환영한다." 여자는 입으로 후 바람을 불어 초를 꺼트렸다. "내가 너를 이 집에서 끝장낼 거야. 넌 네 어미가 널 낳은 걸 저주하게 되겠지. 아슈우 같으니라고!"

"라바케!" 모루푸가 차 뒤쪽에서 소리를 질렀다. "또 말썽을 일으키는 거야? 내 새신부더러 아슈우라고? 창녀라고? 오늘 밤에 죽고 싶으냐. 아두니, 그 여자는 신경 쓰지 마라. 제 정신이 아니야. 머리가 어떻게 된 거지. 무시해!"

라바케가 물러서며 어찌나 씩씩대는지 마당 전체가 울릴 지경이었다. 그리고 획 뒤로 돌아 엉덩이를 흔들며 가버렸다.

나는 멍하니 선 채 머리까지 휘감아 올라오는 한기를 느꼈다. 어느새 옆으로 온 모루푸가 바닥에 내 짐을 떨어뜨리더니 내 발 옆에 침을 캭 뱉고 손등으로 입을 닦았다.

"첫째 부인 라바케야." 그가 말했다. "저 여자는 신경쓰지 마라. 죄다 헛소리야. 이제 날 따라 들어와라. 가서 둘째 부인 카디자를 만나야지."

7장

거실에는 여섯 명이 있었다.

벽 쪽에 소파가 있고 가운데 놓인 나무 탁자 위로 빈 컵이 보였다. 소파 옆 구석에 텔레비전이 있고, 등유 램프에서 나온 불빛으로 거실 안은 짙은 주황빛으로 일렁였다.

나는 여자들을 차례로 관찰했다. 라바케가 텔레비전 옆에 허연 얼굴로 서서 배에 악령이라도 들어 있다는 듯 툭툭 두드리고 있었다. 옆으로는 어른 중키만 한 여자가 서 있었다. 입고 있는 짙은 초록색 로브가 불빛을 받아 어른거렸다. 나는 그 여자의 짧게 자른 머리카락부터 불룩하게 나온 배까지 가만히 바라보았다. 그 여자는 내가 바라보기만 해도 아이가 빠져나올까봐 두려운지 뒤로 돌아서서 벽을 바라보고 있었다.

바닥에는 아이들 네 명이 앉아 있었다. 모두 여자애들이었다. 아이들은 마치 내가 조명 세례를 받는 텔레비전에 나온 사람인 양 반짝이는 눈으로 나를 바라보았다. 가장 어린아이는 한 살 반 정도 돼 보였다. 모두 옷을 제대로 입지 않고 바지만 달랑 입고 있었다. 심지어 콜라나무 열매 크기로 가슴이 살짝 나온 여자애도 브래지어를 하고 있지 않았다. 강가에서 본 적이 있는 아이였다. 그때도 바지만 입고 항아리에 물을 담아 끌고 갔었다. 오래전에 텐-텐*을 하며 같이 놀았던 거 같은데.

바로 그때 그 애 이름이 기억났다. 키케. 열네 살. 나랑 동갑이었다. 그 애도 나를 알아보고 놀란 듯했다. 나는 두 눈을 텔레비전 위 등유병에 못 박은 채 병 안에서 흔들리는 불길에 고정했다.

"저 여자가 카디자다." 모루푸가 임신한 몸집이 자그마한 여성을 가리켰다. "몸은 작지만 그래도 네 형님인 내 둘째 아내다. 무릎 꿇고 인사를 올려라."

내가 무릎을 꿇고 카디자에게 인사하자 모루푸가 아이들을 쫓아냈다. "전부 다, 안으로 들어가라. 안으로." 그러면서 아이들의 다리를 뻥뻥 찼다. "얼른얼른 움직여. 키케, 알라피아, 어서. 신부는 그만하면 충분히 봤다. 매트로 가거라. 오늘은 떠들면 안 된다. 싸워도 안 된다. 내 눈알이 시뻘게지는 꼴 보지 않으려면."

여자아이들은 허겁지겁 일어나느라 서로 발을 밟고 난리더니 금세 거실 밖으로 흩어졌다.

"라바케, 카디자. 앉아라. 앉아. 모두에게 할 말이 있다."

---

* 텐-텐: 두 명이 하는 놀이로 빠른 박자에 맞춰 손뼉을 치며 다리를 상대방 쪽으로 내민다.

라바케가 소파에 털썩 앉으며 팔짱을 꼈다. "뭐라고 할지 다 알아요. 그러니까 빨리 끝내요."

카디자는 서 있는 곳에서 꼼짝도 하지 않았다.

모루푸가 하암 하고 늘어지게 하품을 하더니 라바케 옆에 털썩 주저앉았다. 등불 아래서 보니 그의 피부는 사포처럼 거칠고 나이 들어 축 처졌으며 이는 누런 갈색에 왼쪽으로 휘어 있었다. 모루푸가 입을 다물기 전, 이 다섯 개를 전부 셀 수 있었다. 아빠랑 나이가 비슷할 거 같은데. 아마도 쉰다섯, 예순 정도. 하지만 모루푸가 훨씬 늙어 보여 아빠의 아빠 같았다.

"아두니, 여기가 네 새집이다. 그리고 이 집에는 지켜야 할 규칙이 있다. 그건 바로 나를 존경하는 거다. 나는 이 집의 왕이야. 아무도 내게 대들지 못한다. 너도 안 되고 애들도 안 되고 아무도 안 된다. 내가 말할 때 넌 입을 다물고 조용히 있거라. 아두니, 내 앞에서는 질문하면 안 된다는 말이다. 알아듣느냐?"

내가 말했다. "왜요? 그럼 어디에다 질문해야 해요? 뒤에서요?"

구석에 서 있던 카디자가 크윽, 소리를 냈다. 간신히 웃음을 참는 소리다.

"아두니, 내가 지금 농담하는 거 같으냐? 네 입방정 때문에 네가 곤란해지지 않길 바란다." 모루푸는 웃고 있었지만 그건, 경고였다. "넌 남편에게 그런 식으로 말할 수 없다. 난 고약한 말버릇을 고칠 때 쓰는 몽둥이가 따로 있다. 그걸 너한테 쓰고 싶진 않구나. 알았느냐? 내가 무슨 말을 하는지 알겠지? 여기가 네 새집이야. 내가 분명히 말해두는데, 나는 첫 아내와 결혼하기 전에 이미 머리가 하얗게 셌다. 왜냐구? 돈 벌고 택시 사업을 배우느라 뼈 빠지게 일했단 말이다. 처음에 라바케랑 결혼했지만 아이를 낳지 못했지. 그래서 이카티 강의 신께 염소 두 마리를 제물로 바치고 아이를 하나 얻었는데, 딸이었다." 모루푸는 딸이 무슨 저주이거나 신이 준 쓸데없는 선물인 양 말했다.

"그 아이가 키케다. 내 장녀지. 아두니, 너랑 동갑이다. 그 이후로도 제물을 잔뜩 갖다 바쳤지. 하지만 물의 신은 라바케에게 화가 난 모양이야. 아이가 생기지 않았으니 말이다. 그래서 둘째 아내 카디자와 결혼한 거다. 큰 실수였지! 완전 꽝이다! 왜냐? 카디자는 딸만 내리 셋을 낳았으니까. 알라피아, 코포. 그리고 막내는 지금 이름이 뭔지도 모르겠다. 아들은 없어. 아두니, 네 눈이 멀지 않았으면 카디자가 임신 중인 게 보일 거다. 배 속의 애가 사내애가 아니라면 카디자의 가족에게 다시는 음식을 보내지 않을 거라고 내가 단단히 일러놨다. 배곯는 제 아비 집으로 쫓아낼 테니 두고 봐라. 그렇지 않으냐?"

카디자가 벽에 대고 말했다. "신은 그리 사악하지 않으세요. 이번엔 틀림없이 남자애예요."

"나는 아들을 둘 원한다. 아들이 생기면 학교에 보낼 거야. 그 애들은 영어를 할 줄 아는 택시 운전사가 돼서 돈을 왕창 벌 거다. 여자애들은 결혼하고, 밥하고 침실에서나 쓸모 있지. 키케 남편은 내가 벌써 구해놨다. 신붓값을 받아서 자동차 창문 고치는 데 쓸 거야. 농장의 닭도 더 살 수 있지. 귀여운 아두니와 결혼하느라 돈을 엄청나게 많이 썼거든. 하지만 아두니에게 쓴 돈은 괜찮아. 전혀 아깝지 않다! 자, 나의 세 아내들이여, 잘 들어라. 난 너희가 싸우지 않기를 바란다. 라바케, 명심해. 당신이 늘 문젯거리를 만들잖아. 내가 내 집에서 편안히 지내지 못하게 된다면 널 쫓아낼 테다. 나이가 들면 조용한 게 좋거든. 어디 보자. 셋이서 어떻게 나랑 돌아가며 잔다?"

모루푸는 회색 수염을 벅벅 긁더니 털을 하나 뽑아 입에 넣고 씹었다. "그래. 이렇게 하자. 아두니는 일주일에 3일을 내 방에서 잔다. 일요일, 일요일, 화요일. 라바케는 이틀이다. 수요일, 목요일. 배부른 너는 하루다. 금요일. 나도 남은 하루는 쉬어야지. 힘을 모아야 하니까. 아두니는 막 결혼한 신부고 팔팔하니까 나를 위해 아들을 임신할 수 있을 거다. 그렇지 않니, 아두니야?" 그는 껄껄 웃었지만 같이 웃는 사람은 아무도 없었다.

지금 저 사람이 연인들이 하듯 나랑 둘이 같은 침대에서 잠을 자자는 얘긴가? 내 벗은 몸을 보겠다는 거야? 어른들이 하는 그 이상하게 몸을 비벼대는 짓을 지금 나한테 하겠다는 거야? 몸이 덜덜 떨려서 팔로 어깨를 꼭 감쌌다. 내 벗은 몸을 본 사람은 아무도 없다. 엄마 빼고는 아무도 없다. 이카티 강에서 씻을 때도 물에 몸을 완전히 담가서 보이지 않게 했다. 저 더러운 얼굴을 가진 모루푸가 나를 만진다니. 남편 따위는 눈곱만큼도 필요 없는데. 나는 엄마만 있으면 되는데. 왜 죽음은 그토록 서둘러 엄마를 찾아왔을까? 눈물이 고여 눈에 힘을 꽉 주고, 입술을 찢어져라 깨물었다.

모루푸가 발을 뻗어 결혼식 때 입고 있던 아그바다*를 벗었다. 뚱뚱

---

* 아그바다: 나이지리아 남성이 중요한 날 입는 옷. 소매가 넓고 길이는 무릎까지 온다.

한 체형은 아니었다. 하지만 배가 동그란 게 코코넛처럼 단단해 보였다. 어쩌면 저 배 안에 병이 있을지도 몰라. 이름은 까먹었지만 과학 시간에 선생님이 설명했었는데. 그 병은 균형 잡힌 식사를 하지 않을 때 생기고, 임신한 게 아닌데 배가 딱딱해진다고 했다. 그래, 모루푸가 그 병에 걸렸을지도 몰라.

"카디자가 부엌이랑 화장실, 집 안 구석구석을 다 보여줄 거다. 걱정할 거 없다. 알았느냐? 난 이제 가서 너를 위해 준비하마. 궁금한 거 있느냐?"

아빠한테 돌아가게 나를 보내줄 수 있느냐고 묻고 싶었다. 오늘 밤에 제발 나를 만지지 말아달라고, 영원히 그러지 말아달라고 부탁하고 싶었다. 하지만 조용히 고개만 저었다. 온몸이 떨려왔다. 라바케의 머리가 땀으로 번뜩이고 카디자는 손으로 부채질을 할 정도로 날이 더웠는데 나는 차디찬 한기를 느꼈다.

"없습니다. 감사합니다." 내가 대답했다.

모루푸가 나가자 라바케가 일어나더니 한바탕해보겠다는 듯 허리에 옷을 바싹 동여맸다. "너, 키케랑 나이가 같더구나." 그녀가 눈을 빠르게 깜빡이며 말했다. "네 죽은 어미와 나는 동갑이다. 하나님 맙소사, 내 자식 같은 애랑 내 남편을 나눠 쓸 순 없지. 아이고 하나님, 내가 남편 방에 들어가기도 전에 네가 남편하고 일을 치르게 둘 순 없어. 넌 이 집에서 고생 좀 하게 될 거야. 카디자에게 물어봐. 내가 얼마나 못된 년인지 말해줄 테니까. 내 머리가 약간 맛이 갔는데 그건 고칠 약도 없어."

라바케가 내 얼굴을 손가락으로 치고 가슴을 퍽 밀자 난 소파에 힘없이 주저앉고 말았다. "네 아비 집으로 도망가고 싶어질 정도로 내가 아주 제대로 밟아주마."

나는 너무 놀라 울음을 터트렸다.

거실에 우리 둘만 남자 카디자가 입을 열었다. "울지 마." 카디자는 벽에서 몸을 힘겹게 떼더니 내 옆에 앉았다. "그냥 하는 말이야. 라바케는 입이 거칠지만 이상한 짓은 안 할 거야. 남편을 나눠 갖는 걸 좋이할 여자는 없지. 라바케는 신경 쓰지 마라. 알겠니? 울지 마." 카디자가 내 어깨에 손을 올렸다. 부드러운 손길이었다. 나보다 영어를 잘하는 걸 보니 모루푸와 억지로 결혼하기 전에 아마 학교에 다녔던 거 같았다.

"그리 나쁘진 않아. 여긴 먹을 음식도 많고 물도 많아. 난 먹을 게 있다는 사실에 감사해."

난 카디자의 얼굴을 물끄러미 쳐다보았다. 마치 오래 배를 곯은 사람처럼 눈동자가 머리 뒤로 쑥 들어가 있었다. 웃을 때면 눈이 볼에 푹 파묻혀 사라질 것 같았다. 하지만 깊은 눈동자에 다정한 기운이 서려 있었다.

"그냥 엄마 생각만 나요." 내가 속삭였다. "모루푸랑 결혼하기 싫었어요. 아빠가 집세를 내야 한다고 결혼하랬어요."

"그래도 네 사정은 나은 거야. 나는, 내 아빠는 나를 쌀 한 가마니에 모루푸에게 넘겼어. 아빠 다리에 병이 생겨 잘라냈거든. 당뇨라는 병을 아니?"

내가 고개를 저었다.

"설탕 병이야. 다리에 당뇨가 심하게 와서 의사가 다리를 여기서부터 잘라야 한다고 했지." 카디자가 마치 얌을 자를 때 하듯 자기 무릎에 선을 그었다. "병원비는 턱없이 비싼 데다 아빠가 다시는 일을 못 하게 됐으니 뭐. 그래서 우리 가족은 먹을 게 없어서 고생했어. 처음에는 모루푸가 도 와줬지만, 곧 자기도 힘들다며 나랑 결혼하지 않으면 음식을 주지 않겠다 고 하더라. 그래서 우리 가족은 쌀 다섯 데리카를 받고 나를 모루푸 차에 실어 바로 보내버렸단다. 너처럼 결혼식도 올리지 않았지." 카디자가 무 덤덤하게 웃었다. "그전엔 학교에서 공부를 잘했어. 이 집에 시집온 지는 오 년이 됐어. 내가 남자애를 낳을 때까지 우리 가족에게 음식을 주지 않 겠다고 하더라. 난 이제 지칠 대로 지쳤어. 그래도 이번엔 남자애라는 걸 알아. 그래서 마음이 놓여."

카디자가 등을 기대고 볼록한 배에 손을 올리는 모습을 보며 내가 물 었다. "몇 살이에요?"

"스무 살이야. 열다섯에 결혼해서 딸아이 셋을 낳았지만, 남편은 딸은 좋아하지 않거든. 쉽지 않아. 모루푸의 아내로 사는 건. 아두니, 이 집에서 평안히 지내고 싶으면 우리 남편을 화나게 하지 마라. 화가 나면 악령이 나와. 좋지 않아."

'우리 남편'이라는 말에 반감이 솟구쳐 올랐다. 마치 무슨 대단한 타이 틀인 양, '우리의 왕'이라고 하는 거 같았다.

"기운 내렴. 웃어. 행복하게. 자, 따라와봐. 집을 구경시켜줄게. 우리 남편이 너를 기다리니까. 오늘 밤, 넌 진정한 여자가 될 거야. 신이 웃어준 다면 아홉 달 후에 남자애를 낳을 수도 있지."

카디자가 힘을 주어 일어나 등을 비비고 손을 내밀었다. "비가 오려나 보네. 들리니? 따라와. 부엌을 보여줄게."

하늘에서 콰르릉 천둥이 쳤다. 나를, 내 심장을 정통으로 때리는 거 같았다. 나는 슬픔을 잡듯 카디자의 손을 잡고 묵묵히 따라갔다.

8장

하늘이 화가 난 듯 비가 세차게 쏟아졌다. 부엌 천장은 북이요, 비는 하나님이 손에 든 북채 같았다. 카디자는 부엌 지붕의 그늘진 곳에 서서 이곳저곳을 가리켰다.

"저게 등유 화로야." 부엌 왼쪽 구석에 철로 만든 화로가 있었다. 억수같이 퍼붓는 빗소리에 목청을 돋워야 했다. "저기서 밥을 해." 마치 등유 화로를 사용하는 사람은 자동차도 요리해 먹을 수 있다는 듯한 말투였다. "화로가 두 개 있지. 하나는 내 거고 하나는 라바케 거야. 네가 필요하면 내 화로를 같이 써도 좋아."

"감사합니다." 나는 팔로 몸을 감싸며 부엌을 샅샅이 살펴보았다. 바닥에는 먹다 남은 생선 스튜가 담긴 그릇이 놓여 있었다. 하얗고 가느다란 머리빗처럼 생신 뼈가 삐죽 나와 있었다. 그릇 옆에는 작은 나무 의자가 있고 바닥에는 네모난 검은색 비누가 야자나무로 만든 스펀지에 파묻혀 있었다. 문은 없고 두 개의 나무 기둥이 지붕을 받치고 있는 형태의 뚫린 부엌이었다.

멀리서 문이 보였다. 반은 페인트칠을 했고 반은 맨 나무 그대로였다. 누군가 페인트를 칠하다 마음을 바꿔 그냥 내버려둔 것처럼. 아니면 페인트칠을 이미 다 한 건지도 몰랐다. 빗물이 흐르자 오래 묵은 오줌 냄새가 코를 찔렀다.

"근처에 변소가 있나보죠?"

"그래. 집 앞에 우물 보이지? 저기서 물을 길어 와서 부엌을 지나 저쪽 화장실로 가는 거야. 모든 사람이 언제든 원하는 만큼 화장실을 쓸 수 있어. 너도 원할 때 그냥 쓰면 돼." 마치 원할 때 화장실을 쓸 수 있다는 게 엄청난 특권이라는 투였다.

"하지만 이건 알아둬. 우리 남편이 늘 먼저 써야 해. 아침 일찍 사원에서 기도를 시작할 때나 새벽 5시쯤 닭이 울 때 화장실에 가거든. 그 후로는 아무나 쓸 수 있어. 남편이 뭐든 제일 먼저 해야 해. 그가 음식에 손대지 않았으면 아무도 먹을 수 없어. 이 집의 왕이니까." 카디자가 나를 뚫어지게 쳐다보며 딱딱하게 웃었다. 눈도 깜빡이지 않았다. 나는 카디자가 말을 이어가길 기다렸지만, 손뼉을 딱 치더니 "자, 오늘은 이걸로 됐다. 안으로 들어가자. 비가 너무 많이 온다." 하고 말했다.

비를 맞으며 마당을 걸어 집 안으로 들어오자 옷이 홀딱 젖어 이로가 축축하게 무거웠다.

"우리 남편 방에 데려다줄게." 복도를 걷자 카디자가 들고 있는 등불이 흔들렸다. 내 그림자가 카디자 뒤에서 넘실넘실 춤을 췄다. 카디자가 왼쪽이 라바케 방, 오른쪽이 자기 방, 바로 옆방은 아이들이 다 같이 쓰는 방이라고 일러주었다.

"라바케 방에는 들어갈 생각도 하지 마." 카디자가 속삭였다. "한번은 내 딸 알라피아가 먹을 걸 가져다주려고 저 방에 들어갔었어. 그런데 저 마녀 같은 라바케가 애를 피가 날 정도로 두들겨 팼지. 그러니까 몸조심하려면 저 방 근처엔 얼씬도 하지 마."

복도 끝에 이르자 문 앞에서 걸음을 멈췄다. 문에 달린 커튼에서 비누와 물 냄새가 진하게 났다. 문 뒤로는 낮은 휘파람 소리, 재채기하는 소리, 무슨 종이를 접는지 부스럭거리는 소리 같은 게 들렸다.

"여기가 우리 남편의 방이야. 넌 여기서 사흘간 자게 될 거야. 그 이후에는 너랑 내가 방을 같이 쓰면 돼. 괜찮겠니?"

"무서워요." 내가 속삭였다. 내 심장이 미친 듯 두방망이질을 해댔고 토악질이 나올 거 같았다. "제발 저랑 같이 있어주세요."

카디자가 복도 어둑한 데서 가만히 미소를 지었다. 더는 카디자의 눈도 보이지 않았고 하얀 이만 반짝였다. "남자랑 자는 게 처음이니?"

"저는 벗은 남자를 본 적이 없어요. 무서워요."

"영광스러운 일이야. 남편을 위해 너 자신을 가꾸는 건. 안에 들어가면 그가 준비하고 있을 거야. 눈을 감으렴. 그게, 좀 아플 거야. 계속 아프면 네가 좋아하는 길 떠올려봐. 넌 뭘 좋아하니?"

내 눈에 가득 고인 눈물이 볼을 타고 흘렀다. "엄마요. 엄마가 있었으면 좋겠어요."

카디자가 내 어깨에 손을 올리고 문을 두 번 두드렸다. 그리고 발을 질질 끌며 사라졌다.

"들어와라. 들어와." 모루푸가 문을 열고 나왔다.

모루푸 뒤로는 등유 화로 옆으로 신문지가 바닥에 깔려 있고, 그 위로 등불 두 개가 반짝였다. 바닥에는 매트리스가 깔려 있고 내 옷 상자가 회색 벽 앞에 덩그러니 놓여 있었다.

"거기 멀뚱멀뚱 서서 뭐 하니?" 모루푸의 가슴에 곱슬곱슬한 회색 털이 카펫처럼 수북했다. 그가 한쪽으로 비키자 나는 한 발, 한 발 겨우 옮겨 방으로 들어갔다. 오래된 시가 냄새에 재채기가 나올 거 같아 코를 찡그렸다. 등불 두 개가 타고 있었지만, 방은 마치 묘지에 있는 관 같았다. 나를 안에 밀어 넣고 스르륵 문을 닫아 내 삶을 송두리째 앗아갈 거 같았다. 숨이 점점 가빠지고 심장이 쿵쾅쿵쾅 고동쳤다.

"침대로 오거라." 모루푸가 매트리스 위로 올라가며 말했다. 안쪽으로 몸을 누우니 매트리스 스프링에서 소리가 났다. 그는 배를 슬슬 문지르며 술 냄새를 뿜어냈다.

"오늘 왜 네 아버지 집 거실에서 춤을 추지 않았느냐?" 그가 머리 뒤로 팔짱을 끼더니 싱긋 웃었다. "앉거라, 앉아. 나랑 결혼한 게 기쁘지 않은 게냐? 나 그렇게 나쁜 사람 아닌데?"

"추워요." 나는 이렇게 말하며 매트리스에 앉았다. 매트리스가 찢어지고 구멍이 났는데 커버도 씌우지 않은 채 쓰고 있었다. 방바닥에 짙은

색 플라스틱 병이 굴러다녔다. 병 안에는 탁한 액체에 잘게 자른 나무껍질, 초록 잎 같은 게 들어 있었다. 글자를 천천히 하나씩 읽어보았다. 파이어 크래커. 잠든 남성을 일으켜 세워라.

잠든 남성이 무슨 뜻이지? 모루푸가 나 때문에 이걸 마신 거야? 왜?

공포가 엄습했다. "몸이 좋지 않은 거 같아요. 카디자랑 비를 맞았더니 감기에 걸린 모양이에요. 이제 자게 해주세요. 오늘은 몸이 좋지 않아요."

"나 방금 파이어 크래커 마셨다." 모루푸가 매트리스에 내 자리를 만들며 웃었다. "연료가 들어가면 자동차가 어떻게 되는지 알지? 남자의 몸에 파이어 크래커가 들어가면 똑같이 되는 거다. 온몸이 벌떡 서지. 너도 파이어 크래커 마셔볼 테냐? 몸이 추운 게 싹 가시지. 누워라. 등 대고."

나는 싫다고 고개를 저었다.

"자, 나를 보고 눕거라." 모루푸가 침대를 두 번 툭툭 쳤다. 매트리스에서 먼지가 확 일면서 빨래를 제대로 말리지 않고 옷장에 넣었을 때 나는 쉰내가 훅 끼쳤다. 내가 대답하지 않자 그가 매서운 목소리로 내 이름을 불렀다.

"갈게요." 내가 대답했다. 옆으로 가서 눕자 또 토악질이 나오려고 했다. 그가 가까이 오며 내 배에 손을 올렸다. 온몸이 굳어졌다.

"몸에 힘을 빼라. 힘 빼."

그가 내 기슴에 손을 올리고 부바*를 세게 꼬집으며 가슴을 꽉 쥐었

* 부바: 블라우스

66

다. 그러자 그의 숨소리가 커지면서 빨라지더니 마치 무언가 잃어버린 걸 찾는 사람처럼 머리를 내 몸 아래위로 움직이기 시작했다. 그가 바지를 벗자 나는 엄마를 부르며 울기 시작했다. 그가 내 몸 위로 올라타 짜증스럽다는 듯한 손짓으로 내 다리를 벌렸다.

갑자기 방 안에 한 줄기 빛이 들어왔다. 순간 창문에서 파랗고 하얀 이상한 빛이 비쳐 방 안을 채웠다. 엄마인가? 엄마가 보낸 빛이 모루푸 안에 있는 어둠을 모조리 쫓아내줄까?

엄마, 도와주세요.

나는 눈으로 빛을 잡으려고, 나와 같이 있게 하려고 손을 휘저었다. 하지만 눈을 한 번 깜빡이자 순식간에 사라져버렸다.

갑작스레 끔찍한 고통이 닥쳤다. 생각도 멈췄고 숨도 멈췄고 온몸이 천장으로 튕겨 나갈 거 같았다. 천장에서 내가 나를 보고 있는 거 같았다. 아랫입술을 꽉 깨물고 손톱으로 모루푸의 등을 할퀴며 힘껏 밀어내보았다. 하지만 아무런 소용이 없었다. 내 힘은 그에 비해 한없이 약했다. 모루푸는 마치 몸 안에 악마가 들어간 것처럼 굴었다. 내가 저항할수록 더 세게 자기 몸을 밀어 넣었다. 그리고 마침내 내 안에 뜨거운 열기를 쏟아내더니 커다랗게 쿵 하면서 내 위로 쓰러졌다. 그리고 한쪽으로 몸을 굴려 거칠게 숨을 몰아쉬었다.

"넌 이제 완전한 여자다." 그가 겨우 숨을 고르고는 입을 열었다. "내일, 우린 이걸 또 할 거야. 네가 임신해서 사내아이를 낳을 때까지 계속할 거다." 모루푸가 매트리스에서 내려가더니 바지를 입고 방을 나갔다. 나는 아래가 타들어 가는 고통을 느끼며 방에 홀로 누워 있었다.

얼굴 양쪽으로 눈물이 볼을 타고 흘러 귀를 적셨다. 나는 가만히 천장만 바라보았다. 천장에는 빛이 들어오지 않는 전구가 하나 덜렁 걸려 있었다.

9장

이른 아침 공기가 두꺼운 밧줄이 되어 내 몸을 칭칭 감았다.

밤새도록 견딜 수 없이 몸을 옥죄는 고통에 머리를 다리 사이에 욱여넣었다. 걷기도 힘들고 숨 쉬기도 힘들고 생각조차 할 수가 없었다. 모루푸의 방에서 겨우 걸음을 떼고 나오자 몸뚱아리를 갈기갈기 찢어 던져 버리고 싶었다.

아래가 불에 덴 듯 화끈거렸다. 활활 타는 석탄 위에 오래 앉아 있었던 거 같았다. 지난밤에 내게 무슨 일이 일어난 건지 기억이 희미했다. 머리에 어두운색 천을 쑤셔 넣어 모루푸가 저지른 사악한 짓거리를 모두 잊어보려 했다. 그런데 갑자기 모루푸가 "아두니, 나가서 아침 차려 와라." 하고 말했다.

저 멀리 부엌 앞에서 닭 한 마리가 발톱으로 바닥을 긁자 붉은 흙이 사방으로 흩날렸다. 지저분한 갈색 털투성이인 닭이 내가 다가가는 걸 보더니 긁던 동작을 멈추고 크게 꼬끼오 하고 인사를 건넸다.

카디자의 두 아이가 부엌에서 밖으로 달려 나왔다. 이름이 뭔지 도저히 생각이 나지 않았다. 둘은 양동이를 휘휘 돌리며 춤을 추듯 뛰었다. 그 모습을 보니 내가 아침에 이카티 강으로 달려가던 때가 생각났다. 아빠가 쓸 물을 뜨러 가며 해맑게 웃던 때, 엄마가 아직 살아 계시던 때.

부엌으로 걸어가면서 줄줄 흐르는 눈물을 닦았다. 화로 앞 나무 의자에 카디자가 앉아 있었다. 화로 위 냄비에서 무언가가 팔팔 끓는지 뚜껑이 달싹거렸다.

카디자가 얼굴을 들더니 손으로 파리를 쫓았다. "아두니, 잘 잤니?"

"당신 남편이 아침 차려 오래요." 음식을 찾아 두리번거리니 바닥에 얌 껍질이 뒹굴고 있었다. 화로 근처에 나무 손잡이가 달린 칼이 보였다. 칼을 보자 순간 섬뜩한 생각이 스쳤다. 저 칼을 옷 속에 넣고 있을까. 그래서 모루푸가 오늘 밤 또 나를 건드리려고 할 때 아래를 확 잘라버릴까. 나는 칼에서 눈을 떼고 애써 카디자의 얼굴에 시선을 모았다. "뭐 만들어요? 얌이에요?"

"그래. 신선한 얌이야. 잠은 잘 잤니?" 카디자가 고개를 갸웃거리며 나를 위아래로 쳐다보았다. 마치 내가 안에다 뭘 집어넣기라도 했다는 듯. "어디 아픈 데는 없어? 피 났니?"

치욕스러운 감정이 불끈 솟아 나도 모르게 손이 꽉 쥐어지고 목구멍이 막혀왔다. "피 났어요. 아래에요."

카디자가 다정한 목소리로 말했다. "어떤 건지 알아. 이부쿤 가루가 거기 아픈데 잘 들어. 우리 남편이 일하러 나가면 내가 물을 끓여서 찜질해주고 팜 오일로 마사지도 해줄게. 그러면 아픈 게 없어질거야." 카디자가 어깨 뒤로 사람이 오는지 돌아봤다. "파이어 크래커 마셨니?"

내가 고개를 끄덕였다.

카디자가 파리를 쫓으며 고개를 저었다. "그 사람이 처음으로 그걸 쓴 날, 난 다섯 번 죽다가 살아났어. 밤일하려면 그 힘이 필요하거든. 얌하고 양파 좀 먹을래?"

"내 몸을 구석구석 씻어내고 싶어요." 몸에서 모루푸의 역겨운 시가 냄새가 진동하는 듯했다. 내 안에 쓴맛이 나는 씨앗이 가득 차올라 입으로 솟구쳐 나올 듯 입 안이 썼다.

"얼른 가." 카디자가 뒤에 있는 화장실을 가리켰다. "애들이 나 쓰라고 물 양동이 가져다 놨거든. 그걸 써. 내 물은 다시 떠 오게 하면 되니까."

화장실은 네모나게 각져 있고 벽에는 인조 잔디가 붙어 있었다. 바닥에 물이 가득 든 양동이가 보였다. 역한 오줌 냄새가 코를 찔렀다.

나는 물에 손을 넣었다가 비명을 지르며 얼른 빼냈다. 물이 얼음처럼 차가웠다. 결혼식 예복을 벗어서 문에 거는 동안 몸이 사정없이 덜덜 떨렸다. 먼저 물에 손을 깊이 넣은 다음 몸에 끼얹었다. 그리고 서서히 시가 냄새와 파이어 크래커를 몸 안에서 씻어냈다.

다 씻고 난 후 차갑게 젖은 몸으로 화장실 바닥에 드러누웠다. 밖으로 나가면 아침이고 오후는 금방 지나갈 테고, 곧 밤이 되면 모루푸가 또 그 역한 불덩이로 나를 채울 생각을 하니 견딜 수 없이 끔찍했다. 그래서 바닥에 누워 벌레처럼 몸을 웅크린 채 눈을 꼭 감았다.

울지 마, 아두니. 마음을 모질게 먹었다. 절대로, 절대로 모루푸 같은, 저 아무짝에도 쓸모없는 한심한 노인네 때문에 절대로 눈물 같은 건 흘리지 말자.

10장

이 집에 온 지 4주가 지났다. 그동안 나는 철천지원수라도 겪지 않았으면 하는 일들을 겪었다.

모루푸 안에는 악마가 있다. 저 끔찍한 파이어 크래커를 마시거나 아이들이 화를 돋구면 광기가 뻗쳐나왔다.

바지에서 벨트를 풀어 키케와 자매들을 살갗이 터질 때까지 때렸다. 라바케와 카디자가 아이들을 죽이지 말아달라고 사정하며 매달릴 때까지 매질을 했다. 라바케 안에도 작은 악마가 있다. 그 악마는 내가 눈에 거슬릴 때만 나왔다. 바로 이틀 전 이른 아침 닭이 울고 난 후, 내가 화장실에서 몸을 씻고 있을 때였다. 그때만큼은 내가 나로 있을 수 있는 유일한 시간이자 생각을 제대로 할 수 있는 시간이었다. 그런데 갑자기 라바케가 문을 마구 두드리며 소리를 질렀다. 시장에 가기 전에 자기가 먼저 씻어야 하니 당장 나오라는 것이었다. 내가 거의 끝났다고 말했지만, 라바케는 기다리기는커녕 불같이 화를 내더니 억지로 문을 따고 들어왔다. 그러고는 홀딱 벗고 있던 나를 밖으로 끌어냈다.

다음에는 바닥에서 모래를 주워 모으더니 내 몸에 바르기 시작했다. 그렇게 수치스러운 경험은 태어나 처음이었다. 라바케가 모래로 내 몸을 문지르며 저주를 퍼붓자, 카디자의 아이들이 나를 둘러싸고 웃기 시작했다. 그래도 라바케를 존중해야 한다는 마음에 차마 되받아칠 수 없어 가만히 맞고만 있었다. 라바케는 그렇게 나를 흠씬 두들겨 패고 나서는 카디자의 아이 두 명에게 눈을 흘기더니 아이들의 입을 찰싹 후려쳤다.

카디자는 다음에 또 라바케가 그러면 물어뜯으라고 했다. 라바케의 미친 짓에 존중을 갖고 대할 필요는 없다는 것이다. 카디자가 임신해 배가 불러오기 전 둘은 누구 하나가 피를 볼 때까지 싸우고 또 싸웠다고 했다. 다음에는 매운 고춧가루를 화장실 옆에 한 그릇 감춰뒀다가 라바케가 시비를 걸면 고춧가루를 얼굴에 끼얹고 가슴을 깨물어버리라고 했다.

모루푸 집에서 카디자는 한 줌 위안과도 같았다. 카디자는 자기 아이 셋을 돌보면서 배 속에서 점점 커가는 아기를 돌보는 사이에 나까지 챙겨주었다. "아두니, 얌을 좀 먹어야지." 얼굴에 미소를 띤 채 얌과 생선 스튜가 담긴 그릇을 건네주며 "먹어둬. 그리고 먹을 양식을 주신 하나님께 감사드리자." 하거나 "아두니, 머리에 오일 바르자. 내가 머리 감겨줄까?" 하고 묻기도 했다. 그러면 나는 "아니에요. 카디자, 감사해요. 제가 감을게요." 하고 대답했다. 어떨 땐 "모루푸와 하는 건 어떠니? 아직도 아프니?" 하고 물었다. 그러면 나는 아니라고, 몸은 더 이상 아프지 않지만 내 마음과 영혼, 정신에 새겨진 상처는 절대 사라지지 않을 거라고 했다.

나와 카디자는 모루푸가 나를 찾는 날 빼고는 방을 같이 썼다. 카디자와 방을 나눠 쓰니 한결 나았다. 밤에 울적한 마음이 올라오면 카디자가 내 등을 둥글게 둥글게 한참 쓸어주었다. 마치 내게 더 단단해지라고, 더 굳게 마음을 먹으라고 말해주는 거 같았다. 가끔은 카디자의 아기가 배를 너무 세게 차면 내가 카디자의 단단해진 배를 잡고 노래를 불러주었다. 그러면 카디자와 아기가 모두 깊이 잠들곤 했다. 카디자는 아기가 태어나면 이미 내 목소리가 익숙할 테니 계속 노래를 불러달라고 했다.

어제만 해도 카디자가 나를 위로해주었다. "네가 아이를 낳게 되면 다시는 슬퍼지는 일이 없을 거야. 처음 모루푸와 결혼했을 때 나도 아이를 갖기 싫었어. 그렇게 어린 나이에 아기를 가지려니 너무 무섭고 아기 낳다가 몸이 잘못될까 봐 두려웠지. 그래서 임신이 안 되게 하는 약을 먹기도 했어. 하지만 두 달이 지나고 나서 결심했지. "카디자, 네가 아이를 갖지 않으면 모루푸가 널 아버지 집으로 돌려보낼 거야." 그래서 약을 먹지 않으니까 금방 첫째 딸, 알라피아를 임신한 거야. 처음으로 아이를 안던 순간, 내 심장이 터질 듯한 사랑으로 가득 차더라. 지금은 웃고 싶지 않아도 아이들 때문에 절로 웃음이 나. 아두니, 아이들은 기쁨이야. 참 기쁨이지."

하지만 나는 지금은 정말이지 아기를 낳기 싫다. 나 같은 소녀가 아기를 낳을 수 있을까? 어차피 그 아이는 학교에 가지도 못하는 불쌍한 아이로 클 텐데. 세상을 그런 아이들로 채울 필요가 있을까? 아이들이 마음껏 목소리도 낼 수 없다면 이 세상은 그저 텅 비고 슬픈, 적막한 곳일 텐데? 그날 밤 내내 머릿속이 복잡했다. 카디자가 말한 그 약. 그걸 먹으면 나도 임신을 막을 수 있지 않을까.

다음 날 아침, 카디자가 부엌에 있었다. 화로 옆 벤치에 앉아 이웨두* 잎을 다듬어 발치에 둔 그릇에 담는 중이었다.

"아두니, 잘 잤니. 오늘은 기분이 괜찮니? 이제 엄마 생각하면서 울지 않니?"

"카디자가 어젯밤에 해준 얘기에 대해 생각해봤어요." 나는 깎아야 할 정도로 길어진 내 발톱을 내려다봤다. "아기 문제요."

"그랬구나."

뒤를 둘러보고 아무도 없는 걸 확인한 다음 말을 이었다. "아기 갖는 게 너무 무서워요." 말이 빨라지며 엉키기 시작했다. "카디자가 어제 말한 거 생각해봤는데… 아기를 원하지 않을 때 먹는 약이요. 그러니까… 지금은 절대로 임신하기 싫어요. 어떻게 하면 좋아요?"

카디자가 잎을 다듬던 손을 멈추고 고개를 끄덕였다.

"아두니, 우리 남편이 아들 둘을 원하는 거 알지? 내가 하나, 네가 하나. 알고 있지?"

"알아요. 좀 있다 낳고 싶어서 그래요." 내가 임신에 계속, 계속 실패하면 어쩌면 모루푸가 나를 아빠에게 돌려보낼지도 모른다고 기대하고 있었다. 하지만 그 말을 카디자에게 하진 않았다.

한동안 말이 없던 카디자가 안타깝다는 듯 물었다. "그렇게 무섭니?"

---

* 이웨두: 피나봇과 한해살이풀. 주로 삶아 먹고 시금치 대용으로 먹기도 힌다.

"너무 무서워요. 모루푸에게 낳아줄 사내애를 바라고 매년 배를 불릴 순 없어요. 난 오직 책과 공부로 내 머리와 마음을 가득 채우고 싶을 뿐이에요." 입술을 꽉 물었다. "카디자, 나는 당신처럼 강하지 않아요. 내 나이에 아기를 낳을 순 없어요."

"아두니, 넌 강해." 카디자가 낮은 목소리로 말했다. "넌 전사란다. 우리 모두 똑같이. 너만 그걸 모를 뿐이지. 넌 교육을 받기 위해 전쟁을 벌이고 싶어 하지. 우리 마을에 살면서 학교에 다닐 수 있다면 그건 행운이야. 난 말이다. 나는 임신한 배로 싸우는 셈이야. 계속 이 집에 꼭 붙어 살면서 내 아이들이 머리를 가릴 지붕을 덮어주고, 내 엄마와 아빠가 빵을 먹고 수프를 마실 수 있게 할 거란다."

나는 멍하니 서서 카디자를 바라보았다. 카디자가 다듬은 잎이 그릇에 소복이 쌓였고, 가지에서 잎을 뜯어내느라 손가락은 짙은 초록색으로 축축이 물들어 있었다.

"아두니, 매달 손님이 언제 오는지 날짜 세는 방법을 알고 있니? 매달 며칠에 시작하는지 알아?"

"네, 알아요. 그건 왜요?"

"그런 데 쓰는 약이 있긴 해. 약효가 강한 잎들을 좀 섞은 거야."

내 가슴이 희망으로 부풀었다. "그걸 먹으면 될까요? 임신이 안 되게 할 수 있을까요?"

"나도 장담할 순 없어. 하지만 이카티 농장에 가서 그 잎이 있나 찾아봐줄 수는 있어. 거기다 파우파우 씨 열 알을 넣고, 생강 뿌리랑 마른 고추를 같이 섞는 거야. 색이 짙은 병에다 담은 다음에 빗물에 사흘 동안 불리면 돼. 매달 손님이 오기 닷새 전부터 마시고 끝난 뒤에도 닷새 동안 마셔야 해. 그리고 모루푸와 할 때마다 마셔야 하고.”

카디자가 얼굴을 들고 가느다란 눈으로 나를 쳐다보았다. “모루푸가 네가 약을 마신다는 걸 알면 절대 안 된다. 아두니, 내 말 알아듣지?”

다정한 눈길로 나를 쳐다보는 카디자의 동그란 얼굴을 보고 있자니 내 마음이 사르르 녹아내리는 것 같았다. 내가 줄기를 하나 주워 들고 말했다. “카디자, 정말 감사해요. 제가 이거 다듬을까요?”

“아두니.” 카디자가 내 손에서 가만히 줄기를 가져가 다시 바닥에 놓았다. “네가 얼마나 걱정이 많은지 얼굴에 모두 써 있단다. 오늘 집안일은 좀 잊으렴. 의자 가져다가 나랑 여기 앉아 얘기나 나누자.”

11장

집에서 카디자와 보내는 시간은 짧았지만 종종 달콤했다.

우리는 함께 수다를 떨고 신나게 웃었다. 카디자의 배는 날로 부풀었고 간혹 아프다고 했다. 그러면 나는 카디자를 도와 빨래며 요리 등 모든 집안일을 했다. 카디자의 어린아이들을 돌보는 일도 거들었다. 알라피아와 동생들을 씻기고, 밥을 먹이고, 머리를 감기고, 옷을 말리는 일까지. 카디자의 아이들은 모두 착한 데다 늘 행복하고 즐겁기만 해서 라바케에게 눈엣가시였다.

나와 모루푸는 서로 그다지 말을 하지 않았다. 그는 농사일과 택시 운전으로 이른 아침부터 밤까지 늘 바빴다. 어쩔 땐 나를 방으로 불렀다. 그러면 모루푸는 뒷짐을 지고 서 있는 내게 마치 자기가 의사나 되는 양 온갖 질문을 퍼부었다. 아직 임신하진 않았는지, 빨리 애를 가져서 사내아이를 낳아야 하는데 매달 오는 손님은 시작됐는지, 어쩐지 꼬치꼬치 캐물었다. 하지만 대부분은 그저 내 몸을 제멋대로 다루고는 음식을 먹었다. 나는 카디자가 만들어준 약을 계속 마셨다. 짙은 병에 쑬쑬한 잎과 생강이 잔뜩 들어 있었다.

모루푸와 자야 하는 날이 돌아오면 나는 얼른 약을 마시고 방으로 갔다. 그리고 죽은 사람처럼 누워 그가 내게 손대기 전 파이어 크래커를 들이붓는 모습을 지켜보았다. 한 6개월쯤 지나도 내가 임신을 못 하면 나를 아빠에게 돌려보내지 않을까 내심 기대했다. 정말 그럴 수도 있지 않을까.

라바케는 늘 내게 시비를 걸었다. 내가 설거지를 뭉그적뭉그적 한다거나 마당을 대충대충 쓴다거나 콩을 느릿느릿 깐다며 발을 구르고 욕을 해댔다. 언제나 뭔가 잘못했다며 구실을 찾아내 나와 싸우려 들었다.

하지만 오늘은 이달의 둘째 화요일이다.

시장 여자들과 이카티 농부들이 만나는 날이라 라바케와 모루푸 둘 다 집에 없는 날이다. 그래서 나는 오랫동안 맛보지 못한 달콤한 자유를 느꼈다. 이른 아침 거실을 청소하면서도 콧노래가 절로 나왔다. 그래, 행복한 일만 생각하자. 슬퍼하거나 걱정하지 말자. 그래서 나는 머리에 떠오르는 대로 노래를 부르기 시작했다.

예쁜 소녀야, 안녕!

잘나가는, 잘나가는 변호사가 되고 싶어?

그러면 공부를 많이, 많이 해야지.

뾰족, 뾰족구두를 신고 싶어?

또각또각 소리를 내면서 걷고 싶어?

그러면 공부를 많이, 많이 해야지.

나는 텔레비전 위에 놓인 랜턴 밑에 깔려 있던 두툼한 신문지를 집어 들고 텔레비전에서 가끔 보던 번호시들이 쓰는 가발 모양으로 접었다. 그리고 그걸 머리에 쓰고 떨어지지 않게 한 손으로 꾹 눌렀다. 그런 다음, 마치 뾰족구두를 신은 것처럼 발끝으로 서서 거실을 왔다 갔다 하며 노래를 부르기 시작했다.

또각또각 소리를 내면서 걷고 싶어?

뾰족, 뾰족구두를 신고 싶어?

나는 또각또각 부분에서 걸음을 멈추고 박자에 맞춰 엉덩이를 좌우로 흔들었다. 그리고 한 손으로 종이 모자가 떨어지지 않게 누르고 한 손은 위아래로 흔들며 발끝으로 걸었다.

이른 아침 지저귀는 새처럼 즐겁게 노래를 부르다 보니 어찌나 흥이 나는지 카디자가 거실로 빼꼼 얼굴을 내밀고 나를 보며 빙긋이 웃고 있는 것도 알아차리지 못했다.

"아두니!"

나는 화들짝 놀라 노래를 멈추고 카디자가 화가 나지 않은 걸 확인한 뒤 활짝 웃어 보였다.

"죄송해요. 저는 그냥….""

"아침에 할 일은 다 했니?"

"네, 다 했습니다." 머리 위에서 신문을 내리고 다시 접어 텔레비전 위에 두었다. "변호사가 꿈인 소녀가 부르는 노래를 만들어봤어요. 지금 해볼까요? 예쁜 소녀야, 안녕…" 카디자가 그만두라고 손을 젓더니 배를 살살 문질렀다. "아니, 지금은 됐어. 아직 몸이 좋지 않아. 이따가 밤에 들어볼게."

"네, 알겠어요. 오늘 아침에 오크라 수프를 끓였는데, 봤어요?"

"그래, 지금 좀 먹을게. 고마워."

내가 거실을 돌아보고 고개를 끄덕였다. "여기 청소는 다 했어요. 그럼 이제 가서 빨래를 시작…."

"아니야. 옷은 그냥 뒷마당에 놔두렴. 내가 좀 괜찮아지면 빨게. 지난주에 비가 쏟아져 강이 불었나 보더라. 이카티 강에 가서 물을 좀 길어 올래? 우물 옆에 내 물 항아리가 있어. 그걸 가져가."

"이카티 강에 가도 된다고요? 내가요?" 나는 가슴을 손으로 꾹 누르며 눈을 깜빡였다.

모루푸는 강 근처는커녕 조금이라도 먼 곳은 절대 못 가게 했다. 신부는 그렇게 쏘다니는 게 아니라며 1년 후 사내아이를 낳고 나면 돌아다닐 수 있다고 했다.

카디자가 고개를 끄덕이며 부드러운 미소를 지었다. "아두니, 네 친구들이 이때쯤 강가에서 놀잖아. 라바케랑 모루푸가 집에 없으니 얼른 가봐. 친구들 본 지 무척 오래됐잖아. 얼른. 그 대신 오후가 되기 전에 돌아와야 한다.”

“아, 카디자. 감사합니다. 감사해요. 정말 고맙습니다!” 나는 깡충깡충 뛰며 손뼉을 쳤다.

태어나서 그렇게 빨리 뛴 적도 없었던 것 같다.

머리에 장작을 이고 가는 여자들이나 빵을 쌓은 쟁반을 인 아이들에게 알은체도 하지 않은 채, 땅바닥의 바위를 훌쩍 넘으며 쏜살같이 내달렸다. 카디자의 항아리를 한 손에 들고 다른 손으로 래퍼를 단단히 쥔 채 오직 앞만 바라봤다. 멀찍이 강이 보였다. 강을 따라 죽 늘어선 바나나나무 근처에서 루카와 에니탄이 놀고 있었다.

멀리 반대편에는 대여섯 명의 남자애들이 권투라도 하는지 큰 소리로 떠들고 있었다. 하지만 나는 젖은 모래 위에 막대기로 네모를 그리고 있는 에니탄에게서 눈을 뗄 수 없었다. 에니탄의 양동이가 옆에 놓여 있고, 루카는 옆에 엉거주춤 앉아 에니탄이 그리는 걸 보고 있었다.

나는 잠시 멈춰 서서 남편이란 존재가 없던, 저렇게 마음껏 뛰놀던 시절을 생각하며 숨을 깊이 들이쉬었다.

이제 에니탄이 또 다른 네모를 그리고 있다. 에니탄은 분명 내가 제일 좋아하는 수웨 놀이를 하려고 모래 위에다가 대여섯 개의 네모를 그릴 것이다. 네모 안에 돌을 하나 던진 다음 모든 사각형을 한 발로 깡충깡충 뛰어 넘어지지 않고 돌을 주우면 된다. 그러면 네모 밖에서 에니탄과 루카가 손뼉을 치며 수웨! 수웨! 하고 소리를 지르곤 했다. 하지만 그 모든 게 이제 과거 속의 이야기가 되어버렸다.

나는 카디자의 항아리를 내려놓고 "에니탄! 루카!" 하고 소리쳤다.

루카가 고개를 돌려 나를 보고는 눈이 휘둥그레지며 활짝 웃었다. "저기 봐! 아두니야!"

우리는 서로를 향해 달려와 얼싸안고 와하하 웃음을 터트리며 동시에 떠들기 시작했다.

"우리 신부님." 에니탄이 강가 바위에 앉아 내 손을 잡아끌었다. 루카는 반대편에 앉아 내가 가운데 앉게 되었다. 친구들의 생글거리는 얼굴과 웃음기 가득한 눈동자를 보니 기뻐서 가슴이 펑 하고 터질 거 같았다.

"아내가 되어보니 어때? 전부 말해줘. 전부 다!" 에니탄이 머릿속에 전구가 켜진 것처럼 눈을 반짝이며 물었다.

루카는 한술 더 떴다. "네 볼 좀 봐! 아두니, 너 빵이랑 우유를 너무 많이 먹었구나. 아주 잘 지내고 있구나!" 그러면서 내 왼쪽 볼을 꼬집었다.

"먹을 건 많지." 내가 말했다.

에니탄이 물었다. "두 형님들은 어때? 모루푸는? 너한테 잘해줘?"

루카가 또 나섰다. "잠깐만. 나도 물어봐야지! 아두니, 남편과 하는 건 어땠어?" 그러면서 눈썹에 껌이 붙었는지 눈을 이상하게 찡끔거렸다. "아팠니, 아니면 좋았니?"

에니탄이 또 물었다. "맨날 네가 밥해야 해?"

"내가 물어본 것부터 대답해줘! 궁금하단 말이야!" 루카가 외쳤다.

"어휴, 질문도 많다." 나는 아직도 눈을 찡끔거리고 있는 루카를 보며 웃었다. "첫째 형님 라바케는 아주 사악한 인간이야. 맨날 얼굴에 무슨 분칠을 그렇게 처덕처덕 해대는지 꼭 귀신 같아. 그리고 식구들하고 날마다 싸움질이나 하고."

에니탄이 갑자기 부는 찬 바람을 막으려고 무릎을 래퍼로 덮으며 물었다. "키케네 엄마 말하는 거지? 나 그 여자 알아. 맨날 뭔 일 땜에 짜증나는 듯이 굴더라. 둘째 형님은 어때? 이름이 뭐더라?"

나는 가슴에 손을 올리며 양쪽에 앉은 친구들을 번갈아 봤다. "카디자야. 꼭 우리 같아. 우리보다 여섯 살밖에 많지 않은데, 애기 셋이나 있고 지금도 임신 중이야. 얼마나 다정한지 몰라. 나 먹으라고 밥도 해주고 이것저것 다 가르쳐줘. 밤에는 내가 노래를 불러줘. 내 노래 듣는 걸 좋아하거든. 나한테 꼭 엄마처럼 잘 해줘."

그렇게 말하고 나니 눈에 눈물이 고였다. 카디자는 정말이지 또 다른 내 엄마구나. 엄마! 그동안 다시는 돌아오지 못할 걸 알면서도 하나님에게 엄마를 돌려달라고 기도했었는데. 그 순간, 처음으로 카디자가 기도에 대한 응답일 수도 있겠다는 생각이 들었다.

에니탄이 외쳤다. "그것 봐! 아내가 되는 게 그리 나쁜 일은 아니라고 했잖아."

"아니야…." 내가 천천히 말을 뱉었다. "그나마 그렇게 나쁘지 않은 건 오로지 카디자 덕분이야. 루카 네가 물은 거는…." 루카를 돌아보며 대답하려니 속이 뒤틀리는 거 같았다. 어쩌면, 진실을 말해주면, 그렇게 서둘러 결혼하지 않을지도 모르니까. "정말 많이 아파. 어쩔 땐 걷기도 힘들어. 많이 하고 나면 피까지 흘려. 정말 토할 거 같아. 그러니까 절대 서둘러 결혼하지 마. 알겠지."

하지만 어리석은 루카는 수줍은 듯 웃으며 내 무릎을 쓱 밀었다. "거짓말! 거짓말이지?"

루카에게 내가 왜 거짓말을 하겠느냐고 말하려는데 갑자기 에니탄이 우리 뒤쪽을 가리키며 소리를 질렀다. "저기 봐. 남자애들 쪽에서 누가 오는지! 카유스야!"

나는 화들짝 놀라 일어섰다. 정말이다. 정말이야. 내 동생 카유스가 내 이름을 부르며 힘껏 달려오고 있었다. 두 달 전, 모루푸와 결혼한 후 처음 보는 거였다. 난 몸을 벌떡 일으켜 에니탄과 루카를 버려둔 채 카유스를 향해 달리기 시작했다. 우리는 카유스가 여자애들이 있는 쪽에 닿기 전에 만났다. 카유스가 나를 번쩍 안더니 하늘이 빙빙 돌 때까지 빙글빙글 돌렸다. 카유스, 이 녀석! 어쩔 땐 힘이 장사라니까.

"멀리서 여자애들이 누나 이름을 부르는 게 들렸어." 카유스가 나를 내려놓았다. "난 누나가 아닐 줄 알았는데, 자세히 보니까 누나 맞잖아!"

나는 똑바로 서서 카유스의 얼굴을 두 손으로 다정히 감쌌다. "내 동생 카유스!"

"그 염소 같은 모루푸한테 시집보내다니, 아빠랑은 이제 말도 안 해." 카유스가 내 손에서 얼굴을 빼내려고 했다. 하지만 나는 내 두 눈에 카유스의 얼굴을 오롯이 담아두고 싶어 손에 힘을 더 주었다. 카유스의 길고 두꺼운 속눈썹, 점점 옅어지는 볼의 상처, 어릴 때 넘어져 깨진 앞니.

"내가 카심모터스에서 일을 시작하면" 카유스의 목소리가 아주 진지했다. "맹세하는데, 돈을 왕창 벌어서 모루푸한테서 누나를 데려올 거야. 그 웃기는 신붓값도 내가 다 갚을 거고, 우리 집도 지을 거고, 거기서 누나랑 나만 영원히 같이 살 거야!"

나는 카유스를 끌어안고 얼굴을 내 가슴으로, 내 마음으로 꼭 안았다.

"네가 그러고도 남을 거란 거 알아. 하지만 그때까진 내가 용감하게 버텨야 해. 모루푸 집에서 사는 거 그리 나쁘진 않아. 이리로 와서 앉아봐. 다 말해줄게."

정오 무렵이 되자 나는 카유스와 에니탄과 루카에게 작별 인사를 하고 집을 향해 걷기 시작했다.

하늘에 걸린 해가 몽실몽실한 솜털 같은 구름 사이에서 히터처럼 활활 타고 있었다. 나는 카디자의 항아리를 머리에 인 채 귓가에 카유스의 웃음소리가 들리는 거 같아 춤을 추듯 걸었다.

하지만 집에 가까워지자 두근대던 심장은 점점 느려졌고 무거운 돌덩이가 내 발을 짓누르는 것처럼 걸음이 느려졌다. 당장 우리 집으로 가서 카유스에게 야자유 볶음밥을 해주고 밤에 자장가를 불러주고 싶었다. 하지만 그랬다간 아빠한테 흠씬 두들겨 맞기나 할 테지. 하는 수 없이 우리 집 방향에서 고개를 돌려 모루푸의 집으로 걸음을 옮겼다.

돌을 던지면 집까지 닿을 거리에 도착했을 즈음, 난데없이 숲속에서 나뭇가지 부러지는 소리가 났다. 나는 걸음을 멈추고 "거기 누구세요?" 하고 외쳤다. 항아리를 내려놓고 들여다봐야 하나 생각도 들었다. "누구예요?"

숲에서 등장한 건 다름 아닌 라바케였다. 갈색 천을 가슴에 바싹 조여매고 크게 뜬 눈에는 광기가 어려 있었다. 손에는 기다란 못이 박힌 방망이를 들고 있었다. 카디자가 집에 없을 때 카디자의 아이들을 겁주기 위해 부엌 뒤에 놔두는 방망이였다.

"안녕하세요." 손에 든 방망이를 보고 떨리는 마음을 감추려 애쓰며 인사를 건넸다. "숲에서 뭐 하고 있었어요?"

라바케가 요루바어로 말했다. "널 기다렸지. 그래야 잡을 수 있으니까. 여기선 카디자가 널 구해주지 못하잖니. 자, 말해봐라. 왜 내 화로에 기름이 얼마 남지 않은 거냐?"

오늘 아침에 카디자를 위해 오크라 수프를 끓인 일이 떠올렸다. 카디자는 2주째 아침마다 수프를 한 그릇씩 먹고 있다. 배가 든든하면 아기를 깨우기에 좋다고 했다. 나는 분명 카디자의 화로를 사용했다. 싱크대 옆에 있는 초록색 화로였다.

"왜 그런 건지 모르겠는데요."

"너 아까 부엌에서 밥했지?"

"카디자 주려고 했습니다."

"어느 쪽 화로를 썼어?"

"카디자의 화로를 썼습니다."

내가 실수로 라바케의 화로를 쓴 건가? 열심히 머리를 굴려보았지만 아니었다. 부엌에는 똑같은 초록색 화로가 두 개 있다. 하나는 싱크대 옆에 있고 하나는 벤치 뒤에 있다. 저녁마다, 끼니때마다, 라바케는 자기 화로를 방에 갖고 들어갔다. 아니야. 나는 다시 고개를 저었다. 분명 오늘 아침에 라바케의 화로는 부엌에 아예 없었어. 그러니까 쓰지 않았어.

"비켜 주세요. 이 물을…."

"내 화로가 싱크대 옆에 있던 거야." 라바케가 분노로 이글대는 눈을 내게 바짝 들이밀었다. "초록색 화로 말이야. 어젯밤에는 방으로 갖고 가지 않았어. 카디자의 화로가 망가졌기 때문에. 그런데 보아하니 카디자가 애를 배더니 머리가 잘 돌아가지 않는지 모루푸가 고친다고 가져간 걸 까먹고 너한테 말하지 않은 거 같더구나. 자, 다시 한 번 묻겠다. 내 화로를 썼냐, 안 썼냐?"

"화로가, 어떤 거라고요?" 심장이 쿵쿵 뛰기 시작했다. 항아리를 꽉 쥔 손이 저려왔다.

라바케가 내 가슴을 밀쳤다. 세게 밀진 않았지만 항아리가 한쪽으로 휘청이며 물이 주르륵 내 얼굴로, 옷으로 쏟아졌다. 물이 너무 차가워 가슴이 턱 막혔다.

"지금 내 화로가 어떤 거냐고 또 묻는 거야?" 라바케 방망이를 하늘로 획 쳐들자 그 소리만으로도 살이 쩍 하고 갈라지는 거 같았다.

나는 입술을 핥으며 뒤로 두 걸음 물러났다. 머리 위의 항아리가 불덩이 같고 돌덩이 같고 골칫덩어리 같았다.

"그러니까 그게, 어쩌면…" 제발 화내지 말아달라고, 매질하지 말아달라고 빌어볼까 하는데 갑자기 라바케의 딸, 키케의 목소리가 들렸다. "엄마!"

뒤에서 키케가 헉헉대며 달려오고 있었다. 이 집에 온 후로 키케와 나는 별로 말도 해보지 않았다. 키케는 집에 주로 혼자 있었고 나는, 나는 아예 얼굴도 쳐다보지 않았다. 키케는 가슴을 천으로 동여맨 채 손에는 밀가루 반죽이 묻은 나무 주걱을 들고 있었다. 단지에서 푸푸를 젓다가 내

팽개치고 우리에게 달려오는 모양이었다. 왜 여기로 오는 거지? 자기 엄마랑 같이 나를 패겠다 이건가?

"엄마" 키케가 바닥에 무릎을 꿇고 라바케에게 인사했다. "엄마, 나예요. 오늘 아침에 내가 달걀을 삶으려고 화로를 쓴 거예요. 아두니가 아니에요."

"키케, 네가 썼단 말이야?" 라바케가 믿지 못하겠다는 듯 키케를 아래위로 흘겨보았다. "네가 확실해?"

"엄마, 맹세해요. 내가 썼어요."

라바케가 씩씩거리며 내 가슴을 또 밀쳤다. 이번에는 잡고 있던 항아리를 놓치고 말았다. 항아리가 바닥에 떨어져 와장창 깨지며 산산조각이 났다.

나는 부서진 카디자의 항아리를 바라보았다. 바닥의 모래가 짙은 붉은색으로 물들었다. 라바케가 바닥에 먼지를 일으키며 멀어지자, 나와 카디자를 욕하는 큰 목소리가 허공에 울려 퍼졌다.

나와 키케만 남게 되자 나는 키케를 돌아보았다. 키케는 아직도 나무주걱을 손에 쥔 채 바닥에 무릎을 꿇고 자기가 지금 여기서 뭘 했는지 모르는 표정을 짓고 있었다.

"나를 감싸려고 거짓말을 했구나. 왜 그랬어?" 나는 고맙기도 하고 서럽기도 해서 가슴이 울렁거렸다.

하지만 키케는 대답하는 대신 어깨를 으쓱할 뿐이었다. 그리고 일어나더니 무릎에서 모래를 털고 재빨리 달려가며 엄마에게 같이 가자고 소리쳤다.

나는 잠시 먼지가 가라앉는 걸 멍하니 보고 있다가 바닥에 앉아 무릎 사이로 래퍼를 넓게 펼쳤다. 그리고 카디자의 부서진 항아리 조각과 오늘 카유스를 만나 행복했던 감정을 주워 담기 시작했다.

손에 닿는 대로 아무렇게나 래퍼에 쓸어 담으며 얼마나 오래 앉아 있었는지 모르겠다. 젖은 모래, 개가 먹다 버린 뼛조각, 자동차 바퀴에 눌린 우유 깡통, 나무 주변에 있던 잡초. 손가락에 디러운 냄새가 배는 건 신경도 쓰지 않은 채 전부 주워 담았다.

더는 담지 못할 정도가 되자 일어나려고 했지만 일어날 수 없었다. 무언가 나를 짓누르는데 래퍼에 쓰레기를 워낙 많이 담은 탓인지, 가슴 가득 쌓인 슬픔 때문인지 알 수 없었다. 그래서 그냥 땅바닥에 털썩 주저앉았다. 그때 누군가 귓가에서 조용히 내 이름을 불렀다.

"아두니, 네가 오길 한참 기다렸단다. 저런, 아주 엉망이 됐네." 카디자였다. 부드럽고, 걱정이 담긴 목소리였다.

"라바케 때문에요." 두 발에 힘을 주며 일어나자 래퍼에 담겨 있던 잡동사니가 비처럼 와르르 쏟아졌다. "라바케가 밀어서 항아리가 깨졌어요. 조각을 주우면서 어떻게 고칠까, 엄마가 죽은 이후로 모든 게 엉망진창인데 이걸 다 어떻게 고칠까 이런 생각을 하고 있었어요. 그런데 참 힘들어요. 모든 게 너무 힘들어요."

"아두니." 카디자가 따뜻한 손으로 내 볼을 쓰다듬으며 나도 모르게 흐르는 눈물을 닦아주었다.

"이리 오렴, 아가야. 뜨거운 물로 목욕을 해야지. 얌 한 그릇 먹고 아주 아주 깊은 잠을 자는 거야."

카디자가 내 손을 잡고 부축했다. 나는 무거운 마음으로 모루푸 집을 향해 걸음을 뗐다.

12장

지난주 사건 이후, 나는 키케를 다정한 눈빛으로 보게 되었다. 마주칠 때면 눈인사를 하곤 했다. 그런데 오늘 아침, 내가 부엌 앞에서 고추를 갈고 있는 걸 보고는 키케가 다가왔다.

내 앞에 서더니 엉덩이에 손을 올리고 고개를 갸웃했다. "아두니, 안녕."

"안녕" 나는 다리 사이에 놓은 넓적한 돌 위에 고추를 갈기 전 숫돌에 물어 부어 찌꺼기를 씻어냈다.

"저번에 숲에서… 그날은 고마웠어." 나는 맷돌에 시선을 고정한 채 말했다. "고맙다고 진작 말하고 싶었는데 너희 엄마가, 내가 너하고 말하는지 계속 감시하는 바람에."

"엄마는 시장에 갔어. 해 질 무렵에나 오실 거야."

"그날 왜 거짓말해준 거야?"

"그건… 그냥."

내가 햇빛을 손으로 가리며 올려다보았다. "난 네 아빠랑 결혼하기 싫었어. 너도 알지?"

키케는 무릎을 구부리고 옆에 있던 돌에 앉았다. "알지. 네가 학교에 다니고 싶어 하는 것도 알고. 아두니, 너 머리 좋잖아. 학교에서 공부도 잘 했고. 마을 사람들은 다 알지."

"그런데 너희 엄마는 왜 맨날 나한테 그러신대니?"

"사내애를 못 낳는다고 아빠가 카디자랑, 너랑 결혼한 게 엄마한텐 큰 상처야. 그 화를 둘한테 퍼붓는 거지. 게다가 너는… 나랑 동갑이잖아. 엄마가 그것 때문에 더 힘들어하셔."

"나도 알아."

"아빠가 내 남편감을 찾았대. 열 살 때부터 남편감을 찾아다녔거든. 어제 내 신붓값을 받으러 간다고 하더라. 내일, 내 남편 집에 간대."

"어떤 남자야?" 나는 고추를 둘로 쪼개 돌 위에 놓고 갈기 시작했다. "전에 만난 적 있는 사람이야?"

키케가 고개를 저었다. "이름이 바바 오군이래. 마을에서 아픈 사람들이 먹는 약을 판다나 봐. 한 번 결혼했었는데 부인이 피를 토하더니 6개월 만에 죽었대. 좀 젊어지고 싶어서 나 같은 어린 상대를 찾는다나. 전 부인이 죽었기 때문에 결혼식을 제대로 올리진 않을 거래. 내일 아빠랑 엄마가 날 데리고 갈 거야."

키케는 별로 상심하진 않은 듯했다. 첫째 부인이 죽은 늙은 남자의 둘째 부인이 되는 걸 그닥 신경 쓰지 않는 것처럼 보였다.

"그 남자랑 결혼하게 돼서 행복해?" 고춧가루를 수저로 떠서 확인해 보았다. 고춧가루 사이에서 하얀 고추씨가 흰 모래처럼 보이자 다시 갈기 시작했다.

"아빠가 좋아하니까." 키케가 어깨를 으쓱였다. "엄마는 내가 바느질을 배우길 바랐어. 하지만 아빠는 나를 가르칠 돈이 없네. 아마 내 신붓값을 받아 택시를 고치겠지." 키케가 뒤로 기대더니 숫돌을 앞뒤로 반복해 움직이는 내 손을 멍하니 바라보았다.

키케가 갑자기 한숨을 쉬었다. "내가 남자였으면 좋았을 텐데."

내가 손을 멈췄다. "왜?"

"아두니, 생각해봐. 우리 마을에 사는 남자들은 전부 학교에 가고 직업을 가질 수 있잖아. 그런데 우리 여자애들은 열네 살이 되면 결혼해야 해. 난 뛰어난 재단사가 될 자신이 있거든. 정말이지 멋진 옷을 그릴 수 있다고." 그러더니 손가락으로 모래에 무언가를 그렸다. 고개를 기울여 보니 물고기 꼬리 모양의 치마에 소매는 종 모양인 기다란 드레스였다.

"그거 되게 멋있다."

키케가 그림을 지우더니 손가락으로 다른 옷을 그렸다. "난 엄마랑 시장에 갔다가 집에 돌아오는 길에 늘 여러 스타일의 옷을 그려봐. 그러고 눈을 감는 거지" 그러면서 실제로 두 눈을 감았다. "마을 여자들이 전부 내가 만든 옷을 입고 있는 상상을 하는 거야."

키케가 눈을 뜨고 서글픈 미소를 지었다. "난 내가 남자였으면 좋겠어. 하지만 아니잖아. 그러니까 어쩔 수 없이 다음 선택지를 골라야지. 남자랑 결혼하는 거."

나는 키케가 한 말을 조용히 곱씹어보았다.

"그래서 나는 요새 하나님한테 기도해. 남편 될 사람이 마음씨가 착해서 내가 바느질 배우는 걸 허락하게 해달라고. 아두니. 넌 크면 뭐가 되고 싶었어?"

"선생님" 난 두 살 때부터 선생님이 되고 싶었다. 엄마가 시장에 내다 팔 퍼프-퍼프를 튀길 때부터 우리 집 마당에서 나무랑 나뭇잎들을 앞에 놓고 가르치는 시늉을 했다. 막대기로 망고나무 뿌리를 치면서 이렇게 말하곤 했다. "너, 망고나무, 1 더하기 1이 뭐야?" 그리고 대답도 내가 했다. "1 더하기 1은 2지요, 아두니 선생님!"

나는 그 기억이 떠올라 슬며시 웃음이 났다. "난 마을에서 계속 아이들을 가르치고 싶어. 아이들의 삶이 좀 나아질 수 있게. 하지만 지금은 네 아빠랑 결혼했으니, 다 끝장이지 뭐."

키케가 고개를 저었다. "눈을 감고 네가 선생님이 된 모습을 떠올려봐. 얼른. 눈을 감아보라니까. 한번 해봐."

처음에는 검은 천만 드리운 거 같았다. 하지만 천을 걷어내고 내 안을 깊이, 더 깊이 들여다보자 교실 안에 서서 분필을 들고 칠판에 무언가를 쓰는 내가 보였다. 뒤로는 하얗고 빨간 교복을 입은 아이들이 의자에 앉아 있었다. 아이들은 내가 학교를 떠나기 전에 배운 모든 걸 가르치는 내 목소리를 주의 깊게 듣고 있었다.

그 순간 내 안에서 무언가가 울컥 솟구쳤다. 느낌이 하도 강렬해서 눈이 빈뜩 뜨였다. 입 안에서 웃음이 터져 나오고 몸이 떨려왔다.

키케가 웃었다. "거 봐. 내가 말했잖아. 우리 아빠랑 결혼하는 바람에 네가 품었던 희망을 다 잃었다고 생각하겠지만 네 깊은 속마음은 그렇지 않다니까. 마음속으로는 어쩌면 네가 바라는 선생님이 될 수 있다고 믿고 있는 거야." 키케가 일어섰다. "넌 책 읽는 거 좋아하니까 이단라 마을 쓰레기통이나 시장에서 싼 책을 구해봐. 뭐라도 읽어서 생각을 키워보라고. 어쩌면 언젠가는 선생님이 될 수 있을지도 모르잖아. 못 될 수도 있지만. 나는 내일 처음 보는 남편의 가족을 만나러 가지만 내 안은 말이야, 나는 재단사 키케야. 이제, 너도 내 꿈이 이뤄지길 응원해줘."

키케가 가고 나서 나는 잠시 눈을 감고 머릿속으로 선생님이 된 모습을 그려보려고 했다. 하지만 사방이 검은 천으로 뒤덮여 있었다. 고춧가루 때문에 손이 아렸다.

13장

어젯밤에 카디자가 산파에게 가는데 같이 가달라고 했다.

이제 임신 8개월에 접어든 카디자는 지난주부터 다리 사이에 타이어를 두 개는 끼운 듯이 어기적거리며 걷는다. 부엌에서 일할 땐 자그맣게 계속 신음소리를 냈다. 아무도 못 듣는 줄 알겠지만 나는 전부 다 듣고 있었다. 아기가 괜찮으냐고 물으면 카디자는 괜찮다고만 했다. 하지만 어젯밤에 매트에 올라가 누웠을 때, 아기에게 노래를 불러주려고 했더니 카디자가 고개를 저었다. "아두니, 그만. 오늘은 노래 안 했으면 좋겠어." 카디자가 노래를 그만하라고 한 적은 한 번도 없었기 때문에 나는 왜 그러냐고 물었다. "아두니, 걱정돼서 그래. 아기가 너무 일찍 나올 거 같아서 걱정돼."

"왜요? 아기가 잘못된 거 같이요?" 아기가 나온다는 말에 나는 깜짝 놀랐다.

"그래."

"혼자 그렇게 느끼는 거예요, 아니면 확실한 거예요?"

카디자는 커다란 눈을 약간 찡그렸다. "내가 알지. 아두니, 이번이 네 번째 임신인데. 아이가 나오고 싶어 하는지 배 속에 더 있고 싶어 하는지, 그건 내가 잘 알아. 이 아기는 나오고 싶어하는 거야. 튼튼하게 나오려면 아직 4~5주는 더 배 속에 있어야 하는데. 지금은 안 돼. 내일 아침에 산파를 보러 갈 거야. 이 아기는 남자애야. 죽으면 안 돼."

"그런데 남자앤지 어떻게 알아요? 누가 배 속을 들여다보고 확인한 거예요?"

"내가 알아. 모루푸가 이번에도 사내가 아니면 우리 가족에게 더는 음식을 안 주겠다고 했잖아. 그래서 확실히 하기 위해 해야 할 일을 했을 뿐이야." 카디자는 이렇게 말하고 서글픈 듯 고개를 푹 숙였다. "내가 저지른 일은 부끄러운 일이지. 하지만 나에겐 다른 선택이 없었어. 아두니, 또 딸을 낳을 순 없어. 너도 알잖아. 내가 이번에도 딸을 낳으면 우리 엄마, 아빠는 뭘 먹고 살겠어? 이번에는 남자애야. 그러니까 죽으면 안 돼. 내일 아침에 나를 따라와. 아침 일찍 출발할 거야."

그날 밤, 나는 잠을 설쳤다. 사내아이를 임신하기 위해 뭘 확실히 했다는 걸까. 아기가 갑자기 나와서 죽어버리면 어떡하나 하는 두려운 마음에 가끔 카디자와 카디자의 배를 확인하며 뜬눈으로 밤을 새웠다. 만약 지금 모루푸를 부른다면 라바케가 나를 죽도록 팰 것이다. 오늘은 라바케가 모루푸와 자는 날이니까.

하나님, 감사합니다. 아기는 다음 날 아침까지 무사한 거 같았다.

"산파 집이 어딘데요? 남편에게 산파한테 가는데 내가 따라간다고 말해줄 거예요?" 아침에 씻은 다음 카디자에게 물었다. 모루푸와 라바케가 있는 방과 멀찍이 떨어진 카디자의 방에 있는데도 소곤소곤 작게 말했다. 모루푸의 아내가 된 지 3개월이 지났지만, 도저히 모루푸를 '우리' 남편이라고 부를 수 없었다. 내 입으로 차마 말하지 못하는 것들이 몇 개 있다. 저번에 한 번 말해보려고 했는데 혀가 낚싯바늘에 걸린 거 같았다. 그래서 카디자에게 말할 땐 그냥 '남편'이라고만 부른다. 카디자도 알고 나도 아니까.

카디자가 고개를 저었다. "내 친정엄마를 보러 간다고 말할 거야. 그리고 너는 내 가방을 들어줘야 하니까 데려간다고 할 거고."

"왜 산파를 보러 간다고 말하지 않아요? 그러면 안 되는 거예요?"

"넌 잘 모를거야." 카디자는 여전히 배가 아픈지 배를 문지르며 인상을 썼다. "갈 준비 됐니?"

나는 검은색 샌들을 신고 허리에 끈을 단단히 묶은 뒤 카디자를 따라나섰다.

모루푸와 라바케가 마당에 세워둔 택시 앞에 서 있었다. 오늘은 키케의 결혼식이니 남편의 집으로 데려다줄 준비를 하고 있을 게 뻔했다.

모루푸는 내 결혼식 때 입었던 아그바다를 입고 있었고 라바케는 갈색 자루 같은 걸 뒤집어쓰고 있었다. 라바케가 나를 보더니 휙 뒤로 돌며 씩씩대기에 나도 똑같이 씩씩거렸다. 비록 내 귀에만 들리긴 했지만.

"아침 일찍 어딜 가려는 거냐?" 모루푸가 옷소매를 어깨 위로 올리며 물었다. "키케 결혼식에 따라가려는 건 아닐테고."

라바케가 입을 뗐다. "하나님 맙소사, 절대 안 되죠. 절대 안 데려가요. 오늘 주인공은 나라고요. 웬수 같은 년들이 오늘 같은 날을 망치게 둘 순 없지."

"따라가는 거 아니에요." 카디자가 땀이 흥건한 이마를 훔치며 영혼이 빠져나오기라도 하듯 힘겹게 말했다. "친정집에 가려고요. 엄마가 많이 아프시대요. 아두니를 데려가야 해요. 가방이 너무 무거워서요."

모루푸는 지금 카디자의 상태가 어떤지 보이지 않는 걸까?

내가 무릎을 굽혀 모루푸에게 인사했다. "안녕히 주무셨어요?"

"아두니, 내 어린 아내. 카디자를 따라가서 어머니께 인사드리고 싶으냐?"

약간 흔들거리며 서 있는 카디자가 고개를 끄덕이자 나도 고개를 끄덕였다. "네, 가고 싶습니다."

"그러면 오늘 밤에는 반드시 돌아와야 한다. 오늘 밤 내 아두니랑 특별한 밤을 보내고 싶거든."

카디자가 말했다. "하나님이 살펴주실 겁니다. 해 지기 전에는 돌아올 거예요."

"그럼, 그렇게 하도록 해." 모루푸가 차에 올라 시동을 걸었다.

키케가 집에서 나왔다. 새 이로와 부바를 입고 있었다. 부바의 목 부분에는 꽃이 수놓여 있었다. 멋진 옷이었다. 혹시, 직접 만든 건가? 겔레*

* 겔레: 터번같이 머리에 두르는 장식

위로 레이스 천이 내려와 커튼처럼 얼굴을 덮고 있었다. 키케가 눈꺼풀 주변을 따라 그린 검은색 카잘* 아래로 희망이 가득한 눈빛으로 빼꼼 쳐다봤다.

"잘 가." 키케가 내 앞을 지나갈 때 내가 말했다. "잘 가, 재단사."

나와 카디자는 버스 주차장까지 2마일을 걸어갔다.

버스 주차장까지는 그리 먼 거리가 아닌데도 카디자가 어찌나 배를 문지르며 끙끙대고 느리게 걷던지 꼭 길 한복판에서 당장이라도 애를 낳을 거 같았다.

계속 대변도 마렵고, 소변도 마렵고, 누워 자고 싶다고 했다.

나는 덜컥 겁이 났지만, 겉으로는 괜찮은 척하며 멈추지 말고 대소변도 참으며 계속 걸으라고 했다. 버스는 다행히 복잡하지 않았다. 시장에 내다 팔 빵이며 오렌지, 콩이 든 자루를 안은 여자들뿐이었다. 우리는 앞쪽에 자리를 잡았다. 나는 아침에 일어나면 올라오는 입 냄새 같은 악취를 풍기는 버스 기사 가까이에 앉았고 카디자는 문 쪽에 앉았다. 나는 카디자의 짐을 무릎에 올려두고 내 눈길로 배 속의 아기를 붙들어둘 수 있기라도 하듯 카디자에게서 눈을 떼지 않았다. 기사가 부르릉 시동을 걸고 정거장에서 출발하자 카디자에게 몸이 어떤지 물어봤다. "아기가 좀 올라갔어요?"

"아니야. 아직도 내려와 있어." 카디자가 머리를 내 어깨에 기대고 내 손을 꼭 쥐었다. "눈이 자꾸 감기는구나. 케레 마을까지 갈 거야. 도착하면

* 카잘: 나이지리아 전통 아이라인

깨워줘."

내가 미처 잠들지 말라고 말하기도 전에 카디자는 눈을 감고 이내 코를 드르렁 골기 시작했다.

14장

　버스는 숲길을 통과하며 양쪽으로 가지가 무성한 높다란 망고나무 사이를 지났다.

　나뭇가지가 묵직하게 내려와 길을 덮고 있는 게 꼭 우산 같았다. 햇살이 우산 사이로 비쳤다. 창 밖으로 자전거를 타고 밭으로 향하는 농부들이 스쳤다. 길거리에 나온 닭과 개를 쫓으며 사람들에게 비키라고 자전거 벨을 계속 울려댔다. 래퍼로 자는 아기를 업은 채 장작과 빵, 플랜테인 그릇을 머리에 이고 가는 여자들도 지났다. 시장에서 나온 여자들은 장작과 음식을 집으로 가져가 곧장 요리를 시작할 것이다. 문득 이런 생각이 들었다. 왜 남자들은 여자애를 학교에 보내지 않을까? 그러면서 여자들이 장작을 구하거나 시장에서 물건을 사 오고 요리를 하는 건 왜 당연하다고 생각할까?

이카티 경계를 지나 붉은 언덕이 빙 둘러 펼쳐진 곳에 도착했다. 가끔씩 언덕 끝에 진흙으로 지은 집이 있었는데, 금방이라도 뚝 떨어져 안에 있는 사람들이 모조리 죽을 거 같았다.

검은 염소 50마리 정도가 바위를 올라가는 모습이 보였다. 기다란 지팡이를 든 남자가 맨 끝에서 염소를 위로, 위로 가라고 재촉했다. 왼편으로 눈물을 흘리고 있는 것처럼 보이는 언덕이 나타났다. 언덕 사이로 맑은 물이 흘러 푸르른 하늘이 물에 비쳤다. 언덕 꼭대기가 달걀처럼 둥글고 부드러운 게 꼭 대머리 같았다.

언덕을 지나고 한 시간쯤 흘렀을까. 드디어 케레 마을에 도착했다. 내내 코를 골며 깊이 자던 카디자가 이상한 잠꼬대를 해댔다.

버스 기사가 코코아나무 근처에 차를 세웠다. 사방에서 견과류 굽는 냄새가 풍겼다. 주변을 둘러보니 한 남자가 장작불 위로 손수레에 담긴 호두를 뒤집고 있었다. 남자 앞에는 호두를 사려는 사람이 한두 명 서 있었다. 케레는 이카티 크기의 반 정도 되는 작은 마을이었다. 드문드문 붉은 모래로 지은 둥근 집이 한두 채 있고, 나머지 언덕 주변에 있는 집들은 거의 무너지기 일보 직전이었다.

주차장 건너편에 초콜릿, 시가, 신문과 빵을 파는 가게가 하나 있었다. 가게 앞을 비로 쓸던 여자의 노랫소리가 길 건너 우리에게까지 들려왔다.

아침에는 일어나
주를 찬양하라

그때 기사가 외쳤다. "이번 정거장은 케레 마을이요. 10분 정차했다가 출발합니다!"

"눈떠요." 카디자 얼굴이 한쪽으로 쓰러졌다. 카디자를 팔꿈치로 밀면서 내 배가 딱딱해지는 게 느껴졌다. 왜 이렇게 오래 자지? 나는 입술이 불에 덴 듯 침을 묻히고 다시 팔꿈치로 카디자를 꾹 눌렀다. "카디자?"

아, 이런. 내가 왜, 대체 왜 여길 따라온다고 했지? 내가 무슨 생각을 한 걸까? 카디자가 계속, 계속 이렇게 영원히 잠만 자면 어떡하지?

"카디자, 일어나요!" 내가 소리를 지르자 기사가 돌아봤다. "일어나질 않아요!" 기사에게 소리쳤다. 울먹이는 내 목소리에 나도 놀랐다.

"아두니?" 카디자가 눈을 뜨고 천천히 주변을 두리번거리더니 입가에 흐른 침을 닦았다. "일어났어. 다 왔네. 이제 내리자."

"괜찮은 거예요?" 카디자의 얼굴을 손으로 쓸어내리자 배 속이 뒤틀리던 게 사라졌다. "잠을 너무 깊이 자는 거 같아 걱정했어요. 몸은 괜찮은 거예요?"

"응. 괜찮아. 따라오렴." 카디자가 내 손을 잡으며 말했다.

우리는 버스에서 내려 걷기 시작했다. 카디자는 또 끙끙댔고, 나는 계속 걷자고 달랬다. 버스 주차장을 가로질러 가게 앞에서 노래 부르던 여자를 지나 큰길에 다다랐다. 길옆으로 구아바나무가 있고, 나무 주위에 빨간 목줄을 맨 갈색 염소가 풀을 뜯고 있었다. 염소는 우리가 오는 걸 보더니 풀을 크게 뜯고는 나무 뒤로 숨었다. 카디자가 구아바나무에서 걸음을 멈추고 한숨을 돌렸다. 나무 끝에 달린 구아바는 노랗게 잘 익어 카디자의 머리 근처까지 묵직하게 내려왔다.

"좀 앉을래요? 쉬었다 가요." 카디자의 가방을 땅바닥에 내려놓았다.

카디자가 몸을 구부려 나무뿌리에 앉았다. "난 여기서 기다릴게." 그러고는 떨리는 손가락으로 멀찍이 떨어진 둥근 집을 가리켰다. "이 길 건너 붉은 문이 달린 저 집으로 가. 문을 세 번 두드려. 여자가 문을 열면 잎을 팔러 왔다고 말해. 그리고 여기로 돌아와. 하지만 남자가 문을 열면 바미델레를 찾는다고 해. 카디자가 보내서 왔다고. 그리고 남자를 여기로 데리고 와."

나는 도대체 무슨 말인지 이해가 되지 않아서 얼굴을 찡그렸다. "산파집이 어딘데요?" 바미델레는 남자 이름인데? 살면서 산파가 남자라는 소리는 들어본 적이 없었다. "카디자?"

카디자의 이마에 땀이 흐르고 입가에도 송골송골 맺히기 시작했다.

"지금은 이거저거 묻지 않으면 좋겠구나. 내 아기가 죽길 바라지 않는다면 어서 가서 바미델레를 찾아와. 그에게 아, 허리야. 아두니, 허리가 너무 아파."

나는 카디자를 멍하니 바라보았다. 도대체 내가 왜 따라오겠다고 했을까, 후회가 밀려왔다. 이카티에서 내 일이나 잘할걸. 내가 왜 왔지? 하지만 카디자는 내게 임신이 안 되게 하는 약을 알려줬고, 모루푸네 집에서 내 근심 걱정도 덜어줬으며, 나 대신 라바케와 싸워주기까지 했다. 그리고 카디자가 여기서 죽으면 사람들은 다 내가 손위 형님을 죽였다고 할 것이다. 질투심에 카디자를 케레로 끌고 와 죽인 다음 구아바나무 아래 버렸다고 할 것이다. 아무것도 묻지 않고 나를 죽일 것이다. 이카티에선 누군가를 죽이거나 물건을 훔친 사람은 전부 죽이기 때문이다.

한번은 라미디라는 농부가 땅 문제로 다투던 친구를 죽였다. 촌장은 아랫사람들에게 마을 광장에서 라미디가 죽을 때까지 뾰족한 야자나무 잎으로 매일 70대씩 때리라고 했다. 그리고 마침내 라미디가 숨을 거두자 시체를 불태워버렸다. 이것저것 따져보지도 않았다. 검게 탄 시체는 그냥 숲에 던져버렸다. 숲의 신에게 바치는 제물이라나.

나는 어쩔 수 없이 종종걸음으로 길을 건너 진흙으로 만든 집 앞으로 갔다.

뒤를 돌아보니 카디자가 손을 흔들어 보였다.

문 색깔이 피 같은 붉은색이어서 화난 것처럼 보였다. 손가락을 구부려 한 번 두드렸다. 대답이 없었다. 안에서 사람 소리는 들리는데. 누군가 라디오로 요루바어로 진행하는 아침 뉴스 프로를 듣고 있었다.

다시 두드렸다.

문이 천천히 열리더니 한 남자가 나왔다. 큰 키에 젊고 잘생긴 남자였다. 셔츠는 걸치지 않은 채 바지만 입고 있었고 맨발이었다. 라디오가 손에 들려 있었다.

"바미델레를 찾아왔어요. 아저씨인가요?"

그가 옆면의 버튼을 눌러 라디오를 껐다. "그런데? 내가 바미델레인데 무슨 일로 그러니?"

내가 목소리를 낮췄다. "카디자가 보냈어요. 카디자를 아세요?"

그는 표정이 돌변하더니 집 안을 둘러보며 아무도 없는지 확인했다. "무슨 일이지?"

"카디자가 아저씨보고 와달래요. 저기 앉아 있어요. 몸이 좋지 않아요.”

“몸이 좋지 않다고? 기다려봐라.” 그가 표정이 굳더니 문을 닫았다.

나는 문가에서 발을 동동 구르며 이게 대체 무슨 일인지 혼란스럽기만 했다. 바미델레가 누구야? 이 남자랑 카디자는 도대체 어떤 관계야? 왜 카디자는 나한테 산파에게 간다고 하고 모루푸에게는 친정엄마를 만나러 간다고 한 거지? 문이 다시 열리는 바람에 생각이 뚝 끊겼다. 남자는 이제 바지와 셔츠를 제대로 맞춰 입고 있었다. “카디자에게 데려다다오.”

우리는 걷다가 뛰다가 하며 카디자에게 갔다. 카디자의 얼굴은 땀범벅이었고 머리를 이리저리 돌리고 있었다. 나는 한쪽 구석에 서고 바미델레라는 남자는 무릎을 꿇더니 카디자의 손을 덥석 잡았다.

“카디자, 나야. 무슨 일이야?”

카디자가 힘겹게 눈을 떴다. 웃어 보이려는 듯 입술이 뒤틀렸다. “바미델레.” 카디자가 아주 작게 속삭여서 나는 고개를 숙여 카디자가 하는 말을 들어야 했다.

“아기에게 문제가 있어. 나 아무래도 죽을 거 같아.”

바미델레가 손으로 카디자의 얼굴을 닦으며 고개를 저었다. 그리고 주변을 둘러봤다. 혹시 보는 사람은 없을까? 거리에 사람은 없었고 멀리 염소만이 두 발로 버티며 똥을 싸고 있었다. 엉덩이에서 작은 공 같은 똥이 빗발치는 총알처럼 후두둑 떨어졌다.

이 남자가 지금 뭘 하는 거야? 카디자의 얼굴을 저렇게 만지다니! 카디자가 다른 남자랑 결혼한 사람이라는 걸 모르는 거야?

“아야 미, 당신은 죽지 않아.”

이 남자가 미쳤나? 왜 카디자를 아야 미, 내 아내라고 부르는 거야?

"카디자, 이 남자가 지금 하는 말이 다 뭐예요?"

카디자는 대답이 없었다. 내 말을 아예 못 들은 척했다. 그래서 나는 한심한 바보처럼 멍하니 서서 이게 도대체 무슨 상황인지 알아차릴 때까지 기다렸다.

"아기가 나오려고 해." 카디자가 남자에게 말했다. "아기가 태어나면 아마 죽었을 거야. 당신이 나한테 해준 저주 이야기 기억하지? 아기를 배고 9개월이 되기 전에 해야 하는 의식, 기억하지?"

무슨 저주? 의식이라니? 나는 점점 더 혼란스럽고 화가 나서 발을 동동 굴렀다. 이 사람들이 도대체 지금 무슨 얘길 하는 거야? 이 이상한 말이 다 뭐야?

그가 고개를 끄덕였다. "오늘 갈 수 있어. 같이 가자. 나와 이 여자애가 당신을 옮기면 돼."

그가 나를 쳐다보자 나는 뒤로 물러섰다. 이 여자애라니? 나는 아니야. 나는 모르는 사람 따라가서 이상한 의식 같은 건 절대 안 해.

"우선 이게 다 뭔지 설명해주세요." 나는 썩은 냄새가 난다는 듯 남자를 아래위로 훑어보았다. "이 사람은 누구예요?"

남자가 일어났다. "너는 누구지?"

"카디자는 내 형님이에요. 난 카디자 다음으로 모루푸와 결혼했어요."

"아, 아두니구나."

아니, 이 님자가 내 이름을 어떻게 알지?

"카디자가 네 얘기를 해줬단다." 그가 슬픈 미소를 지었다. "네가 좋은 사람이라고 했어. 착한 애라고. 네가…."

"말도 안 되는 소리 하지 마세요." 지금 카디자가 저승행 버스에 타려는 사람처럼 저러고 있는데, 착한 애네 어쩌네 하는 소리는 들을 시간이 없었다.

"카디자는 내 첫사랑이란다. 카디자가 말 안 했니?"

"그런 말 한 적 없는데요." 카디자가 그런 말을 왜 하겠어? 바미델레인지 뭔지 하는 이 남자, 머리에 뇌는 없고 거품만 가득 찬 거 아냐?

"5년 전에 나와 카디자는 애인 사이였단다. 서로 진심으로 사랑했지. 결혼하려고 했어. 하지만 카디자의 아버지가 몸져누웠고, 가족의 생계를 위해 카디자를 모루푸에게 팔아버렸어. 나는, 나는 그땐 돈이 없었단다. 가족들이 내 연인을 늙은 모루푸에게 줘버리자 나는 견딜 수 없이 고통스러웠지만 남자답게 받아들였지. 이카티를 떠나서 여기 케레에 정착해서 용접 일을 시작했단다. 카디자가 모루푸와 결혼한 지 5년 만에 다시 날 찾아왔어. 나를 사랑한다고 하더라. 그래서 나와 그녀는 다시 사귀기 시작했어."

바미델레가 고개를 떨어뜨리고 바닥에서 고통으로 몸을 뒤트는 카디자를 바라보았다. 나를 다시 쳐다보는 그의 눈이 눈물로 반짝이고 있었다. "배 속의 아기는 내 아기야. 사내아이지. 난 알아."

카디자가 아주 약한 소리로 말했다. "도와줘."

"하, 어떤 의식을 치러야 하는 거예요? 어디서 하는 거예요?" 내가 물었다.

"우리 가족에게 대물림되는 의식이 있어." 바미델레가 설명했다. "모든 임부는 배 속의 아기가 9개월이 되기 전에 강에 들어가서 몸을 일곱 번 씻어야 해. 만약 임부가 이 의식을 하지 않으면 아기를 밴 채로 죽게 될 거야. 우리 가족은 딸을 거의 낳지 않아. 여자들은 모조리 사내애만 낳지. 그래서 나도 남자 형제만 여섯이 있어. 카디자 배 속의 아기는 내 아기야. 남자애란 말이지. 내 아들이야."

바미델레가 서글프게 한숨을 쉬었다. "케레 강이 여기서 멀지 않아. 거기서 씻으면 돼. 카디자가 사용해야 하는 특별한 검은색 비누가 있다. 집에 있지. 하지만 우선 카디자를 옮겨야겠다. 나를 도와다오."

나는 카디자를 쳐다봤다. "지금 이 남자가 하는 말이 다 사실이에요? 모루푸 애가 아니에요?"

"사실이야. 이 아기는 바미델레의 아기야. 모루푸는 멍청하고 사악한 남자야. 아들만 원하는데 아들을 낳지 못하잖아. 그래서 바미델레에게 갔지. 내가 아들을 임신하는 걸 도와줬어. 하지만 이 저주 때문에 내가 씻기 전에는 아기를 낳지 못해. 하지만 지금 아기가 나오고 싶어 하니까 내가 빨리 가야만…. 나 좀 도와주렴. 부탁이야."

내가 힘겹게 일어섰다. "카디자, 왜 다른 남자의 아기를 모루푸에게 주려고 하는 거예요?"

카디자가 얼굴을 뒤틀며 고개를 이리저리 흔들었다.

바미델레가 걱정스러운 눈길로 나를 쳐다봤다. "우리 빨리 가야겠다. 거기 손을 잡아라. 난 여길 잡을 테니. 내가 셋을 세면 일으키자."

"저는 이 의식을 하는 데 반대해요." 내가 두근대는 가슴 위로 팔짱을 끼며 말했다. "우리는 지금 산파에게 가야 해요. 산파가 도와줄 거예요. 산파에게…."

"카디자가 죽을 거야!" 바미델레가 갑자기 소리를 지르자 염소가 똥 싸던 걸 멈추고 반대편으로 도망갔다.

"제발." 그가 목소리를 낮췄다. "이건 우리 가족에게 수년간 일어난 일이야. 목욕 의식을 하지 않아서 죽은 사람이 있다고! 나와 여섯 형제를 낳은 내 어머니도 목욕 의식을 했단 말이다. 지금 빨리 가야 해."

나는 이 상황이 도무지 마음에 들지 않았다. 카디자가 나를 여기로 데려온 것도 그렇고, 일을 이 지경까지 엉망진창으로 만들어놓고 나를 끌어들인 것도 마음에 들지 않았다. 하지만 카디자가 곧 죽을 것처럼 보여 만약 내가 구할 수 있다면, 그렇다면 도와야만 했다. 그래야만 했다. 나는 내가 모루푸 집에 처음 왔을 때 카디자가 어떻게 밤마다 내 눈물을 닦아줬는지, 후추 약을 줬는지를 떠올렸다. 심지어 라바케가 항아리를 깨트린 날, 자기 몸이 좋지 않은 상태에서도 나를 위해 뜨거운 목욕물을 준비해준 일을 떠올렸다.

모루푸와 사는 걸 그리 나쁘지 않게 여길 수 있었던 건 오로지 카디자 덕분이었다. 카디자가 그 집에 있었기 때문에 많은 날을 그나마 웃으며 보낼 수 있었다. 지금, 나는 그녀가 웃을 수 있게, 아기를 낳을 수 있게 도와야 한다.

그래야만 한다.

몸을 숙여 카디자의 손을 잡는데 내 심장이 밖으로 나올 정도로 쿵쿵 뛰었다. 그녀의 팔을 목에 두르자 얼음덩어리를 진 것만 같았다. "강이 어디 있어요?"

"멀지 않아. 1.5킬로미터 정도만 걸으면 돼."

"택시나 오토바이를 타면 안 돼요?"

그가 주위를 둘러보더니 고개를 저었다. "난 아내가 있어. 내가 임신한 여자를 데리고 택시나 오토바이를 타면 사람들이 뭐라고 하겠니?"

나는 속으로 욕을 했다. 그러면 이 멍청한 남자는 아내가 있으면서 카디자를 임신시킨 거야? 카디자는 대체 무슨 생각으로 이런 일을 벌인 거야? 산파나 의사가 보지도 않았는데 남자 아기를 임신했다니, 대체 뭘 믿고 이렇게 확신하는 거야?

이카티와 멀지 않은 이단라 마을에 의사가 하나 있는데 한 달에 한 번 임신한 여자들을 진찰했다. 그 의사가 요상한 안경이랑 텔레비전 화면으로 아기가 남자인지 여자인지 확인해준다는 말을 들었다. 카디자를 그 의사에게 데려가자고 모루푸에게 부탁해야겠다.

"지금 가야 해. 여기 뒷길로 가면 돼." 바미델레가 말했다.

그는 몸을 숙여 카디자의 다른 손을 잡아 들었다. "하나, 둘, 셋. 들자!"

우리는 함께 카디자를 일으키며 바미델레가 말하는 강으로 출발했다.

15장

카디자가 자기 영혼을 두고 하나님과 전쟁 중이었다.

나와 바미델레는 카디자를 부축하며 제발 잠들지 말고 발을 움직이라고 애걸복걸했다. 계속 말을 걸어야 했다. 그래서 나는 엄마에 관한 얘기, 카유스랑 장남, 아빠에 관한 얘기를 했다. 카디자가 알아두었으면 하는 것들 그리고 카디자가 몰랐으면 하는 것도 전부 털어놓았다. "카디자? 지금 깨어 있는 거죠? 정신 있는 거죠?"라고 물으면 카디자는 간신히 신음소리를 냈다. 그러면 나는 또 말을 걸며 생각나는 대로 아무 말이나 떠들어댔다.

죽음이 떠올랐다. 어떻게 죽음이 찾아와 엄마를 죽이고 엄마를 데려갔는지.

죽음. 그건 이로코나무처럼 키가 컸다. 형체는 없었고 몸도, 눈도 없었고 입과 이빨만 드러내고 있었다. 연필심같이 얇고 칼처럼 날카로운 이빨이 촘촘했다. 다리도 없었지만 못과 화살로 된 두 개의 날개가 달려 있었다. 죽음은 날 수도 있어서 하늘을 날던 새도 쳐서 땅으로 떨어뜨려 뇌를 박살낼 수 있다. 죽음은 수영도 할 줄 알아서 강에 사는 물고기도 삼켜버렸다.

죽음이 사람을 데려가고 싶을 때는 마치 영혼의 강에서 배를 띄우듯 사람 머리 위를 둥둥 떠다니며 지상에서 그 목숨을 확 낚아챌 때만 기다리고 있다.

죽음은 어떤 형태로든 변신할 수 있다. 어찌나 똑똑한지 기가 막힌다. 오늘은 자동차로 변신해 사고를 일으키고 내일은 총이 되고, 총알, 칼, 혹은 피를 토하는 질병으로 변신할 수 있다. 라마디 농부가 당했던 것처럼 야자나무 가지가 되어 사람이 죽을 때까지 매질할 수도 있다. 혹은 아사비의 연인이었던 타파처럼 사람의 목숨을 쥐어짜는 밧줄이 될 수도 있다.

죽음이 카디자를 따라오고 있을까? 카디자가 죽으면 내게도 올까?

우리는 바미델레가 이끄는 대로 걸었다. 질펀한 진흙 길이라 발이 푹푹 빠졌다. 그럴 때마다 진창에서 발을 빼내느라 걷는 게 더 힘들었다. 드디어 강 끝자락이 보였다. 살면서 그렇게 커다란 안도감이 든 건 처음이었다.

"카디자, 아주 잘했어요. 거의 다 왔어요."

카디자가 희미한 신음을 냈다.

"이게 케레 강이다." 길에서 벗어나 강 바로 앞에 도착하자 바미델레 말했다.

강물이 이른 아침 환한 햇살을 받아 반짝이는 유리로 덮인 들판처럼 보였다.

강가에는 항아리에 물을 긷는 소녀가 두 명 있었다. 둘 중 하나가 우리를 보고 고개를 끄덕이더니 다시 물을 길었다. 카누를 탄 한 어부가 허공에다 그물을 휘 던지는 모습이 마치 공작새가 날개를 펼치는 듯했다.

카디자가 내 손에서 스르르 늘어졌다. 나도 미끄러져 가디자와 힘께 넘어지기 전 겨우 중심을 잡았다. 나와 바미델레가 카디자를 뉘었다. 내가 카디자의 가방을 베개처럼 만들어 머리를 받쳐준 다음 무릎을 꿇고 옷자락으로 카디자의 얼굴을 닦았다.

"이제 목욕시켜요." 바미델레를 돌아보았다.

바미델레도 땀에 젖어 있었다. 그가 강을 둘러보더니 내게로 얼굴을 돌렸다. "난 이제 가서 그 특별한 비누를 가져오마."

카디자를 쳐다보았다. 눈이 감기고 있었다.

손으로 꼬집어보았다. 카디자가 눈을 떴다 다시 감았다.

"얼마나 걸리는데요?" 제발 나와 카디자를 여기, 낯선 마을의 강가에다 남겨두고 가지 말았으면 좋겠는데. "언제 올 건데요?"

"걱정하지마. 금방 올 거야. 5분이면 된다." 바미델레가 손을 바지에 닦으며 말했다.

"너무 길어요. 2분 안에 오세요. 빨리 달려갔다 오세요."

"지름길로 갈 거야. 내가 오기 전에 옷을 벗겨놔라."

"옷 안 벗길 거예요. 저 혼자서 임신한 여자 옷을 어떻게 벗겨요?" 나는 말하면서도 하도 어이가 없어서 마음 한구석으론 이 바미델레라는 남자의 코를 머리로 콱 들이박고 싶었다. "아저씨가 돌아올 때까지 전 아무 것도 안 할 거예요. 알겠어요?"

"금방 올 거야." 바미델레가 머리를 숙여 카디자의 귀에 무언가를 속삭였다. 카디자가 고개를 끄덕이는 데 10분은 걸린 거 같았다.

바미델레가 일어섰다. "그럼 갔다 오마." 그러고는 내가 뭐라고 말을 꺼내기도 전에 돌아서 우리가 왔던 길로 뛰어갔다.

그 순간, 천둥이 우르릉 울렸다.

죽음이었다. 죽음이 커다란 소리로 우리에게 무시무시한 경고를 내리고 있었다.

시간이 상당히 흘렀다. 바미델레는 오지 않았다.

나는 카디자의 손을 잡고 초를 세고, 분을 세며 강을 바라보았다. 강가에 있던 두 소녀가 서로 도와 항아리를 머리에 올렸다. 둘은 내 앞에 이르자 걸음을 멈췄다. 쌍둥이 같았다. 얼굴은 동그란 토마토 같고 웃을 때 왼쪽 볼에 보조개가 패는 것까지 서로 똑같았다. 하지만 한 명은 피부가 코코아 파우더 색이고, 다른 한 명은 갓 구운 빵처럼 노란 기가 도는 갈색이었다.

"괜찮으세요?" 짙은 색 쪽 소녀가 케레 사람들이 그러듯 말끝마다 혀끝을 깨물며 말해 알아듣기가 좀 어려웠다.

"아줌마한테 무슨 일 있어요? 도와줄까요?"

"이파서 그래요. 지금, 기다리는 거예요. 그러니까… 바발라우*가 와서 약을 줄 거예요. 고마워요."

"하나님이 함께하시길." 두 소녀가 내 앞을 지나갔다.

하늘이 아침 해를 집어삼킨 듯 사방이 잿빛이었다. 바람이 불기 시작하자 공기가 차가워졌다. 나는 추워서 이가 딱딱 부딪었다. 아까 그 어부가 강 먼 쪽으로 노를 저어 갔다. 도와줄 사람으로 누구를 부른단 말인가?

나는 카디자의 얼굴과 차가운 머리를 다시 닦았다. "아픈 건 좀 어때요?" 두려움이 심장을 둘러싸고 높이 솟은 담이 되어 내 숨통을 옥죄려했다. 하지만 카디자를 위해 그 담을 넘고 담대하게 행동하자고 다독였다. "좀 나아진 거 같아요?"

"그래." 카디자가 웃으려는 듯 입술을 움직였다. "아픈 게 없어지네."

"잘됐네요. 제가 불러주려던 변호사 노래 기억하죠? 우리가 집안일 하느라 바빠서 못 했잖아요?"

카디자는 대답이 없었지만 그래도 나는 계속 지껄였다. "지금 불러드릴게요. 마음에 들 거예요. 아주 귀여운 노래거든요. 들어보세요. 예쁜 소녀야, 안녕!" 목소리가 좀 갈라졌지만, 마음을 가다듬고 노래를 불렀다.

잘나가는, 잘나가는 변호사가 되고 싶어?
그러면 공부를 많이, 많이 해야지.
뾰족, 뾰족구두를 신고 싶어?
또각또각 소리를 내면서 걷고 싶어?

*바발라우: 요루바어로 무당이나 예언자, 사제

눈물이 흘러 목소리가 떨렸다. 하지만 계속해서 기운을 짜냈다. "또각 또각."

"아두니." 카디자가 입을 뗐다.

"네, 카디자. 저 여기 있어요. 노래 불러줄게요. 카디자와 아기를 위해서요. 노래 마음에 들어요? 아기가 좋아해요?"

"바미델레는 어디 있니?"

"아직 안 왔어요."

"언제 오는 거니? 시간이 많이 지났는데. 어디 있는 거니?"

"바미델레는…." 나는 입을 닫았다. 바미델레가 도망간 거면 어쩌지. 다시는 오지 않고 카디자를 여기 죽게 버려두고 도망간 거면 어쩌지?

카디자가 겨우 숨을 내쉬었다. "바미델레가 날 속인 걸까? 나를 이렇게 버리는 걸까?"

내가 어떻게 대답해야 좋을지 고민하기도 전에 카디자의 가슴속 깊은 데서 통곡이 터져 나왔다. 마치 덫에 갇힌 개가 울부짖는 소리 같았다. 나는 고개를 들었다. 죽음이 머리 위에 떠 있었다. 다른 사람을 찾으라고 애원해보았다. 제발 다른 데로 가주세요. 아니면, 자동차가 돼서 아까 똥 싸던 염소를 대신 죽이면 안 될까요? 하지만 카디자의 두 눈은 죽음을 받아들이고 있었다. 카디자와 죽음이 아내와 남편처럼 하나가 되고 있었다.

"아두니, 내 애들을 잘 키워줘." 너무나도 작고, 너무나도 연약한 소리였다.

"아니에요." 내가 카디자의 차디찬 손을 움켜쥐었다. "카디자, 제가 아니에요. 가디자예요. 가디자가 아이들을 키울 거예요. 제가 낳을 아이들도 카디자가 키워줄 거예요. 저랑 카디자는, 우리는 함께할 거잖아요. 우리가 똘똘 뭉쳐 라바케랑 싸워야 하잖아요. 모루푸를 함께 비웃을 거예요. 카디자랑 내가요. 그렇죠? 그렇지. 잠깐만요. 그래요. 제가 다른 노래를 불러줄게요. 어떤 노래냐 하면…" 나는 카디자의 어깨를 흔들었다.

카디자의 온몸이 흔들렸다. 하지만 눈동자는 잿빛 하늘을 바라보며 크게 열렸고 영혼만 볼 수 있는 걸 보고 있었다. 나는 죽은 아기를 위해 젖으로 부풀어 오른 카디자의 가슴 위로 얼굴을 묻었다. 나는 더 크게 울부짖으며 카디자의 어깨를 흔들었다.

카디자, 일어나요. 영혼까지 탈탈 털어 애원했다. 제발, 일어나요. 일어나요. 제발.

하지만 소용없었다.

카디자가 죽었다.

그리고 바미델레는 오지 않았다.

16장

일어나 주위를 둘러보았다.

어부가 다시 이쪽으로 오고 있었다. 기다렸다가 카디자를 옮겨달라고 해서 모루푸에게 데리고 갈까. 하지만 머릿속에서 경고음이 울렸다. 어부는 내가 카디자를 죽였다고 생각할 거다. 어부는 우리가 바미델레와 같이 있는 모습을 보지 못했다. 나를 이카티 촌장에게 끌고 갈 것이다. 농부 라미디가 떠올랐다. 7일 동안 매질을 당했지. 바미델레를 찾아내야 한다. 반드시. 우선 그를 찾아 같이 여기로 온 다음 카디자를 데리고 가서 제대로 장사를 치러야 한다. 바미델레가 촌장과 모루푸, 그리고 카디자의 아이들에게 어떻게 된 일인지 설명해야 한다. 카디자를 임신시킨 건 그라고 말해야 한다. 그의 집안에 대물림되는 의식이 있다고. 특별한 비누로 씻어야 하는데 결국 가져오지 않았다고 말해야 한다.

나는 얼굴을 쓸어내리고 마음의 결정을 내렸다.

카디자의 죽음으로 벌을 받아야 하는 사람은 바미델레다.

내가 아니다. 난 아니야.

수많은 거리와 수많은 길을 지나 마침내 주택가 앞에 도착했다. 앙상한 가지가 달린 가느다란 나무 한 그루와 보기에는 예쁘지만 독이 있는 빨간 열매가 맺힌 야생 관목이 우두커니 서 있었다. 하지만 바미델레의 집은 찾을 수가 없었다. 여기가 어디지? 카디자 시체가 눈앞에 어른거려 걸음이 빨라졌다. 카디자는 지금 강가 모래 옆에 홀로 누워 있다. 하늘에서 또 천둥이 우르릉 치는 걸 보니 비가 쏟아질 기세였다.

비가 내려 카디자의 시체가 강물에 휩쓸려 간다면? 아마도 영원히 찾을 수 없을 것이다. 그러면 바미델레에게 뭐라고 말하지? 아니, 바미델레가 아니라 누구에게든? 시체가 없다면 카디자가 죽었다고 어떻게 증명한단 말인가?

나는 제발 비를 멈춰달라고, 집을 찾을 시간을 더 달라고, 하늘에 대고 간절히 기도했다. 그때 구아바나무 그늘에 빨간 목줄을 단 염소가 보였다. 드디어 바미델레 집 근처에 도착했다. 염소에게 고마울 지경이었다. 마침내 빨간 문이 달린 집에 도착한 것이다.

나는 바닥에서 돌을 들어 문을 두드렸다. 안에서 대답이 없었다. 다시 두드리고 소리를 질렀다. "바미델레, 나와요! 바미델레!"

문이 천천히 열렸다.

임신한 여자의 배가 빼꼼 먼저 보였고 여자의 얼굴이 보였다. 고운 피부에 배를 곯은 인형같이 생긴 얼굴이었다. 머리카락을 전부 꼬아서 뾰족하게 위로 올려 꼭 피부로 왕관을 만들어 쓴 거 같았다. 둥근 배는 카디자의 배 크기와 똑같았다. 갑자기 배가 넘실넘실하더니 형태가 변해 주먹이 되어 내 가슴을 후려쳤다. 이래서 바미델레가 돌아오지 않았구나. 임신한 아내가 있어서.

"바미델레 어디 있어요." 숨이 거칠어졌지만, 울음을 꾹 참고 소리를 질렀다. "나오라고 하세요. 카디자가 죽었다고 전하세요."

"바미델레요? 어느 집에 산데요?" 여자는 아무것도 모른다는 표정이었다.

"이 집이요." 나는 주변을 둘러보고 염소도 확인했다. 염소도 고개를 들고 나를 쳐다보았다. 염소도 알고 있다고, 여기가 바미델레의 집이 맞다고 하는 것 같았다. "오늘 아침에도 왔었어요. 그가 문을, 이 빨간 문을 열어줬다고요. 그 사람 아내예요?"

여자가 눈을 가늘게 뜨고 나를 찬찬히 확인하더니 고개를 끄덕였다.

"하지만 바미델레는 여행 중인데요. 어머니 집으로 간 지 이제 3주 됐어요. 뭣 때문에 그래요? 카디자가 누구예요?"

"아니에요. 바미델레는 어디 가지 않았어요. 여기 있어요. 오늘 아침에 문을 열어줬다니까요."

내가 앞으로 걸어가 문을 밀려고 했지만, 여자가 앞으로 나와 문을 닫고 문고리를 꽉 쥐었다.

"바미델레는 여기 없어. 저리 가."

"하지만 카디자를 그냥 죽게 놔뒀단 말이에요!" 난 어느새 발을 구르며 울부짖고 있었다. "카디자가 지금 죽은 채로 강가에 누워 있어요. 죽었다고요. 빨리 가서 시체를 가져와야 해요! 바미델레, 나와! 네가 여자를 죽였어! 나오라고!"

옆집 문이 열리더니 한 남자가 빼꼼 고개를 내밀고 우리를 쳐다봤다.

"너 귀가 먹었니?" 여자가 낮게 물었다. "바미델레는 이 집에 없어. 내가 올레라고 외치기 전에 빨리 꺼져라."

올레, 도둑이라니.

올레는 사람들을 움직이게 하는 강력한 단어다. 사람들은 그 단어를 들으면 올레를 찾아 뛰기 시작한다. 만약 이 여자가 나를 올레라고 부르면 온 마을 사람들이 아무것도 따지지 않고 나를 쫓아올 것이다. 내 머리에 폐타이어를 던지고 불을 지를 것이다. 나를 태워 죽일 것이다.

위를 올려다보았다. 죽음이 와 있었다. 내 머리 위에서 둥둥 떠다니며 이빨을 드러내고 날개를 퍼덕이며 지팡이로 죽일까 불로 태워 죽일까 고민하는 중이었다.

하지만 나는 카디자를 떠올렸다. 카디자의 아이들, 알라피아와 또 다른 아이를 떠올렸다. 카디자의 병든 아버지도.

나는 더욱 목청을 돋워 외쳤다. "바미델레, 나와! 당신이 여자를 죽였어! 나오라고!"

"올레! 올레! 올레!" 여자가 이제 나보다 더 크게 소리를 지르기 시작했다.

두 번째 집에서 나온 남자는 무진장 커다란 손에 넓고 탄탄한 가슴을 쫙 펴며 다가왔다. 마을 전사 같은 덩치였다.

"도둑이라고?" 남자가 대답은 듣지도 않고 집에서 걸어 나왔다. 여기서 나는 낯선 사람이다. 수상한 사람이라고 생각할 거야. 그 남자도 덩달아 소리치기 시작했다. "올레! 올레! 마을 사람들, 모두 나와봐요! 우리 마을에 도둑이 있어!"

이웃집 남자와 여자가 한목소리로 외치기 시작하자 내 목소리가 묻혔다.

머지않아 온 마을이 사람들로 바글바글할 것이다.

왼쪽을 보고 오른쪽을 돌아보았다. 오른쪽에 버스 주차장으로 가는 길이 있다.

내가 여자의 얼굴을 쏘아보자 여자도 나를 쏘아봤다. 여자가 잠시 목소리 크기를 줄였다. 나더러 도망가라고, 가서 다시는 오지 말라고 기회를 주는 것이다.

하지만 카디자. 오, 카디자.

"바미델레! 집 안에 있는 거 다 알아. 하나님이 당신을 심판할 거야! 당신은 여자를 죽였어! 나와!"

"올레! 올레!" 여자가 다시 외치기 시작했다. 이웃집 남자가 아주 가까이 왔다. 무언가 두꺼운 갈색, 거친 느낌의 저거, 나뭇가지를 들고 있는 건가?

뒤를 돌아보았다. 다른 두 명이 집에서 나오고 있다.

그럼 네 명이다. 도둑은 하ㅏ, ㅏ다.

나는 입을 꾹 다물고 전속력으로 뛰기 시작했다.

17장

버스 주차장으로 달려갔다. 오토바이에 올라 이카티에 있는 우리 집으로 가달라고 운전사에게 부탁했다.

모루푸의 집으로 갈 순 없다. 카디자가 어딨냐고 물으면 뭐라고 대답하나? 카디자의 아이들에게는 또 뭐라고 할까?

그래서 나는 아빠 집으로 가달라고 했다. 우리 집에 언제 도착했는지도 모르겠다. 정신이 하나도 없었다. 모루푸의 아내가 되어 집을 떠난 지 3개월 만이다. 이제 나는, 뭐가 되어 돌아온 거지?

집에 우당탕 들어가니 아빠가 모자를 코 위에 놓고 소파에 등을 기댄 채 깊이 잠들어 있었다. 코 고는 소리가 어찌나 큰지 거실 전체가 흔들렸다. 내가 들어가자 아빠가 화들짝 놀라 깼다. 귀신이라도 본 듯 눈이 휘둥그레졌다.

"아두니?" 아빠가 눈을 비비고 머리를 흔들었다. "너 아두니 맞느냐?"

"아빠, 저예요. 안녕하셨어요." 나는 몸이 하도 떨려 무릎을 꿇기도 힘들 지경이었다.

밖에서 오토바이 기사가 경적을 울렸다. 삐.

"아빠, 운전사한테 돈 줘야 해요." 아빠의 대답을 듣기도 전에 카유스와 장남이랑 같이 쓰던 방으로 달려가 오래전 매트 아래 숨겨놓았던 돈을 꺼냈다. 그리고 밖으로 나가 기사에게 20나이라를 건넸다.

"네가 웬일로 온 거냐?" 거실로 돌아오자 아빠가 물었다. 꼿꼿이 서서 허리에 손을 턱 올렸다. "너, 남편 집에서 도망 온 거냐?"

"아니에요, 아빠. 남편 집에서 도망 온 거 아니에요." 나는 바닥에 무릎을 털썩 꿇고 앉아 아빠 다리를 붙잡았다. "아빠, 도와주세요."

"무슨 일이냐?" 아빠의 물음에 참았던 울음이 터져 나왔다. "왜 우는 거야?"

내가 설명하는 동안 아빠의 다리가 점점 내 손에서 벗어나더니 끝내 힘없이 소파에 털썩 주저앉았다. "그래서 카디자가 죽었단 말이냐? 네 둘째 형님이 죽었단 말이야?" 아빠가 낮게 중얼거렸다.

"바미델레란 사람이 있어요. 카디자의 연인이에요. 이름이 바미델레예요. 케레 마을에 사는 용접공이에요. 그 사람이 카디자를 임신시켰고 죽게 내버려뒀어요. 악령을 쫓아내는 비누를 갖고 온다고 했는데 오지 않아서 카디자가 죽었어요." 열심히 설명했지만 내가 들어도 거짓말 같았다. "아빠, 제가 하는 말은 다 사실이에요. 하나님은 제 말이 사실이란 걸 아세요! 하나님은 제 진심을 아신다고요! 바미델레가 비누를 갖고 있었는데 돌아오지 않아서 그 사람 때문에 카디자가 죽은 거예요. 아빠, 진짜예요!"

아빠가 두 손으로 머리를 쥐고 오랫동안 입을 열지 않았다. 고개를 들자 빨갛게 충혈된 눈에 눈물이 고여 금방이라도 쏟아질 듯했다. "그 일이 일어났을 때 너를 본 사람이 있느냐?"

나는 고개를 저었다. "저를 본 사람이요? 없어요. 바미델레의 아내는 바미델레가 여행 중이래요. 사실대로 말하지 않을 거예요." 물을 길으러 왔던 쌍둥이를 떠올렸지만 이름도 모르는 데다 나랑 바미델레가 카디자와 같이 있는 걸 봤는지도 확실치 않았다. 나를 봤다는 거, 그건 확실했다. 모든 사람이 나를 봤다. 모든 사람이 내가 카디자를 죽였다고 할 것이다.

"맹세해요. 전 사실만 말한 거예요."

"아아." 아빠가 자기 가슴을 세 번 내리쳤다. "아, 아두니, 네가 나를 죽였어. 이제 끝장났구나."

"아빠, 맹세해요. 전 아무 짓도 하지 않았어요!" 내가 토해내듯 말했다. "아빠, 도와주세요. 도와주세요!"

아빠는 무릎을 부여잡은 내 손을 떼어내더니 긴 한숨을 내쉬었다. "아두니, 촌장에게 가야겠다. 무슨 일이 일어났는지 알려야 해."

"안 돼요, 아빠. 안 돼요!" 아빠의 바짓가랑이를 붙잡았다. "그럼 어떤 일이 일어나는지 알잖아요. 내게 말할 기회도 안 줄 거예요. 그냥 나를 죽여버릴 거예요. 바미델레에 관한 말은 듣지도 않을 거예요."

"카디자를 그냥 둘 순 없다. 누군가 가서 시체를 가져와야 해. 난 못 한다. 사람들이 내가 죽였다고 할 테니까. 그러니 내가 지금 가서 촌장한테 가서 이 일을 알려야 한다.”

“사람들이 나를 데려오라고 하면, 그러면 뭐라고 할 건데요?”

아빠가 나를 내려보았다. 그렇게 슬프고, 그렇게 혼란스러운 눈빛은 처음이었다.

“그렇다면 너를 데려가야지.” 힘이 쭉 빠진, 산산이 갈라진 목소리였다. “카디자도 자기 식구가 있잖니. 죽은 걸 알아야지. 촌장도 카디자가 죽었다는 사실을 알아야 한다. 모루푸도 알아야 하고. 내가 가서 이 사람들을 전부 데려오마. 촌장은 네 아빠인 내가 살아 있는 한 너를 죽이진 않을 거야. 너에게 나쁜 일은 절대 일어나지 않을 거다. 자, 이제 그만 좀 울고 네 방으로 가서 기다려라.”

아빠는 이리저리 둘러보며 바지 주머니를 두드려보고 뭔가를 찾는 듯했지만 찾지 못했다. 그러더니 슬리퍼를 신고 거실에 꿇어앉은 나를 홀로 내버려둔 채 밖으로 나갔다.

방에 우두커니 서 있으니 심장이 쪼그라드는 거 같았다. 창가로 가서 커튼으로 쓰던 엄마의 래퍼를 들춰 집에 다가오는 사람이 없는지 확인했다. 해가 하늘을 타고 올라가더니 술을 너무 많이 마시면 변하는 아빠의 눈동자처럼 붉게 물들기 시작했다. 마당은 텅 비어 조용했다. 망고나무 잎만 오후 바람에 살랑살랑 춤을 추며 소곤댔다.

케레 마을에 죽은 채 혼자 누워 있는 카디자를 두고 도망친 건 잘못된 행동일까? 다르게 행동해야 했을까? 아빠는 내게 니쁜 일이 일이나지 않을 거라 했지만, 엄마와 한 약속도 지키지 않은 사람 아닌가. 이 상황에서 나를 지키겠다는 약속을 과연 지킬까?

나는 눈물을 닦고 창가에서 물러났다. 매트를 들춰 밑에 두었던 검은 봉지를 꺼낸 다음, 안에다 내 물건을 쑤셔 넣었다.

물건이라야 별것 없었다. 서너 벌 있는 옷은 전부 모루푸 집에 있으니까. 앙카라 치마와 바지 한 벌, 가슴이 커지기 시작했을 때 엄마가 사준 검은색 브래지어, 이쑤시개. 요루바어로 된 엄마의 성경책이 전부다. 성경책 표지는 검은 고무로 되어 있고 글씨는 깨알같이 작았다. 엄마가 부엌에서 촛불에 의지해 밤마다 수년간 읽어온 터라 가장자리가 닳아 있었다. 나는 성경책을 가슴에 안고 하나님께 도와달라고 기도했다. 하나님, 이 상황에서 저를 구해주세요.

방을 둘러보았다. 초록 매트 위 방구석을 차지한 카유스가 베개로 쓰는 쿠션과 옆에 놓인 등유 랜턴을 보고 고개를 절레절레 흔들었다. 대체 여기를 어떻게 떠날 수 있을까? 지금 도망가면 어디서 카유스를 다시 볼 수 있지?

가슴속에 번지는 시커먼 어둠을 막아주기라도 할 것처럼 랜턴을 들어 결혼 전에 모아두었던 1천 나이라를 꺼냈다. 그리고 지폐를 고이 접어 카유스에게 줄 100나이라를 쿠션 밑에 쓱 밀어 넣었다. 큰돈은 아니지만 초콜릿 두세 개는 살 수 있으니 좋아할 거야. 얼굴을 매트에 꾹 눌러 솟구치는 눈물을 참으며 부디 나 대신 카유스의 마음을 달래달라고 빌었다.

멀찍이서 장남이 마당으로 들어서는 듯한 소리가 들렸다. 벌떡 일어나 장남을 보러 나갔다. 손에 들린 비닐봉지가 달랑거렸다.

머리 위에 타이어 두 개를 이고 있던 장남은 정비소에서 바로 온 모양새였다. 나를 보고 화들짝 놀라 눈을 껌뻑였다. "아두니?"

"오빠, 나야." 나는 얼른 표정 관리를 하면서 머릿속에서 카디자를 지워버렸다.

"왜 멀뚱히 서서 보기만 하냐? 이것 좀 받아."

나는 타이어를 받아 바닥에 놓았다.

"여긴 뭣 때문에 온 거야? 남편은 어딨고? 손에 든 건 뭐냐?"

"나보고 집에 가서, 아빠한테 돈을 전해 달랬어." 봉지를 쥔 손에 힘이 들어갔다. "결혼시켜줘서 고맙다고."

"그 사람 괜찮은 사람이야. 네 남편." 장남이 손가락으로 이마에서 땀을 훔치더니 내 발 쪽으로 홱 튀겼다. "그 사람 덕에 지금 집에 먹을 게 엄청 많아. 부엌에 있는 얌이랑 플랜테인 봤어? 게다가 집세도 두 달 치나 갚았다니까. 아버지가 말하든? 근데 아버지 어디 있냐? 집에 계셔?"

"저기, 아버지는" 마른침을 겨우 삼켰다. "나갔어. 바다 씨랑."

"넌 이제 가는 거야? 남편 집에 가려고?"

"응, 밤이 돼가니까."

"인사 전해줘. 좋은 남자다." 장남이 나를 아래위로 훑어보았다. "내가 데려다줄까? 밖에 어두운데."

"됐어. 고마워. 이제, 이제 갈게."

장남은 팔을 펴 기지개를 켜더니 개처럼 하품을 했다. 떡 벌린 입을 닫으니 딱 소리가 났다. "그래, 얼른 가라." 장남이 눈을 가늘게 떴다. "그런데 아두니, 잠깐만 있어 봐. 너 멀쩡한 거 맞냐? 얼굴이 영 이상해 보이는데, 무슨 일 있었어? 모루푸, 잘 지내는 거 맞아?"

갈라진 입술에 침을 적셨다. "잘 지내."

"손위 아내들은? 라바케랑 다른 아내는? 잘해주고?"

카디자는 잘해주는데, 이제 죽어버렸어. "다 나한테 잘해줘." 이렇게 말하는데 목소리가 갈라지면서 눈물이 고이기 시작했다. "그만 빨리 가야 해. 잘 있어."

"얼른 가. 잘 가. 좋은 남편한테 인사 전하고. 아주 좋은 사람이야."

장남이 집에 들어가자 희미한 불빛이 방 창문으로 새어 나왔다. 나는 발을 동동거리며 잿빛 구름이 하늘 가운데로 모이는 걸 바라보았다. 휘파람 같은 바람 소리가 구슬프고 냉랭한 곡조로 노래했다. 물에 젖은 먼지 냄새가 나는 걸 보니 이제 빗방울이 모여 비가 쏟아질 기세였다.

가야 해. 자, 이제 가자.

나는 숨을 크게 내쉬고 왼편으로는 우리 집을, 오른 편으로는 먼지 피어오르는 길을 바라보았다. 그리곤 비닐봉지를 가슴팍에 움켜쥐고 달리기 시작했다.

18장

처음엔 무조건 뛰었다. 고개를 푹 숙이고 마을 밖으로 향하는 진흙 길을 밟는 두 발만 쳐다봤다.

양쪽으로 넓적한 푸른 잎이 빼곡한 미로 같은 밭이 펼쳐져 있었다. 덕분에 사람들 눈을 피할 수 있다는 게 눈물 나게 고마웠다. 하늘에서 불이 번쩍하더니 천둥소리가 콰르릉 뒤따랐다. 계속 뛰었다. 멀리서 개가 짖는 소리, 근처 마당에서 염소가 땅과 싸우기라도 하듯 발을 구르며 매매하는 소리가 들렸다. 닭이 사방에서 뛰어다니며 하늘이 번쩍일 때마다 날개를 퍼덕였다. 계속 뛰었다. 바위도, 잡초도 건너뛰고 아이들이 장난치느라 사람들 넘어지라고 놔둔 폐타이어도 건너뛰었다.

초록색 실을 단 붉은 수탉이 느닷없이 뛰어드는 바람에 돌이 튕겨 다리에 맞았다. 걸음을 멈추고 발목을 문질렀다. 발이 땅에 닿을 때마다 욱

신거렸지만 눈물을 꾹 참았다. 곁눈으로 보니 머리 위에 양동이를 인 여자애 둘이 걸어오고 있었다. 그중 한 명이 루카였다. 둘이 서로 뭐라 하며 웃더니 나를 보자 웃음을 뚝 그쳤다.

"아두니, 우리 신부 아니야! 어디 가는 거야?" 루카가 내 앞에 와서 물었다.

"이카티 강에 물 길으러 가는 중이야." 숨이 끊어질 듯 몰아쉬며 대답했다. 꼿꼿이 서서 고개를 돌려 멀리 떨어진 집을 가리켰다. "우리 집 우물이 말랐어. 내일 물을 쓰려면 계속 길어야 해." 나는 억지로 웃어보려 했지만, 웃음 대신 눈물이 쏟아질 거 같았다.

"아이고!" 루카 옆에 있던 여자애가 혀를 찼다. "무슨 신부가 이래? 비가 오는데 양동이도 안 들고 물 뜨러 오니?" 나는 그 애를 쏘아봤다. 그 애는 아까 내 앞으로 뛰어들었던 닭처럼 목이 가느다랗고 닭 부리처럼 입이 비죽했다. 알지도 못하는 애가 왜 자꾸 질문을 하는 거지?

"루카, 이런 애는 그냥 냅둬. 신부랍시고, 우리보다 잘난 줄 안다니까." 여자애의 눈동자가 질투심으로 활활 불타올랐다.

"아두니, 네가 결혼하고 나서 얼굴이 얼마나 좋아졌는지 내가 계속 말했지. 그나저나 키케가 오늘 아침에 결혼했다는데 그게 정말이니?"

"그래" 말하는 사이 또 하늘에서 천둥이 쳤다. "고마워. 비 오기 전에 얼른 가야겠다."

"아기 낳게 되면 우리가 가서 춤춰줄게!" 루카가 친구와 걸어가며 윙크를 날렸다. "안녕!"

"잘 가." 나는 인사는 했지만 둘이 멀어진 후에도, 비가 내리기 시작한 후에도 꼼짝할 수 없었다. 비가 억수같이 쏟아졌다. 지붕이 흔들리고 땅이 흔들릴 정도의 폭우였다. 실성한 사람이 냄비, 프라이팬, 수저를 한꺼번에 두드리며 정신 사나운 음악을 연주하는 것 같았다. 빗줄기가 머리카락을 적시고 얼굴을 타고 입으로 흘러 들어갔다. 머리에 발랐던 코코넛 오일 포마드와 눈물의 찝찔한 맛, 그리고 빗물 맛이 났다. 옷이 홀딱 젖은 채 길 한가운데 서서 덜덜 떨었다. 내가 아기를 낳으면 와서 춤을 추겠다고 한 루카의 말을 곱씹어보았다. 아빠와 모루푸가 내가 약을 마시고 있단 걸 알면 충격을 받고 화를 낼까? 내가 카디자를 죽였기 때문에 도망갔다고 생각할까? 아빠가 나 때문에 가슴이 아플까? 내가 돌아올 때까지 아빠를 감옥에 가둘까? 아니면 아빠는 내가 도망친 걸 눈치챌까? 만약 내가 잡힌다면 바미델레에 관해서 한 말을 믿어줄까?

나는 손등으로 얼굴을 닦고 콧물을 훌쩍였다. 마음을 정하기가 힘들었다. 어쩌면 이게 틀린 결정일지도 모른다. 집으로 돌아가서 아빠를 따라 촌장에게 가야 할까? 하지만 그렇게 한다면 농부 라미디랑 아사비의 남자 친구 타파 그리고 지금은 이름도 생각 안 나는 사람들처럼 나도 죽일 것이다.

우선은 달려야 할 거 같았다. 먼저 바미델레를 찾으면 마을로 돌아올 수 있을지도 모른다. 나는 치맛단을 잡고 비틀어 빗물을 짜냈다. 탁탁 턴 다음 말려보려고 했지만 치마가 씹던 껌처럼 몸에 들러붙었다. 재채기가 났다.

다시 달리기 시작해 시장 광장에 도착했다. 중앙에 서 있는 가로등이 노란빛을 내며 젖은 시멘트 바닥을 비췄고 빛을 받은 바닥은 유리알처럼 반짝였다. 광장 한가운데는 회색 돌로 만든 왕관을 쓴 마을 왕의 동상이 세워져 있다. 커다란 눈에 기다란 지팡이를 들고 있는 모습이 마치 온 마을을 감시하고 있는 거 같았다. 마을에 도둑이… 나 같은 도둑이 있나 둘러보는 거 같았다.

비가 그쳤다. 하지만 하늘은 석탄처럼 시커멨고 시장 가판대는 텅 비었다. 우유 깡통이나 정어리, 가리*나 옥수수를 파는 가판대도 비있고, 심지어 텔레비전이나 DVD 같은 가전제품을 파는 남자들도 흔적조차 없었다. 늘 수야**를 팔던 맬럼***도 비를 피하느라 사라졌다. 말린 고기, 양파와 후추를 볶는 냄새가 아직 공기 중에 남아 있었다. 배에서 꾸르륵 소리가 났다.

시장 광장을 지나 마을 경계로 갔다. 거기엔 시장 광장에 있던 왕의 동상과 비슷한 동상이 또 하나 보였다. 다만 이 동상은 '행복한 마을, 이카티를 떠납니다'라고 쓰인 팻말을 들고 있었다. 팻말 뒤편에는 '행복한 마을, 이카티에 오신 걸 환영합니다'라고 쓰여 있었다. 나는 행복이라고는 눈곱만큼도 느끼지 못한 채 이카티에 작별을 고했다.

빨간 우산 아래, 시커먼 기름이 펄펄 끓는 솥에서 아카라****를 튀겨 파는 여자가 보였다. 여자는 요루바어로 아카라에 대고 혼잣말을 했다. '맛있어져라, 손님이 많이 오게.' 그나저나 지금은 비가 쏟아져 손님이 하나도 없는데.

* 가리: 덩이뿌리를 쪄서 먹는 카사바 가루로 만든 나이지리아인의 주식
** 수야: 소고기나 닭고기의 살이나 내장 따위를 작게 잘라 꼬챙이에 끼워 구운 꼬치
*** 맬럼: 서아프리카에 사는 흑인이나 무슬림을 뜻함
**** 아카라: 콩을 갈아 만든 반죽을 동글게 빚어 튀긴 음식

여자가 나를 흘끗 보고 이마에 흐르던 땀방울을 훔치자 땀방울이 기름에 튀어 바지직 소리가 났다. 검은 연기가 일어 눈이 따가웠다. "아카라 좀 살래?"

배가 고파 속이 쓰렸지만 뭔가 먹을 수는 없을 거 같았다.

"아니요. 감사하지만 돈이 없어요."

여자는 딱딱한 표정으로 나를 머리끝에서 발끝까지 훑어보았다. "이 맛있는 걸 살 돈이 없으면 저리 비켜라. 손님들 길 막지 말고."

바로 그때 누군가 내 이름을 부르는 소리가 들렸다. 시가를 피우는 사람들이 내는 거친 목소리.

머리에서 뜨거운 기운이 올라왔다. 집에서 이렇게 멀리까지 왔는데 나를 아는 사람이 있다니? 뒤로 돌아보았다. 바다 씨였다. 몸에 꼭 붙는 파란색 카프탄*을 입고 있었다. 훌렁 벗겨진 대머리 덕분에 동그랗고 통통한 머리가 어둠 속에서 기름을 바른 듯 번뜩였다.

"아, 안녕하세요." 내가 무릎을 굽혀 인사했다.

"아카라 사려고?" 바다 씨가 이렇게 묻더니 카프탄 주머니에 손을 넣어 20나이라짜리 지폐 두 장을 여자에게 건넨다. "아주머니, 아카라 여섯 개만 주쇼. 아두니 주게요. 내 친구 딸이에요. 거 택시 모는 모루푸 있죠? 그이랑 결혼했다우. 신부예요. 어린 신부죠."

여자는 바다 씨의 말은 아예 들리지도 않는 듯 받은 지폐를 세 번 접어 브래지어 깊숙이 넣었다.

＊카프탄: 셔츠 모양의 기다란 싱의

"바다 씨, 감사합니다."

"애야, 일어나거라. 이렇게 비가 오는데 여기서 뭐 하는 거냐?"

"옆 마을로…." 목구멍이 들러붙은 듯 말이 잘 안 나와 기침을 했다. "옆 마을에 가는 중입니다." 바보 같으니! 속으로 말했다. 아저씨한테 어디 간다고는 왜 말하니?

"뭐 하러? 남편은 어디 있니?"

"남편은, 남편이 작업장에 가서 자동차 부품을 가져오라고 보냈습니다."

"저런, 이 빗속에 다른 사람을 보냈어야지." 바다 씨가 이렇게 말하는데 여자가 주걱으로 아카라 여섯 개를 건져냈다. 기름을 탁탁 쳐내고 오래된 신문지에 싸 건넸다.

"그렇죠. 남편이 곧 데리러 올 거예요. 감사합니다." 신문지 꾸러미를 받아드는 내 손이 덜덜 떨렸다.

"그렇구나. 잘 가거라. 남편에게 인사 전하고. 알았지?"

이번에는 달음박질을 멈추지 않았다. 옆 마을까지, 도움이 필요하면 언제든 오라고 했던 이야 할머니가 사는 집까지 쉬지 않고 달렸다.

19장

이야 할머니는 아간 마을에 있는 닭장 같은 집에 살았다. 아간 마을은 이카티 마을과 붙어 있는 마을이다. 이야 할머니의 집은 다른 사람의 방을 마주 보고 있는 방 한 칸짜리다. 그 방은 또 다른 사람의 방을 마주하고 있다. 이런 식으로 열 개의 방이 기다랗고 좁은 복도를 가운데 두고 왼쪽으로 다섯 개 오른쪽으로 다섯 개가 마주 보고 있다.

아간 마을 경계에 도착했을 때는 이미 어두운 밤이었다. 휘영청 밝은 달이 하늘에서 노란빛을 동그랗게 뿜어냈다. 아간 마을에도 비가 온 듯했다. 아직도 찬 바람이 쌩쌩 불어 계속 재채기가 났다. 아간 마을 변두리에 있는 시장 광장은 이카티 시장보다 가로등이 더 많았다. 조보와 휴대전화 충전 카드, 빵과 수야를 파는 사람들로 북적였다.

남지 들과 여자들이 웃고 떠들며 하루가 끝도 없이 이어진다는 듯 이 시간까지 물건을 사고팔고 있었다. 시장 상인의 아이들도 가판대 옆의 빗물 웅덩이에서 장난을 치고 있었다. 시장 광장 건너편으로 구아바나무 아래 오토바이가 한 대 서 있었다. 운전사는 바닥에 앉아 등을 나무에 기대고 쿨쿨 자고 있었다. 쉬고 있을 때 도둑이 오토바이를 훔쳐 가지 못하게 하려는지 조그만 금빛 자물쇠로 발목과 오토바이를 체인으로 연결해놓았다. 디셔츠와 청바지 차림에 코는 이찌나 우렁차게 고는지 시끌벅적한 밤 소음 속에서도 잘 들렸다.

"안녕하세요." 목소리를 키워 말했다. "카수무 거리로 가고 싶은데요. 아저씨, 지금 아저씨한테 말하는 거예요. 대답을 좀 하세요. 저기요, 아저씨?"

세 번이나 불렀는데도 대답이 없기에 아저씨의 발을 차보았다. 운전사는 그제야 화들짝 놀라 일어나다가 체인에 당겨 다시 주저앉고 말았다.

"너 미쳤니. 왜 발로 차고 그래! 자는 거 안보이니? 네 집에는 어른도 없냐?"

"죄송해요. 아무리 깨워도 대답을 안 해서 그랬어요. 전 카수무 거리에 가야 하는데요."

그가 주머니에 손을 넣어 작은 열쇠를 꺼내 자물쇠를 풀었다. "밤에는 50나이라다." 그러고는 나무에서 오토바이를 끌어내더니 올라타고 시동을 걸었다. "탈 거냐, 말 거냐?"

"저기, 50나이라는 너무 비싼데요. 20나이라에는 안 되나요?"

"내가 분명히 말하는데, 네가 발로 그렇게 찼으니 300나이라는 내야 하는 거다. 타라. 내가 하나님을 봐서 태워주는 거야."

"감사합니다." 나는 오토바이에 올라 운전사 뒤에 앉았다. 무릎 위에 검은 봉지를 올리고 숨을 꾹 참았다. 운전사에게서 소똥 냄새 같은 악취가 진동했기 때문이다.

마을을 통과하며 달리자 철판 지붕을 인 집들이 일렬로 늘어선 게 보였다. 알록달록한 초록, 빨강 전구가 매달린 맥줏집에서 뚱뚱한 남자들이 야외에 놓은 쪼그마한 나무 의자에 배를 구겨 넣고 간신히 걸터앉아 맥주를 마시며 요란하게 노래를 불렀다.

카수무 거리에 접어들자 이야 할머니의 집 창문에서 빛이 새어 나오는 게 보였다. 이야 할머니가 나를 도와줄 수 있다면 얼마나 좋을까. 오래전 내가 음식을 드리러 갔을 때 내게 한 말을 기억한다면 얼마나 좋을까. 나를 불쌍히 여겨 잠시나마 할머니 집에서 쉬게 해준다면 얼마나 좋을까.

운전사에게 돈을 내고 오토바이에서 내렸다. 깊은 한숨이 절로 나왔다. 건물로 들어가 긴 복도를 지났다. 전기에 문제가 있는지 전구가 깜빡거렸다.

2번 방의 문을 두드렸다. "이야 할머니, 아두니가 왔어요. 이도우의 외동딸이요. 이카티 마을에서 퍼프-퍼프 팔던 사람이요."

대답이 없다.

주먹을 꼭 쥐고 더 세게 문을 두드려보았다. "저예요. 아두니예요. 이카티에서 왔어요."

그래도 답이 없었다. 갑자기 똥도 마렵고 오줌도 마려운 것처럼 초조해져 손으로 바짓가랑이를 붙잡았다.

이야 할머니가 문을 열어주지 않는다면 오늘 밤 어디서 자지? 시장 광장에서? 오토바이 운전사와 그의 몸에서 나던 악취가 생각나면서 입술이 축 늘어지고 눈물이 그렁그렁 차올라 앞을 가리기 시작했다. 문을 계속, 계속 두드려도 아무도 나오지 않았다. 나는 닭똥 같은 눈물을 뚝뚝 흘리며 울음을 터뜨렸다. 가슴이 옥죄고 목이 막혀 기침이 나왔다. 내가 엄청나게, 엄청나게 큰 실수를 저질렀구나. 정말로 이게 나은 선택이라고 생각했었니? 넌 가끔 왜 이렇게 멍청하고 한심한 짓을 할까? 눈물을 펑펑 쏟아내다 보니 문이 열리는 소리도 듣지 못했다.

얼른 눈물을 훔쳤다. 문이 열렸지만 사람이 보이지 않았다. 아래를 내려다보자 바닥에 앉은 이야 할머니가 눈에 들어왔다.

"아두니 아니냐." 할머니 목소리가 마치 뚜껑을 꼭 닫은 상자 안에 들어간 사람이 말하는 것 같았다. 앞에 비죽 나온 두 다리는 전선처럼 얇았다. 다리 옆엔 지팡이가 놓여 있었다. 할머니는 내가 저번에 음식을 가져다준 뒤로 전혀 먹지 못한 거 같았다. 목이며 다리, 얼굴, 가슴이 무슨 막대기처럼 삐쩍 말라 있었다. 머리카락도 거의 다 빠져 가운데 흰머리만 약간 남았다. 가슴을 천으로 동여매고 있었는데 숨을 쉴 때마다 누군가 뜨거운 차를 마실 때처럼 후루룩 소리가 나며 힘겹게 위아래로 움직였다. 이야 할머니는 엄마가 아플 때보다 훨씬 더 심각한 상태인 게 분명했다.

내가 무릎을 꿇었다. "할머니, 안녕하세요. 제가 문을 두드려서 자다가 깨신 거예요?"

"저런, 아두니, 문소리를 듣고 침대에서 일어나 여기까지 오는 데 이렇게 오래 걸린단다. 내 죽은 다리를 끌고 와야 하거든." 할머니가 입을 열자 이마가 축 늘어졌다. 두 눈을 뜨고 있었지만 나를 보고 있진 않았다. 내 뒤에 있는 무언가를 보는 거 같았다.

"이 시간에 네가 웬일이냐? 비 때문에 집이 망가진 게냐?"

"저 좀 도와주세요. 집에 심각한 문제가 생겼어요."

"안으로 들어와라." 이야 할머니가 엉덩이를 뒤로 끈 다음 문을 열어 내가 들어갈 수 있게 했다. "전기가 반만 들어와서 집 안엔 불이 안 들어온단다. 왼쪽에 보면 거기에 등유 랜턴이 있을 거야."

방 안에 등유 냄새가 진동했다. 나는 눈으로 창문을 쳐다보면서 방을 가로질러 바닥에 있던 등유 랜턴을 집어 들었다. 랜턴을 들고 방 안을 훑어보자 심장이 내려앉았다. 예전에는 조그만 텔레비전, 옷장, 의자와 선풍기가 있었는데 지금은 매트리스만 덜렁 있고 뒤로 파란색 등유 화로가 놓여 있었다. 매트리스 뒤로 똑같이 생긴 나무 옷걸이에 걸린 두세 벌의 옷이 전부였다.

문 앞 바닥에 앉았다. 이야 할머니는 여전히 눈을 크게 뜨고 있긴 했지만 나를 보는 대신 창문을 쳐다보며 말했다.

"마 비누*, 마음 상할 거 없다. 지난주에 의자를 팔았단다. 그건 그렇고, 너한테 무슨 일이 생긴 거니?"

내가 모루푸와 카디자 이야기를 털어놓았다. 울지 않으려고 온몸에 잔뜩 힘을 주었다. "잠깐이라도 있을 곳이 필요해요. 바미델레가 나서서 사람들에게 카디자가 죽은 건 자기 때문이라고 말할 때까지만이라도요."

이야 할머니가 고개를 저었다. "바미델레는 절대 나서지 않을 거다.

---

* 마 비누: 걱정하지 말라는 뜻의 요루바어

곧 아기도 태어나는데. 사람들이 바미델레를 잡더라도 카디자가 이카티 출신이기 때문에 이카티로 끌고 갈 거야. 이카티 마을은 묻지도 않고 사람들을 마구 죽이기로 유명하잖니. 바미델레는 카디자에 관해 절대 사실대로 말하지 않을 거다. 죽고 싶은 사람은 아무도 없거든. 아이고, 너한테 이런 일이 일어난 걸 네 엄마가 알면 얼마나 슬퍼할꼬. 아두니, 내가 뭘 해주면 되겠니?"

"저 좀 도와주세요. 여기서 잠깐만 숨어 지내게 해주세요. 다른 마을로 가서 일을 찾거나 돈을 써서 빠져나갈 수 있을 거예요."

"너 여기서 못 살아. 네가 거기 앉아 있어도 나는 네가 뿌옇게만 보인단다. 어쩔 땐 아무것도 안 보여. 눈이 병들었거든. 다리도 아프고. 몸도 아파. 온몸 구석구석 아프지 않은 데가 없단다."

"제가 돌봐드릴게요. 저 요리도 잘하고 빨래도 잘하고 물 길어 오는 거랑 시장 가서 장 보는 것도 잘해요. 무슨 일이든 말만 하세요. 다 할 수 있어요." 하지만 그 말을 하면서도 그런 생각이 들었다. 이 마을 사람들이 나를 봤다고 아빠에게 말할 텐데 이게 가능할까.

이야 할머니가 고개를 저었다. "아두니, 나는 곧 죽는다." 그러고는 요루바어로 말하기 시작했다. "내 조상들이 오라고 부르고 있어." 할머니가 고개를 삐딱하게 들어 창문 위에서 누군가 자기 이름을 부른다는 듯 위를 올려다보았다. "들리니? 조상들이 북을 치고 노래를 부르면서 어서 오라고 하는구나." 그러고는 입을 벌려 특유의 미소를 지었고 랜턴 빛에 비친 얼굴은 반쪽으로 쪼그라든 거 같았다.

나는 이야 할머니나 조상들한테 뭐라고 대답해야 할지 몰라 잠자코 있었다.

"네 엄마는 참 마음씨가 고운 여자였지. 하나님이 네 엄마의 영혼을 편안히 쉬게 하시길." 이야 할머니는 잠시 생각하더니, "아두니, 울지 마라. 내가 도와주마."라고 말하고는 고개를 돌려 매트리스에 몸을 뉘었다. "콜라라고, 남동생이 하나 있단다. 아버지는 같지만, 배다른 남매지. 콜라가 너 같은 여자아이들을 돕는다더구나."

이야 할머니가 눈도 깜빡이지 않고 멍하니 천장을 바라봤다. 한동안 또 입을 열지 않았다. 그러더니 "오늘은 그만 자자. 내일 이야기하자꾸나. 새벽닭이 울기 전에 불에 타 죽지 않으려면 랜턴도 끄고."

"네. 알겠어요." 나는 불을 끄고 바닥에 누워 몸을 뻗어보았다. 검은 봉지는 발치에 두고 머리를 손으로 받쳤다. 건물은 온통 쥐 죽은 듯 조용했다. 밖에서 찌르륵 귀뚜라미 소리만 밤새 울렸다. 가끔 이야 할머니는 마치 폐를 토해내려는 듯 발작적으로 기침을 하기도 했다. 어쩔 땐 발전기처럼 요란하게 코를 골기도 했다.

바닥에 누워 있으려니 엄마, 카유스와 카디자가 떠올랐고 이렇게 문제가 심각하게 꼬이기 전의 평범한 일상이 주마등처럼 지나갔다. 그러는 사이 새벽이 왔고 첫닭이 꼬끼오 하고 울었다. 창문으로 이른 아침 햇살이 쏟아지기 시작했다.

바로 그때, 어떤 소리가 들렸다. 마치 동물 두 마리가 싸우는 소리 같았다. 처음에는 내 머리 안에서 나는 소린 줄 알았는데 점점 더 가까워지고 점점 더 커졌다. 아니, 그건 동물이 싸우는 소리가 아니었다. 남자 목소리였다. 아주 익숙한 목소리. 그리고 마치 전쟁터의 최전선에서 광기 어린 전사가 돌진하듯 쾅쾅 두 발로 걷는 소리가 점점 더 가까워졌다. 목소리의 주인공이 이야 할머니가 사는 건물에 이르자 내 심장이 요동치기 시작했다. 아빠 목소리다. 화가 머리끝까지 났을 때 아빠 목소리.

아빠가 목청껏 소리를 질렀다. "내 딸 어딨어? 이 거지 같은 마을에 산다는 이야라는 할멈이 누구야?"

20장

온몸이 납덩이 같았다.

머리로는 일어나야 해. 아두니, 일어나. 일어나서 도망가 하고 외치고 있었지만 팔다리가 마음대로 움직이지 않았다. 화장실에 가고 싶다는 욕구가 드는 찰나, 뜨거운 오줌이 주르르 흐르며 옷을 적시고 온 바닥을 적셨다. 터질 듯한 심장 소리가 귀에까지 울렸다. 쿵, 쿵, 쿵.

아빠가 왔다. 아간 마을에 아빠가 왔어. 난 이제 어떡하지? 어디로 도망가야 아빠가 나를 못 찾지?

"아두니" 이야 할머니가 매트리스 위에서 나를 불렀다. 나는 대답한 기 같은데 목소리가 목에 딱 붙었는지 들리지 않았다.

"아두니?" 잠에 취한 목소리였다. "이거 네 아빠 목소리 아니냐?"

"맞아요." 대답했는데 이야 할머니는 듣지 못한 거 같았다. 나도 내 목소리가 들리지 않았다. 무언가가 내 목소리를 뿌리째 뽑아간 거 같았다. 방문을 쾅쾅 두드리자 문이 흔들렸다. 아빠가 고함을 질렀다. "당장 문 열어!"

온몸에 소름이 오싹 돋았다. 끝장났구나. 난 이제 죽었구나. 이제 어떻게 하지? 어디로 가지?

"아두니" 이야 할머니가 숨차게 나를 불렀다. 뭐라고 하는지 잘 들리지 않았다. "매트리스 뒤에 문이 하나 있다." 이런 말을 하는 거 같다. "화장실로 통하는 문이야. 거기로 가라. 얼른."

내가 꼼짝도 하지 않자 이야 할머니가 손뼉인지 뭔지를 쳤다. "얘야, 얼른!"

나는 등이 감전된 것처럼 벌떡 일어섰다. 이야 할머니가 가리키는 문이 보였다. 옷을 걸어둔 곳이었다. 어제는 왜 안 보였지?

방문이 계속 흔들리고 있다. "이 문 열어." 아빠가 말했다. 이야 할머니가 "지금 침대에서 일어나는 중이오. 늙고 병든 여자의 방문을 부순다면 벼락 맞아 죽을 줄 아시오."라고 했다.

나는 뒷문을 열고 덜덜 떨며 지린내가 나는 좁은 복도를 지났다. 냄새가 너무나 지독해 기침이 나고 눈물이 날 지경이었다.

어마어마하게 큰 소리가 쾅, 한 번 들렸다. "문 하나 여는 데 왜 이리 오래 걸려?"

이야 할머니가 구시렁구시렁 뭐라고 중얼거리는 소리가 났다.

복도 끝에 또 다른 문이 보였다. 바닥의 널브러진 똥 더미를 보자 구토가 났지만 삼켜버렸다. 어떤 건 삶은 달걀처럼 동그란 갈색이고 어떤 건 죽처럼 질퍽했다. 하나같이 냄새가 역했다. 파리가 이쪽에서 저쪽으로 똥 사이를 신나게 날아다녔다. 왼쪽을 보니 물 내리는 손잡이가 망가진 부서진 변기가 있었다. 그 옆에는 세숫대야가 놓여 있었는데 거기도 똥 천지였다. 나는 바닥에서 깨끗한 부분만 발로 디디며 토악질이 나오는 걸 꾹 참고 아빠가 이야 할머니와 말싸움하는 소리를 들었다.

"내 딸 어딨어?"

뭐라고 중얼중얼하는 소리.

"입에 뭐 붙었어? 내 딸 어딨느냐고 묻잖아. 사람들이 어젯밤에 이리로 오는 걸 봤다는데."

중얼중얼.

"카유스, 이 늙은이가 귀랑 입에 문제가 있다. 방을 뒤져라. 샅샅이 찾아봐. 아두니를 찾아라!"

카유스와 아빠가 방에 있던 물건을 이리저리 던지는지 무언가 부서지는 소리가 났다.

"이 검은 봉지는 뭐야? 이거 아두니 옷 아니야? 카유스, 한번 봐라."

카유스가 뭐라고 말하는지 들리지 않았다. 눈을 꼭 감고 팔로 몸을 감쌌다.

"이거 문 아니야? 열어."

복도 안에서 뭔가 우당탕거렸다. 다시 발소리가 들렸다. "카유스, 저 냄새 나는 곳에 들어가서 아두니가 숨어 있는지 확인해라. 알았느냐?"

"네, 알았습니다."

문이 열렸다. 나는 숨도 쉬지 않고 벽에 붙은 똥이 등에 짓이겨질 때까지 몸을 벽에 바싹 붙였다. 벽이 확 열려 나와 똥을 꿀꺽 삼켜버렸으면.

카유스가 내 앞에 서 있다. 나를 쳐다보고 있다. 눈도 깜빡이지 않았다. 마치 엄마와 엄마의 영혼을 보고 있는 듯했다. 나는 입술에 손가락 하나를 갖다 대고 고개를 저었다. 눈으로 빌었다. 영혼으로 빌었다. 제발 아빠한테 말하지 마. 눈으로 말했다. 아빠한테 이르지 마.

"아두니 거기 있느냐? 가유스?" 아빠가 밖에서 물었다.

"없습니다. 여긴 없어요…. 그런데 창문이 열려 있습니다. 창문을 통해 시장 광장으로 달아난 거 같아요."

"나와라. 가자. 당장! 빨리. 모루푸와 사람들이 기다린다. 촌장이 기다린다고!"

카유스는 잠시 그대로 있었다. 울지 않으려고 애쓰는 것처럼 입술이 뒤틀렸다. 두 눈에 눈물이 차올랐지만, 입술로는 슬픈 미소를 지어 보였다. 카유스가 손으로 자기 가슴을 누르며 고개를 끄덕였다. 나는 카유스가 달아나라고, 제발 잡히지 말라고 말하고 있다는 걸 알았다.

고마워. 소리 없이 입으로 말했다. 고마워. 내 사랑하는 동생아.

"카유스, 가자!"

카유스가 천천히 고개를 끄덕였다. 우리의 마지막 작별 인사였다.

카유스, 안녕. 나도 눈으로 인사를 건넸다. 카유스가 뒤로 돌아 달리기 시작했다. 내 사랑하는 동생, 카유스. 잘 가.

나는 오랫동안, 한참을 서 있었다. 손으로 가슴을 부여잡은 채. 눈에 눈물이 가득 고인 채.

21장

이야 할머니가 방바닥에 앉아 있었다. 등유 화로 위에 냄비를 올리고 나무 주걱으로 무언가를 젓고 있었다.

아래로 불길이 춤을 췄다. 내가 방으로 들어가자 할머니가 불을 낮추고 코를 감쌌다.

"네 몸에서 나는 냄새가 온 방에 가득 차는구나. 가서 씻어라. 입고 있는 옷은 버려버려라. 다른 옷 가진 거 있지?"

방바닥 구석에 내 물건이 널브러져 있었다. 앙카라 드레스 위로 엄마의 성경책이 삐져나와 있었다. "다시 올 거예요. 내 물건을 다 봤잖아요. 그리고 저기서 도저히 못 씻겠던데요. 똥투성이예요."

이야 할머니가 웃음을 터트렸지만 기침으로 끝냈다. 기침 소리가 마치 누군가 변기 물을 내리는 소리 같았다. "제정신인 사람이라면 저기서 씻진 않지. 저긴 화장실이다. 싸고, 그냥 가는 데야. 매달 방마다 돌아가며 청소를 한단다. 다음 주에는 8번 방이 청소할 차례지. 집 뒤에 있는 우물가로 가라. 거기서 씻는 거야.”

“얌 요리를 하는 중이란다.” 이야 할머니가 우리가 조금 전까지 얌에 대해 떠들고 있었다는 듯 웃어 보였다. 마치 아빠가 여기에 들이닥쳐 내 심장이 떨어질 뻔했던 일은 일어나지 않았다는 듯한 표정이었다.

“배고프지 않아요. 아빠랑 카유스가 돌아오지 않을까요. 정말 갔나요?”

“언제 적 얘기를 하는 거냐! 지금쯤이면 이카티에 닿았을 거다. 이 건물에 나를 도와주는 꼬마가 하나 있는데 지금 마을 경계에서 보초를 서고 있단다. 고놈이 달음질이 얼마나 빠른지. 네 아빠나 동생이 오는 게 보이면 냉큼 달려와서 알려줄 거야.”

이야 할머니는 냄비 뚜껑을 들고 수저를 깊숙이 넣어 뒤적였다. 얌죽을 끓이는 거 같았다. 후추, 가재, 야자유를 두른 얌 냄새가 났지만 보기에는 오렌지 똥 같았다. 구토가 목으로 울컥 올라오는 걸 가까스로 참았다.

“또 다른 꼬마를 보내 콜라더러 오라고 해두었다. 아두니, 얼른 가라. 더러운 거 다 씻어내라.”

“제가 목욕하고 있는데 아빠가 오면 어떡해요?”

“말 같지 않은 질문만 하고 섰지 말고.” 할머니가 얌죽을 젓던 주걱을 손바닥에 탁 쳐 맛을 보았다. “네 아빠가 다시 와서 네가 거기 가만히 서 있는 걸 보게 된다면 나도 더는 네 일에 참견하지 않으마. 우물가에 목욕하는 데랑 양동이도 다 있다. 얼른 가거라.”

나는 방바닥에서 앙카라 드레스와 바지, 브래지어를 들고 나갔다.

건물 뒤에 회색 벽으로 둘린 깊숙한 우물이 있었다. 안에다 양동이를 던져 물을 길어 욕실로 들어갔다. 사각형의 차가운 시멘트 바닥은 누군가 날달걀을 풀어놓은 듯 미끄러웠다. 모루푸네 욕실처럼 검은 풀이 벽을 타고 양철 지붕으로 뻗어 있었다.

옷을 벗고 물을 머리에 끼얹기 시작했다. 물이 너무 차가워서 온몸이 찌르르 저려왔다. 손바닥으로 온몸을 문질렀다. 물 반 눈물 반이었다. 비벼 닦다가 울고, 비벼 닦다가 울기를 한참 했다. 더 문지르면 살갗이 벗겨져 피가 날 정도로 비볐다.

목욕을 마치자 살갗이 화끈거려 피부로 숨을 쉬는 느낌이었다. 수건이 없어서 젖은 몸에 브래지어와 팬티를 입었다. 방으로 돌아갔더니 이야 할머니가 얌죽을 그릇에 담아 먹고 있었다. 오렌지색 페인트에 담갔다 뺀 것처럼 손가락에 노란 물이 들어 있었다.

"이제 좀 먹을 테냐?" 이야 할머니가 손가락을 빨며 물었다. "신선한 얌이야. 막 따 온 거란다."

"아니에요. 속이 좋지 않아요."

"마음을 좀 진정하렴. 콜라가 오는 중이야. 여기서 멀지 않은 이단라 마을에 사는 데다 자동차로 오니까 금방 올 거다. 들고 다니는 전화기도 있고. 그, 뭐라더라?"

"모바일폰이요. 모루푸도 하나 있어요. 영어로 모바일은 맘대로 움직일 수 있다는 뜻이에요."

"그래, 그거 말이다." 동생이 그런 물건을 갖고 있다는 사실이 자랑스러운 것처럼 이야 할머니의 눈이 환하게 빛났다.

잠들지 않으려고 눈에 안간힘을 쓰는 데 누군가 문을 두드렸다. 하지만 아빠처럼 세게 두드리는 소리는 아니었다.

"열어라. 콜라다. 내 동생이야."

문을 열자 한 남자가 서 있었다. 얼굴이 볕에 그을기라도 했는지 까무잡잡한 갈색이고 몸은 호리호리했다. 눈부터 턱까지 양쪽 볼에 길게 상처가 나 있었다. 누군가 분풀이로 뺨에 두꺼운 검은 페인트로 11 자를 그린 거 같았다.

"안녕하세요." 내가 무릎을 굽혀 인사했다.

그가 목을 왼쪽으로 기울여 나를 아래 위로 쳐다봤다. 그러곤 아주 길고 긴 노래를 부르기라도 할 것처럼 목을 가다듬었다.

"누이 안에 계시니?"

"안에 계세요. 들어오세요." 남자가 들어오게 한쪽으로 비켜 섰다.

콜라 씨가 고개를 까닥여 이야 할머니에게 인사했다. 이야 할머니가 지난달에 마일로 코코아와 립톤 티를 보내줘서 고맙다며 축복의 말을 건넸다. 콜라 씨가 약은 잘 먹고 있느냐고 묻자 할머니는 하루에 세 번 꼬박꼬박 챙겨 먹는다고 답했다. 어젯밤에도 오늘 아침에도 할머니가 약을 먹는 모습을 보지 못했는데 말이다.

콜라 씨가 자꾸 목을 가다듬는 통에 나는 이 아저씨가 목이 마른가 하고 생각했다.

"왜 또 나를 찾았어요?" 목소리가 성가시다는 듯한 투였다. 이야 할머니가 늘 골칫거리인 것마냥. "아직은 돈이 없다구요."

"네 돈은 필요 없다. 하지만 이 아이는 네가 도와줘야 해. 문을 열어준 애가 아두니다. 이도우 기억하지? 이카티에서 퍼프-퍼프 팔던 여자 말이야. 아두니가 그 여자 딸이다."

"아!" 콜라 씨가 나를 돌아보고 고개를 끄덕였다. "그 여자가 누님 먹으라고 음식을 가져다줬죠. 엄마 돌아가신 건 안됐구나."

"감사합니다."

"이 아이는 네 도움이 필요해." 이야 할머니가 카디자에 관한 이야기와 아빠가 나를 찾아 여기까지 왔었다는 이야기를 해주었다. "네가 도와주던 애들처럼 이 애에게도 일을 찾아줄 수 있겠니? 아두니는 아주 착한 아이다. 배운 것도 있는 아이야. 영어도 꽤 잘한다."

콜라 씨가 코를 킁킁거렸다. "누님, 도와줄 수는 있는데 오늘은 안 돼요. 오늘은 너무 촉박해요. 이 애 상황이 긴박한 건 알겠는데 일주일은 있어야지, 제가…."

"일주일은 너무 길어. 오늘 떠나야 해. 오늘 아침에, 아빠가 얘를 찾으려고 여기에 왔잖니. 여기에 올 줄 알았다. 아두니에게 절대 나쁜 일이 일어나선 안 된다. 얘 엄마와 오래전 약속했어. 난 죽기 전까지 그 약속을 지킬 생각이다."

이야 할머니의 말에 눈물이 핑 돌았다. 두 손을 모으고 입술로 가져가 감사의 기도를 드렸다.

"무슨 말인진 알겠어요. 하지만 마땅하게 연결해줄 수 있는 일이…."

콜라 씨가 다른 게 떠오른 듯 말을 멈췄다. "오늘 라고스에서 일을 시작하기로 한 여자애가 하나 있는데, 어쩌면 아두니를 대신 보낼 수도 있겠군요. 아두니가 내 보스가 찾는 애랑 조건이 비슷해 보이니까. 나이도 맞고. 애가 지금 라고스까지 장거리를 이동할 수 있나요?"

라고스라니. 그 크고 번쩍이는 도시? 비행기랑 자동차랑 돈이 엄청 많다는 라고스? 에니탄이랑 맨날 떠들어대던 그 라고스? 돈을 조금이리도 모으면 가는 게 꿈이라고 얘기했던 거기?

마음속에 흥분과 서글픔이 마구 섞였다. 나는 라고스가 어떤지 얼마나 대단한지 보러 가고 싶었지, 몸을 숨기러 가고 싶진 않았기 때문에 슬픔이 몰려왔다. 하지만 콜라 씨가 지금 내 대답을 기다리고 있고, 아빠와 모루푸는 언제라도 돌아올 것이다.

"멀리 갈 수 있습니다. 저 건강해요."

"그럼 전화해보지."

콜라 씨가 주머니에서 휴대전화를 꺼냈다. 버튼을 꾹꾹 누르더니 귀에 댔다. 그는 고개를 위아래로, 좌우로 움직이며 통화했다.

"빅 마담? 안녕하세요? 저 중개인 콜라인데요. 이렇게 아침 일찍 전화드려서 죄송합니다. 문제가 좀 있어서요. 오늘 데려가려고 했던 아이가 장티푸스에 걸렸어요. 몸이 좋지 않아서 장거리 여행은 못 할 거 같아요. 다른 여자애가 있는데 좋은 애예요. 이름은 아두니입니다. 네. 가격은 같고요. 네, 어립니다. 제가 언제 실망시킨 적 있나요? 그럼요, 당연하죠. 신체검사는 다 통과했어요. 감사합니다." 콜라는 또 버튼을 누르더니 휴대전화를 주머니에 넣었다.

"다 됐다. 짐 싸라. 라고스에 가자."

나는 웃어야 할지 울어야 할지 헷갈렸다. 바닥에 앉아 이야 할머니가 건네준 새 봉지에 물건을 주섬주섬 넣으려니 목이 메었다.

"콜라야, 고맙다. 죽은 아두니 엄마가 네게 고마워할 거야." 이야 할머니가 손뼉을 치며 말했다.

콜라 씨가 고개를 끄덕이고 주머니에 손을 넣어 더러운 지폐 두 장과 열쇠를 꺼냈다. 그리고 지폐를 이야 할머니의 손에 쥐여주었다. "형편이 좋지 않아요. 경기도 나쁘고요. 다음 달까지 이걸로 버티세요." 콜라 씨가 나를 보고 열쇠를 쥔 손으로 손짓했다. "가자."

봉투를 꽉 쥐었지만, 발걸음이 떼지지 않았다. 눈만 깜빡이며 멍하니 서서 생각했다. 이 남자가 나쁜 사람이면 어떡하지? 라고스에서 나한테 이상한 짓을 하면 어떡하지?

"이야 할머니?" 나는 이 남자를 잘 아느냐고, 동생이지만 진짜 잘 아는 사람이냐고 묻고 싶었다. 하지만 그 말이 머릿속 깊이 숨어 나오지 않았다. 워낙 깊숙이 박혀 있어 아무리 애를 써도 도저히 꺼낼 수가 없어 콜라 씨만 멍하니 바라봤다.

"아두니!" 이야 할머니가 내가 당장 발을 떼지 않으면 지팡이로 머리를 후려칠 듯한 목소리로 말했다. "네 식구들이 찾으러 오기 전에 얼른 떠나야지."

콜라 씨가 코를 킁킁거리며 돌아섰다. "먼저 차에 가 있으마. 5분 기다려도 안 나오면 그냥 갈 거다."

"기도해주세요." 바닥에 앉아 있는 이야 할머니에게 허리를 굽혀 인사하자 할머니가 내 머리를 쓰다듬었다.

"라고스에서 좋은 일이 생길 거야. 네 엄마의 영혼이 너와 함께 있단다. 얼른 가거라." 이야 할머니가 손으로 내 머리를 짚으며 말했다.

내가 차에 올라타자 콜라 씨는 곧장 출발했다. 온갖 일들이 내 영혼을 부수고 머리 위로 떨어져내렸다.

나는 지금 이카티를 떠난다.

평생 원하던 일이다. 이곳을 떠나 바깥세상을 보는 것. 하지만 이런 식을 원한 건 아닌데. 이렇게 누명을 쓰고 가는 건 아니었는데. 나를 찾아다니는 마을 사람들이 생각하듯 나는 형님을 죽인 살인자가 아닌데. 가슴 한쪽은 카유스로 다른 한쪽은 카디자로 채운 채 이렇게 떠나기는 싫었다.

두껍고 묵직한 옷을 뒤집어쓴 것처럼 머릿속이 아득했다. 부끄러움과 서러움, 고통으로 지은 아주 두꺼운 옷.

22장

라고스로 가는 길은 나이지리아의 끄트머리로 가는 듯 멀고 멀었다. 야간 마을을 떠난 지 세 시간 정도 지났을까. 우리는 여전히 고속도로 위를 달리고 있었다.

잠이 쏟아졌지만 콜라 씨의 파란색 마쓰다 자동차가 약 5분 간격으로 파인 도로를 지날 때마다 덜컹거리는 통에 화들짝 놀라 잠이 깼다. 어쩔 땐 워낙 심하게 흔들려 자동차가 댕강 두 쪽으로 갈라져 콜라 씨와 내가 서로 떨어지는 게 아닐까 두렵기도 했다.

그래서 시선을 창문에 고정한 채 바깥만 쳐다보았다. 고속도로는 남녀노소 막론하고 빵과 콜라, 환타, 막대기에 거꾸로 꽂은 야생동물 고기 같은 걸 파는 사람들 천지였다. 신문, 과일, 봉지에 담은 물까지 보였다. 뱃속이 허기로 요동쳤지만 먹을 걸 사게 콜라 씨에게 차를 세워달라고 하진 않았다. 콜라 씨는 운전대가 날아가기라도 할 것마냥 딱딱하게 굳은 표정으로 운전대에 두 손을 단단히 고정하고 있었기 때문이다. 이마에는 화가 날 때 생기는 주름이 잡혀 있었고 피부도 거칠게 주름져 있었다.

아침부터 한마디도 하지 않고 내내 차를 타고 온 터라 더는 계속 입을 다물고 있기가 힘들었다.

"라고스에 인제 도착해요?" 햇빛에 눈이 부셔 손으로 가리며 내가 물었다. 아직 정오도 안 됐는데 태양이 하늘에서 불을 뿜듯 타올랐다. 차의 모든 곳이 뜨거웠다. 시트 커버에 엉덩이를 델 거 같아 가끔 손바닥을 깔고 위에 앉아 식혀야 했다. 기다려도 대답이 없자 다시 물었다.

"곧 도착한다." 콜라 씨가 백미러를 확인하더니 차선을 옮기며 마지못해 대답했다.

"이제 저는 어떻게 돼요?"

"일하는 거지. 그렇지. 아두니, 잘 들어라. 트렁크에 병원 소견서가 있다. 내 의사 친구가 만들어준 거야. 빅 마담이 너한테 전염병이 없는지 확인하라고 했거든." 그러고는 곁눈질로 나를 쳐다보았다. "너 무슨 병 걸린 거 없지?"

"없습니다."

"잘됐다. 병원 소견서 이름 칸에 네 이름을 써서 빅 마담에게 보여줄 거야. 빅 마담이 너한테 의사에게 진찰받았는지 물으면 그렇다고 대답해라. 우린 이단라 병원에서 진찰받은 거야. 알겠지? 네가 안 갔다고 하면 일은 없는 거야."

"갔다고 대답하겠습니다." 왜 거짓말을 하라고 하는지 영문도 모른 채 의자에서 꼼지락거렸다. 의사에게 갔다고 거짓말 시킨 다음에 다른 거 짓말도 하라고 하면 어떡하지. 이카티에서 무작정 이 아저씨를 따라가기 로 한 게 잘한 일일까? 나는 콜라 씨의 턱이 마치 공기를 씹는 것처럼 위 아래로 움직이는 모습을 쳐다보다가 한숨을 푹 내쉬었다. 설사 이 아저씨 가 거짓말을 하고 있다 해도 내가 뭘 할 수 있겠나. 이카티로 돌아갈 수도 없고, 다른 데로 도망갈 수도 없다.

"일할 때 나랑 같이 지내는 거예요?"

"아니, 석 달에 한 번씩 올 거다."

"이 일을 하면 학교에 갈 수도 있나요?"

콜라 씨가 의미심장한 눈길로 날 쳐다보더니 목을 가다듬고 말했다. "네가 행동을 조심해서 하고 빅 마담이 널 좋아하게 되면 학교에 보내줄 지도 모르지."

"아빠가 다시 찾으러 오면 이야 할머니가 내가 어디로 갔는지 말할까 요?"

"이야는 네 엄마를 배신하느니 차라리 죽어버릴 거다. 고집이 세고 죽 음을 두려워하지 않는 노인네니까. 내 말 잘 들어라. 네 아빠는 널 다시는 찾을 수 없을 거야. 이야도 나도 네가 어디로 갔는지 말하지 않을 거니까. 너만 이카티로 돌아가지 않는다면 말이다. 돌아가고 싶으냐?"

나는 얼른 고개를 저었다. 다시는 이카티에 가지 못한다고 생각하니 가슴에 찌르는 듯한 통증이 느껴졌다. "빅 마담이라는 사람이 누구예요?" 가슴이 아파 꾹꾹 누르며 물었다. "왜 그렇게 불러요?"

"아두니" 앞에 차들이 속도를 낮추지 콜리 씨도 속도를 서서히 내리며 말했다.

"네? 왜요?"

"곧 라고스에 도착한다. 운전하게 입 다물어라."

나는 어깨를 움츠리고 밖을 내다봤다. 작은 의자에 앉아 있는 여자를 지나쳤다. 여자는 펄펄 끓는 솥을 굽어보며 기다란 스테인리스 수저로 검은 기름을 저어 동그란 퍼프-퍼프를 뒤기고 있었다. 마치 농부가 지팡이로 양을 이리저리 모는 것 같았다. 그 모습을 보니 예전의 내 모습이 떠올랐다. 나는 엄마 옆에서 신문지를 접시처럼 손에 받치고 기다렸다. 그러면 엄마는 간이 어떤지 보라며 신문지 접시에 막 튀긴 퍼프-퍼프를 놓아주었다. 나는 팔짝팔짝 뛰며 웃으며 소리쳤다. "앗, 뜨거, 뜨거워요." 그러면 엄마는 "뜨겁지만 달달하고 맛있지. 그렇지 않니, 아두니? 그렇지?" 하며 웃었다.

나중에 병세가 심해져 통증 때문에 매트에서 몸을 움직이기 힘들어졌을 때 엄마는 내게 노래를 불러달라고 했다.

"우리 아두니. 내 새끼. 네 노래를 들으면 아픈 게 사라진단다."

이번에는 카유스가 떠올랐다. 하지만 그냥 지워버렸다. 지금은 카유스를 생각하고 싶지 않다. 오늘 아침에 카유스가 가슴에 손을 얹고 눈물이 그렁그렁한 눈으로 내게 어떻게 작별 인사를 했는지 지금은 생각하기 싫다.

문득 여섯 살 때 엄마가 가르쳐준 하나님의 사랑과 희망에 대한 노래가 떠올라 가만히 부르기 시작했다.

창문에 코를 댄 채 내 배 속 어딘가에서부터 올라오는 노래를 불렀다.

에니칸 느베 투 페란 와

아! 오! 페 와!

이페 레 주 티예칸 로

아 오 페 와

오레 아예 느코 와 실레

보니 둔, 올라 레 코로

수그본 오레 이 키 느탄 니

아 오 페 와

그는 선해요. 누구보다 더

오, 그분의 사랑이 얼마나 깊은지

그분의 사랑은 인간의 사랑을 뛰어넘죠

오, 그분의 사랑이 얼마나 깊은지

친구는 우릴 등지고 떠날지라도

어떤 날은 위로하고

다음 날은 비통하게 할지라도

그분은 절대로 우리를 속이지 않죠

오, 그분의 사랑이 얼마나 깊은지

노래를 끝내고 콜라 씨를 흘끗 돌아보았다. 이마의 주름이 사라지고, 입술이 삐딱한 게 웃고 있는 기 같았다.

164

"이상했어요? 너무 크게 불렀나요?"

"노래를 잘하는구나. 그런 말 들은 적 없니?"

"엄마가 여러 번 말했어요."

내 대답에 콜라 씨가 입을 다물었다. 무슨 말을 하려다 그냥 삼키는 듯했다. 그러더니 잠시 후 "빅 마담이 너한테 잘해줬으면 좋겠구나." 하고 말했다.

저도요. 정말 그랬으면 좋겠어요. 나도 간절히 바랐다.

"웰컴 투 라고스. 아두니, 일어나라."

나는 화들짝 놀라 눈을 비볐다. 입에서 흘러내린 침이 옷 안까지 들어가 있었다.

"아, 죄송해요. 도착한 건가요?"

얼마나 오래 잤는지 모르겠다. 이제 도로는 마치 설탕 주변에 모여든 병정개미 떼처럼 자동차로 우글우글했고 경적 소리로 시끄러웠다. 우리 뒤에 있는 차가 빵빵대자 콜라 씨가 얼굴을 찌푸리고 뭐라 중얼대더니 핸들을 내리쳐 똑같이 경적을 울렸다.

빵 굽는 냄새, 파인애플, 오렌지, 파우파우 냄새, 자동차 배기관에서 나오는 회색 매연 냄새, 석유 냄새, 오랫동안 목욕하지 않은 사람의 겨드랑이 냄새 등 온갖 냄새가 공기 중에 섞여 있었다.

숨을 크게 들이쉬자 목이 턱 막히며 기침이 났다.

장사꾼들도 보였다. 날렵하게 몸을 비틀어 자동차 사이를 지나다니며 물건을 팔고 있었다. 어찌나 다양한지 없는 게 없었다. 휴대전화에 영화 DVD까지 보였다. 우유통 같은 걸 든 남자가 내 쪽 창문으로 오더니 코를 들이밀었다.

"아이스크림 사세요! 안녕, 예쁘게 생겼네. 아이스크림 안 먹니?"

우리가 대답 없이 가만히 앉아만 있자 그는 재빨리 앞으로 이동했다.

또 다른 장사꾼이 우리 차 앞으로 달려들었다. 초록색 러닝셔츠와 검은색 바지 차림에 거품이 이는 동그란 병을 들고 있었다. 내가 뭐 하는 사람이냐고 물어보려는데 그가 다짜고짜 병을 열어 액체를 차 유리에 들이붓더니 주머니에서 갈색 천을 꺼내 닦기 시작했다.

"당장 꺼져." 콜라 씨가 경적을 울리며 소리쳤다. "차로 밀어버리기 전에 당장 비켜."

하지만 그 남자는 콜라 씨의 말은 아예 들리지도 않는다는 듯 행동했다. 앞 유리를 재빨리 문질러 닦았다. 나는 웃음이 터져 나오려는 걸 꾹 참았다. 천이 지나간 자리마다 원래보다 더 더러워졌기 때문이다. 아마도 병에 든 액체에 기름이 섞인 모양이었다. 그는 유리를 다 닦고 나더니 천을 탁탁 털고 접어서 주머니에 넣었다. 그러더니 활짝 웃으며 손을 머리에 대고 경례했다. "하나님이 축복하실 겁니다. 유리가 깨끗해야 도로가 잘 보이죠."

"이 놈 보소. 차 앞 유리를 더럽혀놓고 돈을 내라니. 이놈아, 하나님이 널 벌하실 거다."

콜라 씨의 말을 들었는지 어쨌는지 아무튼 그는 여전히 활짝 이를 드러내고 가만히 서서 경례를 한 채로 이 말만 했다. "하나님이 축복하실 겁니다." 그러자 콜라 씨가 차를 앞으로 움직였다. 남자는 순식간에 뒤에 있는 차로 달려갔다.

"멍청한 놈, 어휴, 저 몹쓸 놈."

다음에는 여섯 살쯤 돼 보이는 남자아이가 다가왔다. 입고 있는 빨간 티셔츠가 어찌나 큰지 옷이 옷걸이에 걸려 있는 거 같았다. 삐죽 나온 목은 가냘펐다. 발에는 화장실용 빨간색 슬리퍼를 신고 있었다. 꼬마는 나를 바라보기는 했지만 어쩐지 다른 도시를, 다른 삶의 시간을 헤매다 길을 잃은 사람처럼 멀리 떨어진 어딘가를 보는 듯했다. 꼬마가 손을 제 입에 댄 다음 내게 손을 흔들고 다시 손을 입에 댔다. 목에는 '배고파요. 도와주세요.'라고 쓴 판지를 걸고 있었다.

"이 꼬마는 뭐 하는 거예요?"

"걘 거지야."

이카티에 음식 구걸하는 아이는 없었다. 집에 돈이 없어도 부모가 아이들을 거리에 내보내 구걸해 오라고 하진 않았다. 아이들은 빨래하고 청소하고 쓰레기통을 비우는 일을 했고, 여자애들은 시집보내 신붓값을 받아 먹을거리를 장만하는 데 썼다. 아이들이 음식을 구걸하진 않았다.

"저, 배가 좀 고픈 거 같아요." 차가 앞으로 이동하자 나는 어쩔 수 없이 솔직히 털어놓았다. 배가 고파서 속이 쓰렸다. 이미 콜라 씨와 이야 할머니에게 도움을 받았는데, 또 먹을 걸 부탁하려니 몹시 창피해서 차마 입이 떨어지지 않았었다.

"소시지 롤 먹을래?" 콜라 씨가 이렇게 묻더니 창문을 내려 손을 흔들었다. 자그마한 빵 접시를 머리에 이고 다니는 상인을 불렀다.

"소시, 뭐라고요?"

"안에 고기가 들어 있는 빵이다. 소시지 롤이라고 한다."

"아. 그렇구나."

"얼마예요?" 콜라 씨가 상인에게 물었다.

"100나이라입니다." 상인이 접시에서 작은 빵을 꺼내 보였다. "아주 뜨거워요. 방금 구운 거예요."

"세 개 주세요." 콜라 씨가 한 손은 운전대를 잡고, 한 손으로 주머니 속 지폐 꾸러미에서 빳빳한 새 돈을 꺼냈다. 그 돈 꾸러미를 보자 오늘 아침 콜라 씨가 이야 할머니에게 건넨 꼬깃꼬깃한 지폐 두 장으로는 소시지 롤 두 개도 못 산다는 생각이 들어 기분이 울적해졌다.

"두 개는 네가 먹고 하나는 남겨라." 콜라 씨가 내게 빵 봉투를 건넸다.

빵은 안에 고기가 조금 들어 있고 질겨서 무슨 짠 껌을 씹는 것 같았지만 그래도 몹시 배를 주린 탓에 씹지도 않고 꿀꺽꿀꺽 삼키듯 먹어치웠다.

라고스의 도로에는 오카다 천지였다. 전후좌우 사방팔방으로 오토바이 택시들이 달리고 있었다. 마치 개울을 흐르는 물처럼 자동차 사이를 한 치의 망설임도 없이 쏜살같이 내달렸다. 오토바이 뒤에 탄 사람들은 하나같이 커다란 플라스틱 모자를 뒤집어쓰고 있었다. 콜라 씨에게 저게 뭐냐고 묻자 "저건 헬멧이란다. 라고스에서 오카다를 타는 사람들은 전부 헬멧을 써야 해. 그러지 않으면 관리들이 잡아다가 감옥에 처넣지."

"헬멧 모자를 안 쓰면 감옥에 가야 한다고요?" 나는 깜짝 놀라서 손등으로 입을 가리고 물었다.

"그래."

말도 안 되는 소리 같아서 더 묻고 싶었지만 내 눈은 이미 다른 데 정신이 팔려 있었다. 커다란 버스였다. 게다가 엄청 많았다. 노란색에 검은 선이 그어져 있었다. 어떤 버스는 위에다 짐을 얹어 밧줄로 묶었고, 어떤 버스는 사람이 올라가 있었다. 우리 차 바로 옆에서 달리던 버스는 문이 활짝 열려 있었다. 버스 안에 있는 사람들의 무릎이 서로 다닥다닥 붙어 있었다. 버스 문을 잡고 서 있는 남자는 몸이 아예 버스 밖으로 나왔다. 남자가 소리를 질렀다. "팔로모 직행이요! 잔돈 미리 챙기세요!"

"왜 저 남자는 버스 안에 앉지 않아요?"

"라고스 버스 안내원들은 버스에 매달려 가기도 한단다. 버스 자리를 더 팔고 싶어서 그러는 거지. 오, 하나님. 드디어 차가 움직이는구나."

차가 쑥쑥 빠져나가자 이내 그 모든 소음을 뒤로하고 우리가 탄 차는 도로 위로 올라섰다. 도로는 한없이 위로 뻗어 있었고, 밑으로는 강줄기가 끝도 없이 흘렀다. 목을 쭉 뻗어봐도 어찌나 강줄기가 긴지 끝이 보이지 않았다. 멀리서 낚시하는 어부가 조그만 막대기처럼 보였다. 흰색 보트도 지나갔고 사람들을 실은 카누도 지나갔다.

나는 강에서 시선을 떼고 도로 위에 붙은 간판을 소리 내어 읽어보았다. '서드 메인랜드 브리지. 빅토리아 아이슬-란드. 이코이.' 일부러 크게 읽었다. 콜라 씨에게 내가 영어를 읽을 줄 안다는 걸 보여주고 싶었기 때문이다.

"빅토리아 아일랜드다. 고지대(Highland)라구. 섬(Island)이 아니고."

이해할 수 없었다. 간판에는 하이랜드라고 쓰여 있지 않은데? 하지만 묻지는 않았다. "우리 지금 거기로 가는 거예요? 빅토리아 아일랜드라는 곳으로요?"

"우린 이코이로 간다." 콜라 씨가 네가 좋아할 테니 기대하라는 표정으로 나를 쳐다보았다. "하지만 먼저 빅토리아 아일랜드에 데려가주마. 돌아서 거기가 어떤 곳인지 한번 보고, 빅 마담의 집이 있는 이코이로 가자. 그 집에 가면 이해가 갈 거야. 빅 마담의 집은 맨션이거든. 아주 큰 집이다. 아두니, 아주 부자란다. 엄청난 부자지."

"좋은 거예요?" 내가 물었다.

"돈은 언제나 좋은 거지." 하고는 내 질문이 귀찮다는 듯 입을 굳게 달았다.

그래서 우리는 한동안 말없이 갔다. 또 위로 올라가는 도로를 탔다가 내려오자 다시 도시 안으로 진입했다. 도시는 사방이 번쩍번쩍 빛나고 화려했다. 유리창으로 둘러싸인 높다란 빌딩, 배 같기도 하고 모자나 초콜릿 같기도 하고 동그랗기도 하고 삼각형 같기도 했다. 모양과 색깔, 크기가 저마다 다 다른 빌딩들이 도로 양쪽에 빼곡히 늘어서 있었다.

"우아!" 나는 눈이 휘둥그레져서 사방을 둘러보았다.

"그래. 아주 멋있지. 그럴싸하지만 무척 바쁜 곳이지. 저 유리 빌딩이 은행이다. 저 멀리 바다 끝에 보이는 파란 빌딩이 시빅 센터야. 창문이 백 개도 더 있는 이 빌딩이 나이지리아 로스쿨이다. 저기 반짝이는 별처럼 보이는 높은 빌딩은 호텔인데 인터콘티넨탈 호텔이라고 한단다. 아주 비싼 호텔이지. 5성급이야. 봐라, 저건 래디슨 블루 호텔이고. 이제 여기서 이코이 방향으로 틀 거다."

계속 앞으로 나가자 빌딩과 상점들이 점점 더 많아졌다. 콜라 씨가 "아두니, 봐라. 이 가게를 봐라. GTB 뱅크 옆에 있는, 창문에 마네킹 있는 거. 이게 빅 마담의 가게다. 이 빌딩이 다 빅 마담 거지."

나는 콜라 씨가 가리키는 고층 빌딩을 쳐다보았다. 파란색과 초록색으로 '케일라 패브릭'이라고 쓰인 유리 간판이 빌딩 지붕에서 반짝였다. 창문에 팔이 없는 인형이 두 개 서 있었다. 피부가 텔레비전에서 본 외국 사람들 색이었다. 살면서 그렇게 커다란 인형은 본 기억이 없었다. 인형 하나는 아주 비싸 보이는 몸에 딱 붙는 파란색 레이스 옷을 입었고 다른 인형은 설익은 구아바 같은 크기의 작은 가슴을 드러내고 있었다.

"우아!" 그저 감탄밖에 나오지 않았다.

"빅 마담의 딸 이름이 케일라다." 콜라 씨가 시선을 도로에 둔 채 말했다. "그래서 '케일라 패브릭'이라고 이름 지은 거야. 잘됐다. 여긴 덜 막히는구나." 콜라 씨가 이런저런 가게들과 은행, 회사 등을 알려주었다. 하지만 내 머리로는 모든 게 너무 화려하고 너무 시끄러워 머리가 터질 듯했다. 양쪽에 초록 나무를 심어놓은 한적한 도로에 들어서자 소음도 유리창도 은행도 없어졌다. 그제야 정신이 좀 가라앉는 거 같았다.

"어땠니? 라고스를 보니까."

"뭐가 너무 많았어요. 라고스는 불빛 찬란하고 유리창이 아주 많은, 그냥 정신 사나운 곳 같아요."

콜라 씨가 고개를 젖히더니 모자를 바로 쓰며 웃음을 터뜨렸다. "정신 사나운 곳이라니, 꼭 맞는 표현이다. 자, 이 길 끝에 빅 마담의 집이 있다."

"네."

갑자기 콜라 씨가 차를 길가에 세웠다. "아두니" 하고 부르더니 몸을 돌려 나를 바라봤다. "빅 마담 집에서는 행동 조심해야 한다. 훔치지 마라. 거짓말은 안 된다. 그리고 절대 남자애들 따라다니면 안된다."

내 표정이 굳었다. "훔친다고요? 제가요? 그건 있을 수 없는 일이에요. 난 거짓말하지 않아요. 남자애들은 싫어해요. 전 그렇게 자라지 않았어요."

"그래도 너한테 꼭 말해둬야 해서 그러는 거야. 빅 마담이 널 안 쓰겠다고 하면 더는 넣어줄 자리가 없어. 무슨 말인지 알지?"

"네. 알아요. 저는 갈 데가 없으니까요. 이카티로 돌아가면 촌장이 저를 죽일 거예요."

"자." 콜라 씨가 대단히 중요한 말을 할 거라는 듯 목을 세 번이나 가다듬었다. "빅 마담은 네가 엄청 부지런히 일하길 바랄 거야."

"부지런히 일할 수 있어요."

"빅 마담이 규칙을 말해줄 거야. 그럼 너는 반드시 모든 규칙을 지켜야 한다."

내가 고개를 끄덕였다.

"주는 음식 먹고, 자라는 데서 자라. 주는 옷 입고. 알았지? 들어간 지 얼마 되지도 않았는데 부산스럽게 퍼덕거리고 다니면 안 된다. 그랬다간 대번에 널 쫓아낼 거야. 너 이카티로 못 가는 거 알지. 그러니 행동 똑바로 해라. 알았니?"

내가 무슨 닭도 아니고 어떻게 퍼덕거리고 돌아다니겠어요. "네, 알겠어요. 또 뭘 알아야 하나요?”

“빅 마담이 매달 너에게 1만 나이라를 줄 거다.”

“1만, 네에? 나한테요? 너무 큰돈인데요.”

“내가 그 돈을 가져다가 너 대신 은행에 저금해둘 거다. 내가 석 달에
한 번씩 와서 모아둔 돈을 가져다주는 거지. 알았니?”

“알았습니다.” 흠, 어쩌면 콜라 씨가 괜찮은 사람인지도 모르겠는데.
물론 별로 웃지도 않고 병원 소견서에 대해 거짓말을 하긴 했지만, 그건
나를 도와주려고 그런 거니까. “고맙습니다.”

“자, 이제 시간이 됐다.” 콜라 씨가 다시 차에 시동을 걸고 좁은 길로
차를 몰았다. 길 끝에 검은색 문이 보이자 앞에 차를 세우고 경적을 울렸
다. 빵, 빵.

그러자 화난 고양이 눈동자같이 생긴 헤드라이트가 달린 커다란 회
색 자동차가 우리 뒤에 나타났다. 내가 본 자동차 중 높이가 가장 높았다.
회색 차가 멈춘 후 빵 하고 누르니까 문이 활짝 열렸다.

“저 차는 빅 마담의 지프다. 마당 안으로 들어가면 빅 마담에게 인사
드리고 안으로 들어가라. 난 따로 할 얘기가 있으니까. 알았지?”

“네, 알았습니다.” 우리 차가 안으로 들어갔다.

나는 마당을 둘러보았다. 빨간 지붕을 얹은 거대한 흰색 저택을 황금
색의 튼튼한 기둥 두 개가 떠받치고 있었다. 기둥은 솜씨 좋은 목수가 조
각하고 사포로 다듬은 다음 황금색 페인트를 뿌려놓은 것 같았다. 나지막
한 야자나무도 보였다. 길 양쪽에 세 그루씩 심어놓았는데 파인애플 나무
처럼 기둥이 두꺼웠다. 기다랗고 풍성한 나뭇잎들이 살랑거리며 아름다

운 집에 온 걸 환영해주는 듯했다. 마당 곳곳에 놓인 검은색 유리 화분에는 노랑, 파랑, 빨강, 초록 꽃이 다채롭게 피어 있었다. 마치 상자에 든 달처럼 동그란 전구가 달린 황금색 조명 기둥도 보였다. 집 꼭대기에 창문이 열 개 달려 있었는데, 황금색 창틀에 파란색 유리였다. 널찍한 검은색 문으로 내려오는 붉은 돌계단을 보니 반짝이는 걸 잔뜩 먹은 기다란 혀랑 비슷하다는 생각이 들었다.

집을 둘러보는 내내 눈이 휘둥그레지면서 심장이 쿵쾅거렸다. 어쩌면 빅 마담이라는 사람은 여왕일지도 몰라. 이 집은 왕이 사는 궁전일지도 몰라.

23장

빅 마담이 탄 지프가 미끄러지듯 들어가 비슷비슷하게 생긴 차 옆에 멈춰 섰다.

콜라 씨가 지프 뒤에 주차한 다음 시동을 끄고 내렸다. 지프 운전석에서 한 남자가 내리더니 차 반대편으로 뛰어갔다. 매끄러운 피부에 기다란 갈색 옷을 입고 머리에는 흰 필라를 썼다. 이마 옆으로 큰 점 세 개가 보였고, 차 문을 여는 손에 흰색 묵주가 들려 있었다. 그가 머리를 숙이더니 한쪽으로 비켜섰다.

"저 남자는 누구예요?" 내가 콜라 씨에게 물었다.

"아부라는 사람이다. 빅 마담의 운전기사지. 오랫동안 일했단다. 이제 질문은 그만."

누군가 차에서 내리는데 강렬한 꽃향기와 함께 시원한 바람이 빠져

나왔다. 내 눈에 가장 먼저 들어온 건 발이었다. 누르스름한 발에 검은색 발가락. 발톱마다 다른 색이 칠해져 있었다. 빨강, 초록, 보라, 주황, 황금색. 새끼발가락에는 금색 발찌도 걸려 있었다. 마당 전체를 꽉 채우는 그녀의 풍채를 보자 왜 사람들이 빅 마담이라고 부르는지 바로 이해가 갔다. 빅 마담이 숨을 깊이 내쉬자 칠판처럼 널따란 가슴판이 위아래로 들썩거렸다. 마치 콧구멍으로 외부의 모든 열기를 빨아들여 시원한 바람을 만들어내는 거 같았다. 나는 콜라 씨 옆에 서 있었다. 콜라 씨의 몸도 내 몸처럼 흔들리고 있었다. 마당의 나무도 기다란 화단의 노랑, 분홍, 파랑 꽃들도 전부 다 흔들렸다.

빅 마담은 레이스로 된 부부*를 입고 있었다. 발목까지 오는 길이었다. 부부가 어찌나 화려하게 번쩍이는지 마치 레이스에 눈이 달려 껌뻑껌뻑하는 거 같았다. 그나저나 목이 보이지 않았다. 그냥 뚱그런 살진 얼굴이 가슴 위에 바로 붙어 있었고, 가슴은 무릎에 닿을 듯했다. 머리에는 황금색 겔레를 쓰고 있었는데 마치 천장 선풍기를 떼어내 머리에 쓴 것처럼 보였다.

빅 마담이 우리 앞에 바짝 다가오자 얼굴을 잘 살펴보았다. 마치 못돼먹은 아이가 발로 얼굴에 그림을 그린 거 같았다. 얼굴에 주황색 파우더를 발랐고 두 눈썹부터 귀까지 붉은 선을 죽 그었다. 눈썹에는 초록색 파우더를 얹었고 황금빛 립스틱에 빨간 파우더를 두 뺨에 발랐다.

"빅 마담 여사님, 오셨어요." 콜라 씨가 바닥에 엎드려 인사했다.

---

* 부부: 발목까지 내려오는 낙낙한 드레스

빅 마담이 입을 열자 아래쪽 앞니 하나에 금을 씌운 게 보였다.

"콜라 씨. 잘 지냈어요?" 굵은 목소리였다. "이 소녀가 그 애인가요?"

"제일 좋은 앱니다."

빅 마담이 웃음을 터트렸다. 마치 바위가 산에서 굴러가는 것처럼 우렁찼다.

콜라 씨가 일어서자 내가 무릎을 굽혀 인사했다. "안녕하세요. 아두니라고 합니다."

"아두니" 빅 마담이 진지한 얼굴로 나를 내려다보았다. 그리고 바로 질문을 쏟아냈다. "일 열심히 할 수 있니? 난 내 시간을 허투루 쓰고 싶지 않거든. 콜라 씨가 내 익스펙테이션이 높다는 걸 설명해줬니? 건강은 확인했고? 영어 할 줄 아니? 쓰기는? 기본적인 커뮤니케이션은 가능한 거지?"

나는 빅 마담이 한 말 중에 익스펙타숀이니 커뮤니카숀이니 하는 말은 무슨 뜻인지 몰랐지만, 그냥 입을 다물었다.

"일 잘하는 아이입니다. 건강하고요. 병원 소견서 여기 갖고 왔습니다. 몸이 비실비실한 애는 절대 데려오지 않는 걸 아시잖아요. 이 아이는 영어도 할 줄 알고 간단한 문장도 읽습니다. 딱 원하시던 똑똑한 아이지요. 실망시키지 않을 겁니다. 아두니, 일어나라."

빅 마담이 가슴 쪽 옷을 잡고 올려 후 하고 바람을 불어넣었다. "콜라 씨, 지금 그 말은 아이를 데려올 때마다 늘 하던 말이잖아요. 지난번에 그 아이는, 이름이 뭐더라? 레베카? 아직도 못 찾았다고요."

콜라 씨가 여자애를 여기로 데려온 적이 있다고? 그런데 그 애는 왜 없어졌지? 나는 콜라 씨를 쳐다봤지만 지금은 뭘 물어볼 때가 아니었다. 빅 마담에게 물어볼까 하고 올려다봤지만 표정이 당장이라도 천둥이 치고 화를 버럭 낼 거 같아 무서웠다. 레베카라는 아이에게 뭔가 나쁜 일이 있어 도망간 걸까? 나한테도 그런 일이 일어나면 어떡하지?

"들어가서 기다려라." 빅 마담이 명령하듯 말했다. "난 네 에이전트와 할 얘기가 있으니까."

콜라 씨가 고개를 끄덕였다. "들어가라. 빅 마담과 할 얘기가 있다. 곧 가마."

나는 일어나서 마당을 둘러보았다. 양쪽으로 야자나무가 심어져 있었고 다른 자동차들이 단정히 주차되어 있었다. 멀리 현관문이 보였다. 황금빛 나무 손잡이가 달린 천국으로 가는 문 같았다. 내가 걸어가는 동안 등 뒤로 콜라 씨와 빅 마담의 눈길이 꽂히는 게 느껴졌다.

현관문에 이르자 뒤를 돌아보았다. 둘은 서로 머리를 바짝 붙이고 한참을 얘기했다.

황금색 현관문의 손잡이는 웃는 사자 얼굴로 장식되어 있었다.

물론 그냥 조각일 뿐이지만 문을 두드리면 갑자기 사자가 어흥 하고 살아날 거 같아 가만히 문질러보았다. 슬그머니 문을 열자 식은 숯처럼 부드러워 보이는 피부에 키가 자그마한 남자가 서 있었다. 뺨이 동그랗고 통통한 게 입 안에 공기를 머금고 있는 듯했다. 입 주변을 따라 콧수염이 둥글게 나 있었다. 흰색 바지와 셔츠를 입었고 머리에는 긴 흰색 모자를 쓰고 있었다. 목에는 파란 천을 걸었고 배 위에 '셰프'라는 글자가 쓰여 있었다.

"안녕하세요. 빅 마담이 안에 들어가 있으래요." 내가 뒤에 있는 빅 마담과 콜라 씨를 가리켰다. "나는 아두니라고 합니다."

"드디어, 새로운 가정부가 왔구면."

"가정부요? 내가 하게 될 일이… 가정부예요? 콜라 씨가 그런 말은 안 했는데요. 콜라 씨가 부지런하냐고 묻기에 그렇다고만 했는데요."

"내 이름은 코피다." 그러고는 짤막한 손가락으로 옷에 쓰인 글자를 가리켰다. "셰프지. 아주 많이 배운 셰프란 말이다. 어쨌든 일흐러 온 게 맞다면 나를 따라오너라."

이 아저씨는 혀에 무슨 문제가 있나, 발음이 왜 저래? 왜 '일하러'라고 안 하고 '일흐러'라고 하지?

"혹시 아프리카인이세요? 나이지리아 사람이에요?" 그를 자세히 뜯어보며 물었다.

그가 뒤로 돌아 대답했다. "나는 가나 출신이야. 나이지리아에 20년 동안 살았지만, 악센트가 말을 안 듣는구나."

"말이 안 되는 액시던트가 일어났다고요?" 나는 안타까워하며 따라 들어갔다. "언제 그랬는데요? 그래서 입이 잘못된 거예요? 죽은 사람은 없었죠?"

그가 걸음을 멈추더니 짜증스러운 듯한 표정을 지었다. "빅 마담은 이렇게 무식한 애를 어디서 찾았대! 내 악센트가 강하다고. 사고가 났다는 액시던트가 아니라. 알았냐?"

"알았습니다." 이 아저씨가 대체 무슨 말을 하는 건지 못 알아들었지만 일단 그래도 알았다고 대답은 했다. 설명을 해줘도 더 헷갈릴 뿐이었다. 어쩌면 사고 때문에 머리가 잘못됐는지도 몰라. 쯧쯧.

방을 빙 둘러보았다. 온몸이 떨려왔다. 바닥에는 황금색과 검은색 타일이 깔려 있고 옅은 붉은색 벽에는 빅 마담과 두 아이들의 사진이 걸려 있었다. 남자애 하나와 여자애 하나였다. 남자애는 코가 대문자 M 모양으로 커다랬고, 여자애는 튀어나온 윗니가 아랫입술을 꾹 누르고 있었다. 둘 다 긴 검은색 로브를 입은 채 머리에는 삼각형 모자를 쓰고 있었다. 빅 마담은 아이들 가운데 서 있고 아이들의 어깨에 손을 한쪽씩 올리고 있었다. 구석에는 나무 손잡이가 달린 의자가 두 개 놓였고, 바닥에는 풍선처럼 풍성한 빨간색과 황금색 쿠션 두 개가 놓여 있었다.

구두약 냄새랑 생선 스튜 냄새 그리고 새 지폐 냄새 같은 게 났다. 한기가 느껴져서 위를 올려다보니 벽에 달린 흰색 상자 같은 물건에서 차가운 바람이 쌩쌩 나오고 있었다. 내 양쪽으로 유리가 나란히 걸려 있고 숫자가 큼지막한 커다란 시계가 보였다. 오른쪽으로 푸른 돌이 깔린 그릇에 초록빛 물이 담겨 있었다. 안을 들여다보니 반짝이는 막대기 주변으로 자그마한 물고기들이 헤엄치고 있었다. 물고기 색깔이 전부 달랐다. 빨강, 초록, 검정, 하양, 주황. 생긴 것도 다 달랐는데, 어떤 건 꼭 개구리 같았다. 빛나는 막대기에서 거품이 쏟아져 나오면서 냄비에서 물 끓는 소리 비슷한 소리를 냈다.

코피 아저씨가 물고기 그릇을 가리켰다. "거기 아쿠아리움 옆에 앉아라. 난 부엌에 가서 저녁을 준비해야 하니까. 네가 할 일은 이 집을 정돈하는 거다. 내 일은 요리를 하는 거고. 너는 네 선을 딱 지키고 나는 내 선을 딱 지키면 된다."

내가 자동차도 아닌데 왜 난데없이 선 이야기를 하냐고 묻기도 전에 코피 아저씨가 유리문을 닫고 사라졌다.

"아-크웨-리-움." 의자에 앉아 짐을 내려놓으며 물고기 그릇을 보면서 천천히 발음해보았다. 폭신한 의자는 부드러웠고 갈색 고무에서 새 신발 냄새가 났다. 어찌나 시원한지 엉덩이가 차가웠다. 시계를 쳐다봤다. 2시 45분이었다.

지금쯤은 카디자를 찾았을까? 잘 묻어줬을까? 아이들은 엄마가 죽었으니 울고 있을까? 나는, 나는 왜 여기 있지. 시끄럽기만 한 라고스에서 얼굴에 색을 덕지덕지 칠한 빅 마담이라는 사람 집에서 가정부 일을 하면서? 왜 이카티의 모루푸의 집에서 카디자 옆에 누워 밤에 조용히 수다를 못 떨게 된 거지? 아니면 엄마. 엄마가 죽지 않았다면 매트 발치에 앉아 엄마에게서 나는 밀가루와 설탕, 우유 냄새를 맡고 있을 텐데.

난 그저 학교에 가고 싶을 뿐인데, 왜 가정부 일을 해야 하는 거지? 나도 모르는 사이 눈물이 났지만, 이번에는 얼른 눈물을 닦은 다음 마음을 다잡았다. 일단 빅 마담과 콜라 씨가 오길 기다리자.

24장

빅 마담은 콜라 씨와 같이 오지 않았다.

혼자 걸어오더니 거실 한가운데 서서 허리에 손을 올리고 목청껏 외치기 시작했다. "코피! 코피!"

의자에 앉아 있던 나는 입을 쩍 벌렸다가 얼른 닫았다. 말을 해야 할지 아니면 그냥 입을 다물고 있어야 할지 머리가 복잡했다.

"코피! 이 인간 어디 있는 거야? 코피! 귀먹었어?"

코피 아저씨가 나무 주걱을 들고 헐레벌떡 뛰어왔다. "여사님, 죄송합니다. 부엌에서 믹서 소리 때문에 못 들었어요. 저는 그냥… 뭐 필요하신게 있으신가요?"

"저녁 메뉴가 뭐지? 발로군 시장에서 오렌지 사 왔나? 얌은? 빅 대디가 사 온 물 좋은 생선은 굽고 있는 거 맞아?"

코피 아저씨는 쏟아지는 질문에 고개를 끄덕였다가 저었다가 난리였다. "생선은 그릴에 굽고 있고요. 오렌지는 상태가 좋지 않지만 그래도 사 왔습니다. 저녁으로 흰쌀밥에 생선 스튜를 준비하고 있습니다. 사이드 메뉴로 브로콜리를 놓을까 하는데요? 찔까요, 볶을까요?"

"찌도록 해. 아두니에게 유니폼 좀 줘. 방도 보여주고."

이 말이 나오자 나는 벌떡 일어섰다. "저 여기 있습니다. 콜라 씨는 어디 있나요?"

"옷을 갈아입고 나면 집 구경도 좀 시켜주고." 빅 마담이 나는 거들떠보지도 않고 코피 아저씨만 바라봤다.

"오렌지 다섯 개 짜서 위층으로 가져오세요." 그러고는 이렇게 말했다. "세탁실에 다림질할 옷이 산더미예요. 이 애가 다림질할 줄 알 리는 만무하니 가르쳐주세요. 애가 옷을 태워 먹으면 코피 씨 당신 월급에서 제할 거야. 무슨 말인지 알겠지?"

"완벽하게 알아들었습니다. 여사님."

"좋아. 아부에게 트렁크에서 와인색 프렌치 레이스를 세 두루마리 가져다가 로비에 두라고 하세요. 캐럴라인이 기사를 보내서 가져갈 거예요. 누구든 나 이제 방해하지 말고." 빅 마담이 뒤로 돌아 다른 쪽 유리문을 열더니 그냥 나가버렸다.

"빅 마담 왜 저래요? 왜 나한테 말을 안 해요?" 유리문을 쳐다보며 코피 아저씨에게 물었다.

"너한테 말을 안 거는 게 낫다는 걸 알게 될 거다." 코피 아저씨가 나지막이 속삭였다. "여기서 기다려라. 가스 불 좀 끈 다음에 집 안을 보여주

마. 빅 마담이 아래층에 다시 내려올 때 넌 일을 시작하고 있어야 하니까."

코피 아저씨가 사라지자 문득 유리문에 비친 내 모습이 보였다. 머리가 일구다 만 밭처럼 산발이었다. 새로 난 두꺼운 머리카락이 땋은 머리 사이로 삐져나와 채소밭에 제멋대로 자란 잡초 같았다. 에니탄이 전에 달아준 붉은 구슬은 전부 떨어지고 없어졌다. 두 눈은 놀란 듯 똥그랗고, 한때 매끄럽고 윤기 나던 피부는 우유를 넣지 않은 텁텁한 차처럼 탁하기만 했다.

25장

빅 마담 집은 여기저기 방 천지였다.

변기가 있는 방과 목욕하는 방이 따로 있었다. 옷을 정리하는 방과 침대가 있는 방이 달랐다. 신발을 보관하는 방이 있고 야외 주차장이 따로 있고 위층에 화장품을 두는 방도 있었다. 이 모든 방이 널찍했고 바닥에는 황금색 타일이 깔려 있었다. 빅 마담의 방에 들어가보진 않았지만, 코피 아저씨가 둥그런 침대 옆에 화장실이 따로 있다고 알려주었다. 아래층에는 거실이 두 개였다. 하나는 손님이 올 때 사용하고, 다른 하나는 빅 마담 혼자 사용한다고 했다. "빅 마담이 앉으라고 하지 않는 한 절대 앉으면 안 된다." 코피 아저씨가 두 번째 거실 앞에서 문을 닫으며 말했다. 모든 방에 유리문이 달려 있었다. "빅 마담은 허영이 많으신 분이야. 맨날 거울만 들여다보고 있지."

다음에는 밥만 먹는 방이 나왔는데 의자를 열다섯 개는 놓을 수 있을 듯한 기다란 식탁이 있었다. 의자는 황금색에 식탁은 금 판으로 덮였고 다리는 유리였다. 천장 한가운데 전구가 백 개는 달린 듯한 등이 있었고, 방 구석마다 유리 화분에 담긴 분홍색과 붉은색 꽃에서 싱그러운 향기가 뿜어져 나왔다.

"다이닝 룸이다." 코피 아저씨가 설명했다. "빅 대디와 빅 마담이 사이가 좋을 때만 여기서 드시지. 요즘은 통 그러지 않지만. 따라와라. 자, 여기 작은 방이 서재다." 코피 아저씨가 또 다른 문을 열자 짙은 갈색 나무 책장에 책이 잔뜩 있는 방이 나왔다. 책이 어찌나 많은지 책장이 천장까지 닿았다. 한쪽 구석엔 멋진 쿠션이 달린 소파가 있고 옆으로는 탁자와 의자가 보였다. 옆에는 날개가 세 개 달린 황금빛 스탠드형 선풍기가 놓여 있었다. 방에 먼지 냄새가 가득했지만 나는 전혀 개의치 않았다. 이 방의 모든 것이 가슴을 설레게 했다. 책으로 둘러싸인 천국에 와 있는 듯했다.

"너 책 좋아하니?"

"네. 매일, 매일 책을 읽고 싶어요." 이 말을 하고 나니 전에 키케가 책으로 마음의 양식을 쌓으라고 했던 말이 떠올라 잠시나마 마음이 따뜻해졌다. 나는 고개를 꺾어 책 제목을 읽어보았다.

모든 것이 산산이 부서지다

콜린스 잉글리시 딕-션-아리

아프리카 바이블 콤-멘-타-리

어 히스-토리 오브 나이지리아

당신의 결혼을 구제할 천 개의 기도 제목

나이지리아에 관한 사실들: 과거부터 현재까지, 제5판 2014년

"이 책이 다 누구 거예요?" 내가 이 방의 놀라움에 홀딱 빠져 눈알을 빙빙 돌리며 물었다.

"빅 대디 거다. 한때 책 읽는 걸 참 좋아했는데. 직장을 잃고 술을 마시기 시작하더니 더는 읽지 않더구나. 이제 서재 쓸 일이 거의 없지. 네가 먼지를 자주 털어야 하니까 보여주는 거다."

"빅 대디가 누구예요? 빅 마담의 남편이에요?"

"그렇지." 코피 아저씨가 목소리를 낮췄다. "뻔뻔한 알코올중독자인데다가 도박이나 일삼지. 늘 빚을 져서 아내가 메워야 하고. 창피한 남자야. 부끄러운 줄 알아야지. 지금은 비즈니스 때문에 어디 갔는데 오늘 늦게 올 거다. 내가 비즈니스라고 하면 그건 여자 일을 말하는 거다."

"그게 무슨 뜻이에요?"

코피 아저씨가 주위를 살폈다. "그 작자는 여자한테 선수야. 여자 친구도 엄청 많지." 그가 뭔가 쓴 것을 삼킨 것마냥 입꼬리를 쭉 내리더니 갑자기 "너, 몇 살이니?" 하고 물었다.

"열네 살이요." 나이는 왜 묻는 거지?

"알겠다. 따라와라."

우리는 서재에서 나와 또 다른 문을 열고 들어갔다. 코피 아저씨가 걸음을 멈추더니 내 눈을 뚫어지게 들여다보며 아주 조그맣게, 거의 들리지도 않을 정도로 속삭였다. "빅 대디를 조심해라. 아주아주, 조심해야 한

다."

　나는 그게 무슨 말이냐고 묻고 싶었지만, 코피 아저씨가 손뼉을 크게 짝짝 두 번 치더니 "됐다. 여기가 부엌이다. 내가 이 집에서 가장 좋아하는 공간이지. 들어와라." 하고 말했다.

　이런 부엌은 난생처음이었다. 종류별로 별별 기계가 다 있었다. 섞는 기계, 빠는 기계, 워터 펌프 기계, 물을 데우는 기계. 거대한 냉장고는 이카티 시장의 냉장고 가게에서 본 것보다 열 배는 커 보였다. 기계의 색깔은 전부 다 똑같았다. 모조리 시뻘건 색이었다. 쿠킹 스토브는 심지어 유리였다. "빅 마담은 스토브에 유리를 깔았네요?"

　코피 아저씨가 웃음을 터트렸다. "원래 가스 스토브가 이렇게 생긴 거다. 오븐의 문도 반사 유리 아니니. 거울 같아 보이지." 그러고는 자랑스럽다는 듯 스토브를 가볍게 두 번 두드렸다. "제일 좋은 여섯 구짜리 스메그 레인지다. 난 이 레인지를 서맨사라고 부르지. 줄여서 새미라고도 하고. 환상적인 제품이다. 내가 이 집에 붙어 있는 이유 중 하나지."

　나는 잠시 눈을 감았다. 이 거대한 부엌에 서 있는 엄마를 떠올렸다. 엄마가 밀가루 반죽의 간을 보려고 손바닥에 덜어 핥아보며 노래를 부른다. 퍼프-퍼프를 튀기며 기계의 이런저런 버튼을 누른다. 나는 눈을 뜨고 싱크대 뒤의 먼지 한 톨 없는 창문을 바라보았다. 드넓은 초록 들판을 보며 카유스를 떠올렸다. 아, 카유스가 저기서 공을 차면 얼마나 좋아할까. 늘 집에서 차던 우유갑이 아니라 진짜 축구공을 골대에 넣으며 "골인!"이라고 외치는 목소리가 들리는 듯했다. 카유스는 어릴 때부터 유명한 축구 선수인 메시 같은 선수가 되고 싶어 했다.

아빠는 빅 마담의 거실에 있는 부드러운 쿠션 소파에 느긋하게 몸을 묻고 바다 씨와 저녁 뉴스를 보고 선거에 관해 이야기할 것이다. 아빠와 엄마, 내 두 형제는 이 집을 얼마나 좋아할까. 넉넉하고 커다랗고 강렬한, 이 모든 것을.

"설거지하고 밥할 물은 어디서 떠오나요?" 갑자기 목소리가 떨려 나도 놀랐다. 목을 가다듬은 다음 불가능한 일은 생각하지도 말자고 다짐했다. "강이나 우물이 멀리 있나요?"

"아두니, 수도가 있잖니. 이게 수도꼭지란다." 코피 아저씨가 싱크대를 가리켰다. "물은 저기서 나와. 손잡이를 왼쪽으로 돌리면 뜨거운 물이 나오고 오른쪽으로 돌리면 찬물이 나오지. 봤지?" 아저씨가 물을 틀자 성난 물줄기가 콸콸 쏟아졌다. 이카티에도 주민 공동 수도꼭지가 있긴 했다. 마을 전체가 같이 쓰는 거였다. 하지만 물은 한 시간에 한 방울씩 나왔다. 진짜 너무 오래 걸렸다. 코피 아저씨가 다시 손잡이를 돌리자 물이 그쳤다. "자, 다 됐고. 이제는 네 방으로 가자. 따라와라."

우리는 부엌을 나가 집을 빙 둘러 마당으로 갔다. 풀이 무성했고 야자나무가 길을 따라 가지런히 심겨 있었다. 모퉁이를 돌자 작은 집이 보였다. 빨간 지붕에 창문 두 개, 나무 문 하나, 조는 듯한 노란 꽃이 가득 담긴 화분이 두 개 놓여 있었다.

"이쪽이 직원들 숙소다. 빅 마담의 모든 직원이 여기서 잔다. 너는 이 방 중에서 하나를 쓸 거야."

"왜 저는 빅 마담의 집에서 자지 못해요?"

"그럴 수 없으니까." 코피 아저씨가 입술을 꾹 다물었다. "내가 그 망할 여자를 위해 5년간 밥을 해댔다. 그런데도 아직 그 집에서 못 자. 자, 들어가자." 코피 아저씨가 나무 문을 열어젖혔다. 긴 복도가 나왔고 복도를 따라 문들이 보였다. 첫 번째 문을 가리키더니 손잡이를 비틀어 열었다. "여기가 네 방이다. 레베카가 자는 데였지만 이젠…." 그리고 말을 멈추더니 꿀꺽 침을 삼켰다. "들어가라."

"이제는 뭐요? 레베카한테 무슨 일이 일어났어요?"

"낸들 아니? 남자 친구랑 도망이라도 갔나 보지." 그러면서 어깨를 으쓱였다. "침대 위에 있는 게 네 유니폼이다. 레베카가 입던 거지. 잘 맞았으면 좋겠구나. 걔 신발이 침대 아래에 있다. 그것도 맞아야 할 텐데. 맞지 않으면 휴지를 구겨 넣으렴. 자, 옷 갈아입고 나오면 네가 해야 할 일을 알려주마."

나는 방으로 들어갔다. 모루푸 집의 거실 크기였다. 흰색 플라스틱 끈으로 묶은 전구 하나가 천장에서 달랑거렸다. 열린 창문 뒤로 철창이 달려 있었다. 붉은색 커튼이 창문을 대부분 가리고 있긴 했지만 약간 벌어져 있어 그 사이로 바람과 햇살 한 줌이 들어오기엔 충분했다. 마치 붉은 입술 안에 두 개의 하얀 이가 있고 그 사이가 약간 벌어진 모양새 같았다. 침대에는 노란색 매트리스가 깔려 있고 한쪽 구석에는 탁자와 의자가 놓여 있었으며 그 옆에 갈색 나무 장롱이 있었다.

"이게 내 유니폼이에요?" 침대 위에 있던 옷을 펼쳐보았다. 빨갛고 하얀 사각형이 사방에 찍혀 있는 긴 드레스였다. "학교 갈 때 입는 거예요? 이거 입고요?" 옷을 보자 가슴이 부풀어 올랐다. 오, 이카티에서 도망 나온 게 잘한 짓이었는지도 몰라.

"학교하고는 아무런 상관 없다." 코피 아저씨가 무덤덤하게 말했다. "빅 마담은 집 안 일꾼들에게 유니폼을 입히니까. 나는 요리사 복장을 하고 너는 가정부 복장을 하고."

드레스는 손에서 발로 떨어지면서도 소리 하나 나지 않았다. "학교 유니폼이 아니에요? 대체 어떤 사람이 집에서 일하는 가정부한테 유니폼을 입혀요?"

"빅 마담은 우리가 프로페셔널하게 보이길 바라. 있잖니. 왜 제대로 된 장소에서 일하는 것처럼 말이다. 그리고 나도 그 부분은 동의해. 네 일은 어떤지 모르겠다만 나는 중요한 일을 하는 사람이니까. 빅 마담은 유명한 친구가 많거든. 소위 잘나간다는, 그런 사람들 말이다. 그런데 콜라 씨가 빅 마담이 너를 학교에 보내줄 거라 그러든?"

"내가 일을 잘하면 보내준다고 했어요. 그래서 유니폼을 보고 빅 마담이 어쩌면…."

"너를 학교에 보내준다고?" 코피 아저씨가 내 말을 자르며 고개를 저었다. "빅 마담이 그동안 가정부를 학교에 보내는 건 한 번도 못 봤다. 넌 여기 일하러 온 거야. 일에나 집중해. 그게 네 일이야. 옷 갈아입고 10분 안에 나와라."

"다림질은 해봤니?"

우리는 이제 작은 방에 서 있었다. 방에는 기다란 삼각형 모양의 테이블이 있고, 문가에 깨끗이 세탁한 옷들이 바구니 가득 담겨 있었다. 필립스라고 쓰인 흰색 다리미가 테이블 위에 놓여 있었다.

"이카티에서 다리미 파는 가게를 보긴 했어요. 하지만 워낙 비싸서요. 써본 적은 없어요." 나는 유니폼의 목을 당겨 옷매무새를 바로잡았다.

유니폼이 거의 발목까지 왔다. 소매는 헐렁해서 휘저으면 날아갈 수도 있을 거 같았다. 레베카가 신던 신발도 신긴 했는데 너무 커서 앞에 두루마리 화장지를 잔뜩 구겨 넣었다. 그랬더니 발가락이 구부러져 아팠다. 아무래도 레베카라는 여자애는 나보다 나이가 많았던 모양이다. 어쨌든 나보다 키가 큰 건 확실하다.

"사용법은 간단해." 코피 아저씨가 다리미 버튼을 돌리며 설명하기 시작했다. "여기 콘센트에 꽂고 옷에 달린 레이블을 보고 온도를 조절하면 된다. 걱정하지 마라. 레이블 확인하는 법은 따로 알려주마. 그리고 이렇게만 하면 되는 거지." 코피 아저씨가 다리미를 옷에 대고 위아래로 왔다 갔다 했다. 다리미가 무슨 문제라도 있는지 엄청 심각한 얼굴을 하고. "다 하고 나면 언제나 콘센트에서 플러그를 빼두는 것 잊지 마라. 불이라도 내지 않을 심산이면 말이다. 뭐든 모르는 게 있으면 물어봐라."

코피 아저씨가 말하는 영어를 모두 알아듣긴 힘들었지만, 최대한 머리를 굴려 이해하려고 했다. "매번 플러그를 빼놓겠습니다. 불을 내고 싶지 않으니까요."

"그렇지. 빅 마담이 집안일을 하는 가정부들의 업무 스케줄 표를 만들어놨다. 틀림없이 네게 상세히 설명해주겠지만, 새벽 5시부터 일을 시작하라고 할 거다. 집 안 바닥을 다 닦는 건 물론이고 화장실 다섯 개의 벽타일도 다 닦아야 해. 창문도 다 닦고 마당도 쓸고 진입로도 말끔히 청소해야 한다. 밤에는 꽃에 물을 주고 모든 방의 거울을 닦고 침대를 털어놓아야 할 거야."

"괜찮습니다." 서러움이 와락 몰려왔다. "일은 많겠지만 열심히 할 수 있어요. 콜라 씨가 세 달에 한 번씩 내 돈을 갖고 온댔으니까요." 어쩌면 여기서 여러 달 일하면 돈을 모아 버스표를 사서 이카티 근처에 있는 마을로 돌아갈 수도 있을 것이다. 이카티 근처에 가면 키유스와 가까워지고 아빠와도 가까워지니까. 그랬더니 쇳덩이가 든 듯 묵직하기만 했던 마음이 좀 가벼워지는 것 같았다.

코피 아저씨가 눈썹을 위로 치켜올렸다. "너 정말 콜라 씨가 석 달에 한 번씩 네 월급을 가져올 거라고 생각하는 거냐? 그 말을 믿는다고?"

내가 고개를 끄덕였다. "나를 도와주고 있거든요. 나는 은행에 계좌가 없어요. 그래서 대신 돈을 모아두고 있는 거예요. 왜 그렇게 얼굴을 찡그리세요?"

"그거야…." 코피 아저씨가 다리미의 버튼을 누르자 옷 위로 물이 칙칙 나왔다. "그 사람이 레베카한테도 똑같은 말을 했거든. 걔도 월급을 모아준다는 그 말을 믿었지. 하지만 오늘 너를 데리고 오기 전까지 콜라 씨는 코빼기도 보이지 않았어."

"지금, 콜라 씨가 내 돈을 갖고 도망갈 거다, 그 말씀이신 거예요?" 심장이 벌떡벌떡 뛰기 시작했다. "그렇다면 그 남자를 반드시 찾아내서 지금 신고 있는 이 커다란 신발로 머리를 마구 내리칠 거예요. 코피 아저씨, 지금 그 말이 사실이에요?"

"나야 내 눈으로 본 것만 말하는 거지." 코피 아저씨가 어깨를 으쓱였다. "아이구야. 그나저나 넌 어린애치곤 아주 전투적이구나. 네 성격이 화끈한 건 상관없다만 빅 마담 앞에서는 절대, 조용하고 침착해라. 예의 바르게 행동하란 말이다. 알았니?"

"이게 전투적인 거랑 무슨 상관이에요? 나는요, 다른 사람이 저한테 예의를 지키면 저도 예의를 지킨다고요. 사실대로 말해주세요. 콜라 씨를 라고스에서 찾을 수 있나요?"

코피 아저씨가 한숨을 내쉬었지만 입가에는 미소가 걸려 있었다. "콜라 씨 일은 좀 기다려봐야 하지 않겠니? 자, 이 셔츠 한번 다려봐라."

26장

우린 부엌에 서 있었다. 코피 아저씨가 믹서에 고추를 갈고 있다. 나는 아빠 집에서도 모루푸네 집에서도 돌 위에다 갈았었는데. 그냥 돌을 앞뒤로 굴리기만 하면 되는 쉬운 일이었지만 이 기계는 엄청나게 시끄러워서 사람 정신을 홀딱 빼놓긴 했어도 빠르긴 엄청 빨랐다.

나는 어떻게 기계에 있는 작은 버튼 하나만 누르면 고추랑 토마토, 양파가 순식간에 사라지면서 물 고추가 되는지 알아내고 싶었지만, 코피 아저씨가 콜라 씨에 대해 했던 말, 내 돈 그리고 레베카가 사라졌다는 말이 자꾸 머릿속에서 빙빙 맴돌았다. 어떤 뜨거운 게 머릿속에 들어와서는 이해할 수 없는 모든 것과 함께 지글지글 날 태우는 것 같은 느낌이었다.

"레베카라는 여자애 말이에요. 어떤 애였어요? 왜 도망친 거죠? 여기서 왜 나간 거예요?"

믹서 버튼을 누르던 코피 아저씨의 손가락이 멈칫했지만 나를 향해 고개를 돌리진 않았다. "그 애는 빅 마담 밑에서 일하던 가정부다. 도망간 거 같다고 말했잖니. 그러니까 이 집에서 일했지만 더는 여기 없다는 말이다. 빅 마담에게 그 애 얘기 꺼내지 마라. 알았니?"

"알겠어요." 머리가 점점 더 뜨거워지는 거 같아 발을 동동거렸다. "그런데 내게도 똑같은 일이 일어나면 어쩌죠? 나도 레베카처럼 여기서 나가나요?"

"바보 같은 소리 하지 마라." 코피 아저씨가 믹서 버튼을 누르자 부엌은 다시 요란한 소리로 가득했다.

"그래도 빅 마담에게 다른 일은 물어봐도 되죠?" 믹서 소리 때문에 크게 소리를 질렀다. "지금 어디 있어요?"

코피 아저씨가 버튼에서 손을 떼더니 어깨 너머로 나를 쳐다봤다. "무슨 얘길 하려고? 빅 마담은 콜라 씨가 어디에 사는지 모르신다."

"내 돈을 콜라 씨의 은행 계좌로 넣지 말라고 얘기하려고요. 나한테 직접 주고 내가 베개 밑에 넣어두면 되잖아요. 그 얘긴 어때요?"

코피 아저씨가 냅킨으로 이마의 땀을 닦았다. "애야. 그럴 필요 없다. 네가 빅 마담과 그 일이 합당한지 부당한지를 논의할 순 없어. 그 사람은 늘 저기압 상태란 말이다. 본인이 원할 때만 네게 말을 걸 거야. 넌 무슨 일이 있어도 먼저 입을 열 수 없어. 항상 빅 마담이 시작해야 하는 거야. 지금으로선 네 월급이나 그 어떤 사항에 대해서도 네가 할 수 있는 건 없다. 네가 다른 일을 찾아보겠다는 얘기만 제외하면 말이다. 라고스에서 어디로 가는지는 아니? 이 집 정문을 나가서 큰길로 기려면 좌회전할지

우회전할지 아느냐 말이다."

"라고스는 몰라요." 내가 팔짱을 꼈다. "왜 빅 마담에게 말을 걸 수 없어요? 뭐, 사람이 아니기라도…" 부엌문이 열리며 빅 마담같이 생긴 여자가 마치 바다 끝에서 요란하게 부서지는 파도처럼 갑작스레 들어오는 바람에 나는 입을 다물었다. 눈을 껌뻑이고 다시 쳐다보았다. 빅 마담이 맞았다. 하지만 얼굴의 화장을 깨끗이 지운 상태였다. 빅 마담의 민낯은 썩은 것처럼 보였다. 여기저기 진흙 구덩이가 파인 도로 같았고, 기름기로 번들거리는 얼굴엔 여드름이 잔뜩 나 있었다. 또 다른 파란색 부부를 입고 있었는데 가운데 황금 실이 가로질러 있었다. 아까 썼던 겔레는 없고 풍성하고 짧은 흰색 머리카락을 동그랗게 땋고 있었다. 빅 마담은 허리에 손을 올리더니 나와 코피를 번갈아 노려보았다. "무슨 일이에요?"

"물어보고 싶은 게 있습니다. 중요한 얘기예요."

코피 아저씨가 내게 눈짓을 보냈다. 입을 다물라는 경고의 신호였지만 나는 본체만체했다.

"콜라 씨가 제 돈을 자기 은행 계좌에 넣어둔다고 했는데요. 하지만 코피 아저씨가 그러는데…"

코피 아저씨가 얼른 끼어들었다. "저희는 그저. 그러니까. 아두니에게 고추 가는 방법을 알려주고 있었습니다. 여사님." 목소리가 아까랑 달랐다. 빅 마담이 자신을 믹서에 갈아버릴지도 모른다고 생각하는지 두려움이 묻어났다.

"집을 둘러보라고 말했는데. 둘러봤나요? 옷 갈아입은 다음에 일은 좀 했어요? 똑똑하고 말귀를 잘 알아듣습디까? 아니면 내일 아침 콜라 씨를 당장 불러다가 다시 마을로 데려가라고 해야 할까요?"

"아닙니다. 여사님. 아이가 빨리 배우네요. 말이 좀 많고 좀 성급하긴 해도 똑똑합니다. 셔츠도 몇 벌 다려놨습니다. 제가 가르쳐줬습니다."

"아두니." 빅 마담이 나를 아래위로 훑어봤다. 나를 쏘아보는 눈빛이 아빠가 나를 보던 눈빛이랑 똑같았다. 나한테서 똥 냄새가 난다는 눈빛.

"네."

"따라오거라."

빅 마담이 뒤로 돌아 부엌을 나가자 나도 따라갔다. 우리는 다이닝 룸을 지나 빅 마담의 거실로 갔다. 거실은 다른 거실과 비슷했다. 둥그렇게 놓인 소파, 바닥에는 황금 타일, 벽에는 기다란 유리들. 텔레비전도 유리처럼 납작하게 벽에 걸려 있었다. 텔레비전에서 한 남자가 떠들고 있었는데 소리는 나오지 않았다. 빅 마담이 소파에 털썩 몸을 맡기자 쿠션에서 쉬이익 소리가 났다.

빅 마담이 리모컨을 집어 들고 텔레비전을 껐다. 입에서 성난 바람이 나왔다. 옆 유리 탁자에는 얼음이 동동 뜬 오렌지 주스가 가득 담긴 유리잔이 있었다.

"아두니?" 빅 마담이 잔을 들고 주스를 마셨다.

"네."

빅 마담이 유리잔을 깨질 듯 세게 내려놓아 얼음이 찰랑 부딪치는 소리가 났다. 그러고는 다시 불렀다. "아두니?"

"네." 귀에 무슨 문제가 있나? 왜 두 번씩 부르지?

"거기 서서 네네 하지 마라. 내가 너한테 말할 때는 무릎을 꿇어라."

무릎을 꿇고 뒷짐을 졌다. "네."

"나이가 몇이니?"

"저 말인가요?" 내 가슴을 가리켰다.

"아님, 너 말고 네 유령이겠니? 내가 지금 누구랑 얘기하니? 내가 내 나이를 묻겠니?"

"곧 열다섯이 되는 열넷입니다."

"콜라 씨가 그러는데 네 엄마가 죽었고 마을에서 도망 나온 거라며?"

"네, 그렇습니다." 하나님, 감사합니다. 콜라 씨가 카디자에 대해선 말 안 했나 보네.

"학교는 언제 그만뒀니?"

"초등학교 때입니다. 4학년을 마칠 무렵 그만뒀습니다. 저는 책을 좋아합니다. 학교도 좋아합니다."

"읽고 쓸 줄 아니?"

내가 고개를 끄덕였다.

빅 마담이 손을 뻗어 노란 깃털이 달린 핸드백을 집어 들었다. 핸드백은 마치 누가 닭을 죽인 뒤 그 불쌍한 걸 까뒤집어 색을 칠하고 빅 마담에게 판 거 같았다. 빅 마담이 볼펜 한 자루를 꺼내더니 뚜껑을 물어 퉤 뱉고는 볼펜을 내게 주었다. 노트도 꺼내더니 내게 건넸다. 나는 말없이 받아 들었다.

"자, 이제 하나님이 너에게 주신 두 귀를 활짝 열고 잘 들어라. 이 집에서 우리에게 필요한 물건의 목록을 적어서 내 운전사, 아부에게 전달해라. 아부는 코피와 함께 토요일 아침마다 쇼핑을 담당하고 있다. 2주마다 한 번씩 금요일에 집 안을 돌아다니며 필요한 걸 파악해서 노트에 적어라. 알아듣니?"

"알겠습니다."

"콜라 씨가 뭐라고 말했는지 모르겠다만, 나는 이 도시에서 굉장히 중요한 여자다. 대단히 귀한 고객을 모시고 있지. 대통령, 주지사들, 상원의원들, 모두 내 옷을 입는다. 케일라 패브릭은 나이지리아에서 최고라구."

"네, 알았습니다." 지금 이 말이 다 나랑 무슨 상관이지?

"네가 할 일은 집을 깨끗이 하고 내가 시키는 일을 하는 거야. 일이 없을 때는 직원 숙소에 있는 네 방에 가 있어라. 내가 필요하면 사람을 보내마. 알겠냐?"

"네, 무슨 말씀인지 알겠습니다."

"자." 빅 마담은 소파에 기대더니 발을 쭉 뻗었다. "이제 내 발 좀 마사지해라."

"어떻게 하나요?"

빅 마담은 점토를 빚듯이 고개를 이리저리 돌렸다. "네 손으로 내 발이랑 발가락을 주물러라. 마사지하라고."

발을 바라보았다. 피부가 마른 시멘트 같고 옆은 하얗게 갈라져 있어 나는 속으로 고개를 저었다. 돈이 이렇게 많으면서 발은 아침부터 밤까지 신발도 안 신고 공사판에서 일하는 일꾼 같네. 두 발을 잡고 냄새 때문에 코를 찡그린 채 발목을 이리저리 누르기 시작했다. 콜라 씨와 내 돈에 대해 묻고 싶어서 고개를 들어보니 빅 마담이 눈을 감고 있었다. 이내 코까지 골기 시작하더니 믹서가 돌아가는 소리 비슷한 소리를 냈다.

마사지를 한 지 15분쯤 됐을까. 거실 문이 열리더니 빅 대디처럼 보이는 남자가 들어왔다. 남자를 보는 순간 터지기 직전의 풍선이 떠올랐다. 안에 든 공기가 터져 나올 듯한 덩치였다. 몸의 윗부분은 공기가 잔뜩 들어간 거 같았고 다리 쪽은 공기가 빠진 거 같았다. 흰색 아그바다를 입고 모자를 쓰고 있었다. 피부는 햇감자 같은 갈색이고 입 주변으로 흰 수염이 잔뜩 나 있었다. 고 위로 안경을 걸쳤고 그 뒤로 눈동자가 그고 빨간 게 초점을 제대로 못 맞추는 듯 왔다 갔다 했다. 그가 비틀거리더니 텔레비전 옆에 부딪히고는 내 쪽으로 왔다.

"아이고, 이건 누구신가?" 마치 술을 지독히 많이 마셨을 때의 아빠처럼 질질 늘어지는 말투였다.

"안녕하세요. 아두니라고 합니다. 빅 마담이 새로 뽑은 가정부입니다."

"아두니, 두니-리셔스." 그가 입술을 빨며 혀로 수염을 훑었다. "예쁜 아이에게 어울리는 예쁜 이름이구나." 그가 가슴을 툭 치자 꼬부랑거리는 숱 많은 흰 털이 드러났다. "나는 그 유명한, 치프 아데오티란다. 하지만 빅 대디라고 부르렴. 자, 한번 불러봐라. 빅 대디라고 해봐!"

"빅 대디."

왠지 불안했다. 나는 빅 마담에게 더 가까이 붙으며 쳐다봤지만 여전히 깊은 잠에 빠져 있었다. 다리를 흔들어봤지만 코 고는 속도만 달라졌다. 소리는 오히려 더 커졌다.

"빅 마담, 빅 대디가 찾습니다." 발을 꼬집어보았다.

그래도 빅 마담은 대답이 없었다. 공기를 꿀꺽꿀꺽 마시면서 코만 골았다. 정말이지 텔레비전을 들어다 머리에 내리쳐도 일어날 거 같지 않았다. 그냥 죽은 거 같았다.

"그 여자는 쓰나미가 닥쳐도 잘 수 있는 여자다." 빅 대디가 소파로 쓰러지며 모자를 벗어 의자 옆에 던졌다. 안경을 벗어 후 불고 아그바다 한쪽을 들어 닦은 다음 다시 썼다. "이름이 뭐라고 그랬지?"

"아두니입니다."

"그래, 아두니. 멋진 이름이다."

"감사합니다."

"몇 살이라고 그랬지?"

"나이는 말하지 않았는데요."

빅 대디가 이가 하나 빠진 아랫니를 드러내며 웃었다. "똑 부러지는구나, 응? 마음에 든다. 아주 마음에 들어. 자, 그럼 내가 제대로 질문을 해드리지. 몇 살이니?"

대답을 했다.

"열다섯 되는 열넷이라고, 응? 그러면 뭐냐? 거의 열여섯, 열일곱이되는 거네. 거의 성인이네. 그렇게 이너슨트하진 않겠구나."

"아닙니다. 제 이름은 아두니입니다. 이너슨트가 아닙니다."

빅 대디가 고개를 젖히고 웃음을 터트리며 커다란 손으로 배를 문질렀다. "아유, 아주 급이 높게 무식하시구먼. 자, 아두니. 나를 좀 더 웃겨봐라. 또 어디 뭐 감춰둔 거 있니?"

"감춘 거 아무것도 없습니다." 이렇게 말하는데 빅 마담이 화들짝 놀라며 일어났다.

마치 깊은 숲속에서 길을 잃었다 찾은 사람처럼 거실을 빙 둘러보더니 나를 내려다봤다. "아두니? 내가 잠들었었니?"

"네. 그랬습니다. 빅 대디가 왔습니다."

빅 마담이 고개를 들어 빅 대디를 보고 눈을 깜빡였다. "치프. 돌아오셨군요. 잘 오셨어요. 여행은 어땠어요? 아두니, 가서 코피에게 저녁 차리라고 해라. 오렌지 주스 하나 더 짜 오라고 하고."

하지만 빅 마담의 발이 아직 내 무릎에 있었다. 나는 이 발을 내려놓아야 할지 말아야 할지 망설였다.

"멍하니 뭘 보고 있는 거니? 일어나라고." 빅 마담이 소리쳤다.

"발이요."

빅 마담이 발을 들더니 바닥에 탁 내려놓았다.

일어나서 거실을 나오는데 등 뒤로 빅 대디의 뜨거운 눈길이 느껴졌다. 내가 문을 닫은 후에도, 부엌에도 시선이 계속, 계속 따라왔다.

밤이 되어 방으로 왔다. 불을 끄고 침대로 올라가 손을 가슴에 올리니 심장이 힘차게 뛰고 있었다. 몸은 집 안팎을 쓸고 닦느라 녹초가 되었지만 엄마가 나를 낳은 이후로 처음으로 나만의 방에서, 폭신한 매트리스가 깔린 오롯이 나만의 침대에 홀로 누워 있었다.

이런 방을 나 혼자 쓰다니, 분명 기분 좋은 일이다. 하지만 내 몸 한구석이, 그게 눈이든 다리든 귀 한쪽이든 어딘가가 빠져 있는 거 같았다. 카디자도 없고 파이어 크래커를 마시던 모루푸도, 지독한 냄새가 나던 매트리스도, 단단한 코코넛 같은 배도 없다. 복도 끝 방에서 카디자의 아이들이 숨죽여 수다를 떨며 깔깔대던 소리도 들리지 않았다. 예전처럼 강에서 카유스와 에니탄, 루카를 언제 다시 볼 수 있을지 누가 알까?

눈을 감자 추억이 도둑처럼 급작스럽게 달려들었다. 다섯 살 때 엄마와 아간 마을에 있는 폭포에 간 적이 있었다. 여전히 귓가에 들리는 듯했다. 폭포가 쏟아지던 그 우렁찬 천둥 같은 소리. 엄마는 물줄기가 간지럽다며 손을 아래 넣고 활짝 웃었다. 하지만 나는 폭포 옆에 있는 흙빛 바위에 앉아 엄마만 바라보고 있었다. 폭포가 성질을 부려 나와 엄마를 삼켜 버릴 거 같아 무섭기만 했다. 엄마는 내가 무서워하는 걸 알아채고 내 쪽으로 내려왔다. 그리고 나를 당겨 엄마의 보드라운 젖은 배에 내 얼굴을 갖다 댔다. "아두니" 엄마가 크게 외쳤다. "무서워하지 마. 폭포의 경이로움을 들어봐. 이 커다란 소리 속에 숨어 있는 노랫소리를 들어봐!" 그래서 나는 가만히 귀를 기울여보았다. 그러자 노래가 들렸다. 백 개의 드럼과 천 개의 트럼펫을 연주하는 소리였다. 그러자 두려움은 사라졌고, 나와 엄마는 폭포 아래에서 신나게 웃으며 춤을 추기 시작했다.

오늘 밤, 이 커다란 집에서 똑같은 두려움이 느껴졌다. 무섭게 쏟아지는 물줄기가 두렵고, 천둥을 집어삼킨 듯 바위가 깨질 듯한 소리가 무섭고, 빅 마담과 빅 대디, 게다가 행방불명이라는 레베카 이야기에 겁이 났다. 이 집의 소음에서 노래는 들리지 않았고 그 어디에도 경이로움은 없었다. 내가 무서워하는 걸 알아채고 막아줄 엄마도 없었다. 잠을 자려고 눈을 감으면 케레 마을의 차가운 젖은 모래에 힘없이 누운 채 도와달라고, 죽게 내버려두지 말라고 애원하는 카디자만 보일 뿐이었다.

27장

빅 마담 집에서 내가 하는 일은 이랬다. 매일매일 모든 화장실과 변기를 닦았다.

타일 사이는 반드시 칫솔로 닦아야 하고 바닥과 벽은 표백제로 청소해야 했다. 모든 방과 온 마당을 말끔히 쓸었다. 코피 아저씨가 '정원사'라고 불리는 남자가 있다고 했지만, 화분 안에 있는 잡초를 하나도 남김없이 뽑아야 했다.

코피 아저씨가 어차피 정원사가 토요일 아침에 와서 꽃과 잔디를 가꾼다고 했지만, 빅 마담은 내가 미리 정리해야 한다고 우겼다. 그 일을 마치고 나면 양동이에 물을 담아 마당에서 빅 마담의 팬티와 브래지어를 비누로 빨았다. 맨 처음 빅 마담의 팬티를 봤을 땐 그냥 죽어버리고 싶었다. 진짜 농담이 아니라 팬티가 무슨 커튼 크기만 했다. 브래지어는 보트처럼 거대했다. 빅 마담은 매일 속옷을 두 번씩 갈아입기 때문에 일주일이면 꽤 많은 속옷을 세탁해야 했다. 다 빨고 나면 부엌에 있는 세탁기에 넣고 다시 돌리는 과정이 기다리고 있었다.

내가 코피 아저씨에게 어차피 세탁기로 빨 건데 왜 먼저 또 빨아야 하냐고 물으니 아저씨는 어깨를 으쓱이며 "그냥 해. 불평하지 말고." 하고 말했다.

저녁에는 창문과 거울을 닦고 탁자와 의자의 먼지를 털고 여기저기를 또 쓸고 닦았다. 밤에는 빅 마담의 냄새 나는 발을 마사지했는데 어떨 땐 두피를 젖혀 머리를 긁으라고 하기도 했다. 오후에 한 번 밥을 먹기 위해 일을 쉴 수 있었다. 하지만 저녁밥도 없고 아침밥도 먹을 수 없었다.

코피 아저씨에게 왜 아침이랑 저녁을 안 주냐고 했더니 "빅 마담 말에 따르면, 밥은 하루에 한 번만 제공할 수 있단다."라고 했다.

가끔 코피 아저씨가 빅 마담이 일어나기 전 아침 일찍 나를 몰래 불러다 먹을 걸 주기도 했다. 2주 전, 코피 아저씨가 쌀과 스튜, 삶은 달걀을 준 적이 있다. 빅 마담은 아직 위층에서 자는 중이라 나는 감사한 마음으로 부엌의 스툴에 앉았다. 달걀을 한 입 베어 문 순간, 난데없이 빅 마담이 부엌에 나타났다. 내 온몸이 돌덩이처럼 굳어버렸다. 난 달걀을 손에 쥔 채 이대로 부엌 바닥이 쩍 열려 달걀과 나를 한꺼번에 삼켜버리면 좋겠다고 생각했다.

빅 마담이 내 앞으로 걸어왔다. 그리고 밥이 담긴 접시를 들어 내 머리 위로 부어버렸다. 그리고 내 손에 들려 있던 삶은 달걀을 확 낚아채더니 내 머리에 뭉개버렸다. 스튜에 있던 고춧가루가 눈에 들어가 눈이 멀

거 같았다. 눈물을 줄줄 쏟기 시작하자 빅 마담이 본격적으로 내 온몸을 때리고 차기 시작했다. "내 허락 없이 내 집에서 음식 먹지 말라고 했니, 안 했니? 이런 하찮은 일을 하는 대가로 입혀주고, 재워주고, 다 해달라는 거냐? 하루에 한 끼보다 더 먹어야겠으면 바깥에서, 네 음식을 먹으란 말이다. 네 음식. 내 거 말고. 알겠어?"

빅 마담이 코피 아저씨를 쏘아봤다. "이 애가 또 하루에 한 끼 이상 먹는 걸 보는 날엔 당신 월급에서 제할 줄 알아." 정신없이 두들겨 맞고 나자, 다시는 허기라는 게 느껴지지 않았다. 그날이 빅 마담의 집에 온 지 거의 한 달 만에 처음으로 맞은 날이었고, 그 이후로는 거의 매일 맞았다.

어제 아침만 해도 풀밭에서 잡초를 뽑으며 노래를 했다는 이유로 따귀를 얻어맞았다. 빅 마담은 차를 타고 마당을 지나다가 운전사에게 차를 세우라고 했다. 그리고 차에서 내리더니 뜨거운 햇볕을 받으며 야자나무 아래 있는 화분 앞에서 무릎을 꿇고 있던 내게 탁탁 걸어와 손등으로 뺨을 후려쳤다.

세상이 빙글빙글 돌았다. 작열하는 태양 빛도 가세해 한순간 왼쪽 눈이 보이지 않았다.

"너, 시끄럽잖아. 네가 노래랍시고 부르는 소리가 웰링턴 로드에 사는 주민들한테 방해가 된단 말이다. 여긴 네가 살던 그런 후진 데가 아니야. 여기 주민들은 교양 있는 사람들이야. 클래스가 다르단 말이야. 돈 있는 사람들이야."

빅 마담이 고래고래 소리 지르는 걸 듣고 있으려니 내 조용한 노랫소리보다 이 여자의 목소리가 사람들 신경에 더 거슬릴 거 같았다. 하지만 그 말을 입 밖에 낼 수는 없는 노릇이지. 빅 마담은 한바탕 난리를 치고 나더니 길게 한숨을 쉬고 고개를 팩 돌려 차를 타고 사라졌다. 코피 아저씨에게 왜 빅 마담이 매번 나를 못 잡아먹어서 안달이냐고 물었더니 아저씨도 모르겠다고 했다.

"니가 본 중 최악인 거 같아. 눈에 띌 때마다 두들겨 패니 말이다. 뭐 언제 화를 돋운 적 있니?"

"아니요. 아무 짓도 안 했어요." 암만 생각해봐도 그런 일이 없었는데.

"그렇다면 네가 살던 마을로 돌아갈 방법을 찾아보는 게 어떻겠니?" 아저씨가 길게 한숨을 내쉬었다. "아두니, 내 얘길 해주마. 나는 나이지리아 주재 가나 대사의 개인 셰프로 일했었는데, 5년 전에 잘렸지. 그래서 가나로 돌아갈까 심각하게 고민했었단다. 아두니, 대사의 개인 셰프는 탁월한 실력이 있어야 하는 자리야. 아주 어려운 직책이지. 그때는 페데럴 캐피털 테리토리에 살았어. 아부자에 있는 근사한 투 베드 하우스였단 말이다. 여기와 천지 차이지. 세계 정상들을 대접하면서 잘 먹고 잘 살았다고. 그런데 새로운 대사가 임명되면서 어떤 빌어먹을 놈이 내 요리가 대사 취향이 아니라는 바람에 하루아침에 직장을 잃게 된 거야." 아저씨는 생각만 해도 어이가 없다는 듯 고개를 흔들었다. "나는 침착하게 다른 직장을 찾기로 결심했지. 아니, 대학에서 회계학을 전공해놓고 내가 좋아하는 일을 하겠다고 셰프로 직업을 바꾸면서 가족들이 얼마나 골머리를 앓았는데. 창피해서 어떻게 가나로 돌아가니? 게다가, 아직 내 집도 짓지 못했는데! 고향에 있는 사람들은 전부 내가 대사를 위해 일한다고 알고 있는 판에. 나는 말이다, 고향에다 집을 지으려고 여기서 일하고 있는 거야.

하지만 너는 여기에 있어야 할 이유가 없잖니. 하나도 없잖아. 그러니 네 마을로 돌아가라. 집으로 가."

"하지만 어떻게 돌아가요? 콜라 씨도 없어졌고 저는 이카티로 가는 길도 몰라요. 길을 안다고 해도 못 돌아가요. 왜냐면… 나는, 못 돌아가요." 나는 입을 굳게 다물었다.

코피 이지씨가 니를 보더니 고개를 숙였디. "그렇디면 불평 그만해. 그냥 네 일을 해라. 나도 그렇게 하는 거야. 매일매일, 그저 내 할 일을 묵묵히 하는 거야."

"그런데 너무 심하게 때리잖아요." 뜨거운 눈물이 솟아 눈이 가물거렸다. "엄마는 한 번도 이렇게 때리지 않았는데. 심지어 아빠도." 하다못해 라바케도. 그 누구도.

"눈에 띄지를 마. 빅 마담이 집 안에 있으면 바깥일을 해. 빅 마담이 밖에 있으면 얼른 들어와 집안일을 해. 널 부르지 않는 한 절대 얼굴을 보이지 마. 아두니, 넌 말이 너무 많아. 너는 꼭 그렇게 모든 질문에 답을 들어야겠니? 입을 다무는 법을 좀 배워라. 그리고 제발이지, 맨날 노래 부르는 것 좀 그만둬."

코피 아저씨와 이런 대화를 나눈 날 밤, 침대에 누워 빅 마담을 피해 다니려면 어떻게 해야 할까 곰곰이 생각해보았다. 그러다가 문득 기막힌 생각이 떠올랐다.

오늘 아침, 부엌의 바깥 창문을 닦고 있는데 빅 마담의 차가 들어오는 소리가 들렸다. 나는 즉시 걸레를 집어 들고 집 옆을 지나 헐레벌떡 서재로 들어가 문을 닫았다.

안도의 한숨을 길게 내쉬고 책장을 닦기 시작했다. 책을 하나씩 꺼내 열고 닦았다. 책의 먼지를 쓸어내면서 책에 쓰인 내용을 읽어보았다. 빅 마담 눈치를 보느라 소리 내서 읽진 못하고 속으로 읽었다.

책이 대부분 어려운 영어로 쓰여 있어 처음에 나온 단어 열 개 정도만 읽었을까, 그러고는 다시 넣고 하다가 <콜린스> 책을 집어 들었다. 엄마 성경책처럼 작지만 뚱뚱한 책이었다. 노란색과 파란색 표지에 글자가 큼지막했다. 책을 펼쳐보니 단어가 주르르 나열되어 있고 옆에는 단어의 뜻이 쓰여 있었다. 책장을 천천히 넘겨보았다. 단어가 ABC 알파벳 순서로 되어 있었다. 알파벳 순서는 알고 있으니까 궁금했던 단어를 찾아보기 시작했다. 먼저 'I' 글자를 찾아 'innocent'를 확인했다. 빅 대디가 웃었던 날, 한 말이 아무래도 단순히 이름이 아니라 다른 뜻이 있는 거 같았기 때문이다. <콜린스> 책은 'innocent'라는 단어를 이렇게 설명하고 있었다.

innocent

형용사: 아무 잘못이 없는, 결백한, 죄 없는 | 명사: 순수, 정직하고 천진난만한 사람

빅 대디는 왜 내가 순수한지 어떤지 궁금해하는 거지? 그리고 모루푸가 파이어 크래커를 마시고 내 영혼과 몸을 그렇게 더럽혀놨는데 내가 어떻게 순수할 수 있어? 나는 <콜린스> 책을 덮어버리고 <나이지리아에 관한 사실들*>을 집어 들었다.

이 책은 제목이 왜 이리 길어? 크기도 책 세 권을 껌으로 붙인 양 두꺼웠다. 표지에는 빛나는 동그란 공 모양 그림이 있고 그 안에 나이지리아 지도가 있었다. 지도 안에는 초록색, 흰색, 초록색의 나이지리아 국기가 그려져 있었다.

나는 책을 내려놓고 <콜린스> 책에서 'facts'를 찾아보았다.

fact

명사: 알려진 사실, 입증할 수 있는 사실

아니, 그럼 이 책에 그동안 내가 궁금해했던 그 모든 질문에 대한 정답이 나와 있단 말이야? 얼른 첫 페이지를 펼쳐 훑어보았다. 먼지투성이라 목이 간질거려 기침이 나왔다. 사진도 많고 나이지리아와 전 세계의 많은 것에 관한 설명이 잔뜩 쓰여 있었다. 옛날부터 2014년까지 나이지리아에서 중요한 사건이 일어난 날의 날짜도 적혀 있었다.

☑ 팩트: 1960년 10월 1일. 나이지리아 독립일. 나이지리아가 브리튼으로부터 독립하다.

브리튼이 뭐야? 적군이야? 독립이라는 말이 자유를 얻었다는 뜻인 건 알고 있었다. 브리튼이 우리의 자유를 어떻게 가져갔지? 그러다가 어

---

* 원제가 <The Book of Nigerian Facts>라서 fact를 찾아봤다.

떻게 우리가 자유를 되찾았지? 나는 바닥에 앉아 책에 시선을 고정했다.

☑ 팩트: 라고스는 나이지리아에서 인구가 가장 많은 도시다. 세계무역의 중심지로 많은 해변과 다양한 유흥 시설이 있다. 아프리카에서 백만장자가 특히 많이 사는 곳 중 하나다.

오호라, 부자들이 라고스에 몰려 사는 이유가 이거구나. 나는 침을 꼴딱 삼키고 책을 더 바짝 붙들었다. 해야 할 집안일이 태산이었지만, 이 흥미진진한 책이 마치 커다란 두 손이 되어 나를 끌어당기는 거 같았고 따듯하게 하고 배불리 먹여주는 듯했다.

☑ 팩트: 2012년 포트하커트 대학 학생 4명이 절도 누명을 쓰고 알루 마을에서 고문당하고 몽둥이에 맞아 사망했다. 이 끔찍한 사건으로 나이지리아의 정글 저스티스*에 대항하는 세계적인 운동이 촉발했다.

정글 저스티스.

내가 이카티에서, 바미델레의 아내에게서, 아간 마을 사람들에게서 도망치지 않았다면 그들은 내게 이 정글 저스티스를 감행했을 것이다. 내가 도둑일지도 모른다는 이유 하나로 나를 불태웠을 것이다.

이 사실을 읽으니 기분이 울적해졌지만 그래도 계속 읽어나갔다. 이

---

* 정글 저스티스: 아프리카 사하라 사막 이남 지역에서 공공연하게 이뤄지는 초법적 살해 행위. 사람들을 공개적으로 모욕하며 때리고 죽이기도 한다.

해할 수 있는 사실도 읽고 이해할 수 없는 사실도 읽고 하다가, 책이 너무 무겁다고 느껴지자 청소 도구를 집어 들었다.

서재 구석구석을 다 닦고 주머니에서 노트를 꺼내 소파에 앉아 집에서 필요한 물건을 생각나는 대로 적었다. 가끔 <콜린스> 책을 보고 철자를 확인했다.

1) 화장실 휴지

2) 비누

3) 비닐봉지. 휴지통 안에 넣는 용

4) 표백제. 화장실 물때 지우는 용

5) 가루비누. 세탁기용

"아두니?" 누군가 멀리서 내 이름을 불렀다. 빅 마담이다. "아두니!"

"지금 갑니다." 얼른 이렇게 외치며 주머니에 노트를 넣고 벌떡 일어섰다.

문을 열자 빅 마담이 서재 밖에 서 있었다. 눈동자가 분노로 이글댔고 온몸이 펑 터지기 직전인 것 같았다.

"너 귀먹었니?" 빅 마담이 허리에 손을 얹은 채 재차 물었다. "대답하는 데 왜 이리 오래 걸려?"

입을 열기도 전에 뜨거운 따귀가 날아왔다.

나는 휘청이며 뒷걸음질했다. "아!" 볼을 문질렀다. "대답했습니다. 간다고 했는데…" 또 손이 날아오자 입을 다물었다.

또 맞았구나, 생각할 틈도 없이 세 번째가 등으로 날라왔다. 무릎이 꺾여 주저앉아 눈을 감으니 엄마, 이카티, 카유스가 떠올랐다. 빅 마담은 마치 화가 머리끝까지 난 드러머가 화가 머리끝까지 난 말하는 북을 치는 것처럼 손바닥으로 사정없이 내 등을 철썩, 철썩, 철썩 때렸다.

하지만 나는 울지 않았다. 그저 묵묵히 맞으면서 마음속으로 빅 마담에게 똑같이 손을 날렸다. 빅 마담이 나를 때리면 나도 똑같이 때린다고 생각했다. 비록 내 손은 닿지 않았지만, 그래도 나도 똑같이 빅 마담의 등을 때렸다. 얼마나 맞았을까, 셀 수도 없을 지경이 되었을 때 갑자기 빅 대디의 목소리가 들려왔다. "이게 대체 무슨 일이야?"

빅 마담이 나를 발로 찼다. "더러운 쓰레기 같으니!" 그리고 내 등에 침을 퉤 뱉었다. "왜 울지도 않아? 뭐 귀신 들렸어? 네 안에 악마가 살고 있어? 내가 오늘 그 악마를 두들겨 패서 쫓아내주마."

"플로렌스, 그 아이 죽이려고? 당신 미친 듯이 성질부려서 가정부들 다 쫓아놓고 이제는 이 불쌍한 애한테 똑같이 하려고? 아두니!"

눈을 뜨고 위를 쳐다봤다. 빅 대디였다. 빅 마담의 거실에서 본 날 이후 처음 보는 거였다. 그동안 또 여자 사업 문제로 여행 중이었기 때문이다. 오늘은 눈알이 빨갛지 않고 말투도 어눌하지 않았다. 멀쩡한 사람처럼 보였다.

"아두니, 일어나라." 빅 대디가 손을 내밀었다.

내가 발에 힘을 주고 일어났다. 빅 마담이 더는 때리지 않았지만, 이 상하게 아직도 등을 맞고 있는 느낌이었다. 누군가 내 등에 매운 고춧가루를 비빈 다음 등유를 붓고 성냥을 그은 거 같았다. 등 전체가 후끈후끈

했고 숨 쉴 때마다 고통스러웠다.

"괜찮습니다." 나는 무릎을 굽혀 인사하진 못했다. 무릎이 굽혀지지 않았기 때문이다. 몸에 마음대로 움직이는 부분이 없는 거 같았다.

"아두니, 괜찮니?"

"괜찮습니다." 전혀 괜찮지 않았지만 그래도 그렇게 답했다.

"플로렌스" 빅 대디가 아내를 돌아보았다. "당신, 귀신 들린 거 같아."

빅 마담이 긴 숨을 내쉬었다. 얼굴이 마치 아주 맛있는 걸 먹고 난 듯, 나를 실컷 두드려 패고 나니 인생에 새로운 희망이 생긴 듯한 표정이었다. 나를 아래위로 훑더니 또 씩씩댔다. "형편없는 애예요. 게을러 터져서 공간만 차지하는 년. 내가 온 집 안을 뒤져서 일은 안 하고 서재에서 농땡이 치는 걸 찾아냈잖아요."

"그래서 여기에서 찾았다고, 남의 집 애를 죽이려는 거야?" 빅 대디의 목소리가 커졌다. "플로렌스, 당신 목소리를 진입로에서 들었어. 진입로 에서! 애가 치명상을 입으면 어쩌려고 그래? 뇌를 다치기라도 하면? 패럴 라이즈 되면? 법원에 가면 뭐 해명할 근거가 있겠어?"

빅 대디가 하는 영어를 다 알아듣진 못했지만 빅 마담에게 화를 내고 있다는 건 알 수 있었다.

"자, 플로렌스." 빅 대디가 손가락 하나를 치켜들었다. "이 집에서 이 애에게 손대는 건 이번이 마지막이야. 다시 말하는데 아두니에게 손가락 하나라도 대는 건 이번이 마지막이야. 알아들었어?"

빅 마담은 애인이 창녀네 돈을 대네 하면서 무슨 말을 웅얼웅얼하더니 방을 나갔다.

빅 대디가 나를 향해 고개를 돌렸다. "너 괜찮니?"

"네, 감사합니다."

"이리 오렴." 이 말을 하면서 갑자기 뭘 잡기라도 하듯 두 팔을 활짝 벌렸다. "어서 와라. 무서워하지 말고. 어서."

나는 두 발을 바닥에 단단히 고정한 채 그를 바라보았다. 나보고 뭘 하라는 거야? 와서 안아달라는 거야? 아니면 뭐야? 내가 꼼짝도 하지 않자 빅 대디가 다가오더니 내 몸을 와락 안았다.

순간, 몸이 굳었다. 손으로 가슴을 밀었지만 빅 대디가 더 세게 안았다.

"아두니, 저 여자는 신경 쓰지 마라." 그러더니 입을 내 목 주변에 꾹 눌렀다. 수염이 까칠했다. 뜨거운 입김이 느껴졌고 버터 민트와 음료수 냄새가 났다. "알았니?"

"네." 나는 이를 꽉 물었다. "할 일이 있어서요. 제발 제가 지금 가게…."

"이 집에서 나랑 편하게 지내자." 그가 내 말을 자르며 더 바짝 안았다. "내가 너를 막아주면 플로렌스가 너를 건드리지 못할 거야."

나는 빅 대디의 가슴을 확 밀치고 뒷마당을 향해 냅다 달렸다. 마당 수도꼭지 옆에 있던 코피 아저씨도 보지 못한 채 정신없이 뛰어가다 아저씨의 어깨를 부딪혀 아저씨와 아저씨가 들고 있던 대야가 바닥에 나동그라질 뻔했다. 코피 아저씨가 대야를 바닥에 놓고 벽을 잡으며 몸을 일으켰다.

"아두니!" 아저씨가 수도꼭지를 잠그고 소리를 질렀다. "너 괜찮니?

왜 누가 널 쫓아오기라도 하는 거야?"

나는 가슴을 진정시키며 숨을 가다듬었다. "빅 대디. 빅 대디가 지금, 저를 너무 꽉 안아서. 도망치는 거예요."

"빅 대디가 너를 안았다고?" 걱정 어린 눈빛이었다. "어쩌다가? 부인은 어딨고?"

"왜 그랬는진 모르겠어요. 빅 마담이 저를 막 때리는데 빅 대디가 와서 자기가 막아주면 편하게 지내도 된다고. 코피 아저씨, 나한테 왜 저러는 거예요?"

나는 두려운 눈빛으로 코피 아저씨를 바라보았다. 빅 대디가 원하는 게 뭔진 알았지만 차마 생각조차 하기 싫었고 입 밖으로 내기는 더 끔찍했다.

"저 사람이 제정신이 아닌가, 왜 저러지?" 코피 아저씨가 낮은 소리로 중얼거렸다. "아, 찰레. 내가 조심하라고 경고했잖니."

"저 진짜진짜 조심하고, 또 조심했어요." 눈물이 볼을 타고 흘러내렸다. "라고스에서는 문제를 일으키고 싶지 않았어요. 이카티로 돌아갈 수도 없으니까요. 하지만 저 아저씨, 빅 대디라는 저 사람이 나를 꽉 안아서 너무 무서웠어요. 지난번에는 나를 이상한 눈빛으로 쳐다봤단 말이에요. 코피 아저씨, 도와주세요. 제발요."

"울지 마라." 아저씨가 고개를 저으며 나직이 한숨을 쉬었다. "방법이 있을 거야. 너를 도울 방법을 생각해보마. 울지 마. 알겠지?"

"감사합니다." 나는 볼을 타고 흐르는 눈물을 소매로 닦으며 저녁 화장실 청소 시간에 맞춰 터덜터덜 힘없이 걸어갔다.

일을 마치고 밤 12시에 침대에 몸을 뉘었다. 온몸이 아프고 등은 불에 덴 듯했다.

손가락은 플라스틱처럼 뻣뻣했다. 행주를 오랫동안 꽉 쥐고 있어서 그런 모양이었다. 자려고 눈을 감았다. 하지만 보이는 거라곤 칼날처럼 날카롭고 피가 줄줄 흐르는 이빨을 드러낸 채 나를 향해 다가오는 빅 대디뿐이었다.

28장

☑ 팩트: 나이지리아인은 파티와 이벤트를 자주 열기로 유명하다. 2012년에만 샴페인에 5,900만 달러를 소비했다.

빅 마담이 일요일에 성대한 파티를 연다고 한다.

파티를 준비한다고 어찌나 야단법석인지 1초마다 소리를 질러댔다. "아두니, 아래층 화장실 구석구석 다 닦아라." 출렁이는 살을 흔들며 뚱뚱한 손가락으로 화장실 문을 가리켰다. "내가 어제 준 새 칫솔로 타일 틈새를 닦은 다음, 화장실 타일을 표백제로 문질러라. 내가 시킨 대로 뒷마당 펜스에 광냈어? 냈다고? 다시 해. 내 어머니의 묘비처럼 시멘트가 반짝일 때까지 벅벅 문질러 광을 내란 말이다. 다이닝 룸의 거울 닦는 것도 잊지 말고."

어제 오후, 커다란 흰색 운반차가 마당으로 들어왔다. 누가 타고 있나 달려가보니 차 뒤에 갈색 소가 한 마리 떡하니 앉아 코에 앉은 파리를 쫓을 혀를 날름거리고 있는 게 아닌가. 코피 아저씨가 소를 끌어 내려 뒷마당에 있는 야자나무에 기다란 밧줄로 묶었다. "일요일에 요놈을 잡아다가 바비큐 하고 스튜를 해 먹을 거다." 그러고는 소 엉덩이를 찰싹 때리며 웃었다.

"그런데 빅 마마가 무슨 파티를 준비하는 거예요?" 태양이 높이 솟은 오늘 아침, 황금색 레이스로 된 테이블보를 빨고 있다가 코피 아저씨에게 물어보았다. "빅 마담 생일이라도 되나요?"

"생일 아니야." 내 옆에 앉아 콩을 다듬어 접시에 넣던 코피 아저씨가 말했다. "일요일 파티는 웰링턴 로드 와이브스 어소시에이션 Wellington Road Wives Association 파티야. 빅 마담이 그 단체 회장이거든."

"뭐, 뭐라고요?"

"WRWA라고. 중년 여인네들이 잔뜩 차려입고 모여서 술 마실 핑계로 만들어낸 단체지. 가난한 사람들을 위해 기금을 조성한다는 명목이라지만. 허! 전부 거짓말이지! 분기마다 한 번씩 돌아가며 파티를 연단다. 빅 마담이 11월 모임의 호스트야."

"생일 파티도 아니면서." 난 씩씩거리며 빨랫감을 문지르고 비눗물에 담가 훌훌 흔들었다. "그러니까 그냥 아무 날도 아닌데 만나서 돈을 왕창 쓰는 거네요. <나이지리아에 관한 사실들>에 보면 나이지리아인은 파티를 여는 데 수백만 달러를 쓴대요. 라고스에 오기 전까진 그게 딴 나라 얘긴 줄 알았는데. 그 웰링스터이 여기 주소 이름이에요?"

"웰링턴! 그 단어에 s는 하나도 없다. 여긴 그런 인간들 천지야. 그중 절반은 군인 출신이거나 도둑놈이지. 나이지리아의 부를 훔쳐서는 부인과 이혼하고 젊은 여자랑 재혼한 인간들. 다른 절반은 빅 마담처럼 비즈니스 하는 부자들이고. 대단히 성공한 기업가나 연예인들이지. 개중에는 이런 라이프스타일을 유지할 돈이 없지만 그래도 끼어보려고 아등바등 하는 인간들도 있고."

코피 아저씨가 콩이 담긴 그릇을 들고 위아래로 흔들어 콩이 통통 튀게 했다. 그렇게 하면 자잘한 콩깍지 찌꺼기가 바람에 날아갔다. 아저씨가 그릇을 내려놓고 말했다. "3년 전에 어떤 한심한 여자가 라고스에서 제일 잘나가는 동네에 살고 있으니 이런 단체를 만드는 게 어떠냐고 제안한 거야. 내가 보기엔 그저 파티나 하려는 구실에 불과하다만. 이 사람들이 돈으로 하는 일이 그것밖에 더 있어? 파티나 하고, 돈이 무슨 만병통치약이라도 되는 줄 아는지 이마와 가슴에다 치렁치렁 붙이고 다니는 거지. 지금 환율이 170나이라가 1달러인 거 아니? 찰레, 내년에 무하마두 부하리가 대통령이 되지 않는 한, 이 나라에는 그 어떤 발전도 없을 거다. 그렇고말고."

나는 왜 코피 아저씨가 나이지리아인이 쓸데없는 데 돈을 펑펑 쓴다고 만날 불평하는지 잘 이해가 안 갔다. 어쨌든 아저씨도 나이지리아인의 돈으로 가나 고향 땅에 집을 짓고 있는 거 아닌가. 빅 마담의 손님들이 어쩌다가 코피 아저씨에게 돈을 줄 때가 있었다. 그러면 아저씨가 돈을 꼭 쥐고 주머니에 슬쩍 넣으며 얼마나 입이 찢어지게 웃는지, 얼마나 고마워하는지 그동안 내가 다 봤는데. 그 돈이 도둑의 돈이라면 아저씨는 왜 거절하지 않는 거지? 결국 아저씨도 나이지리아가 앓고 있는 문제라면 문제 아닐까?

　코피 아저씨가 손에 재채기를 하더니 바지에 문질러 닦았다. "빅 마담은 주말마다 파티에 가지. 라고스 사람의 절반은 빅 마담의 옷을 입기 때문에 수백만 달러를 번단다. 이런, 콩에 벌레가 꼬이네. 내가 무슨 말을 하고 있었지? 아, 그래 WRWA. 한 열 명에서 열다섯 명 되는데 늘 서로 경쟁을 벌인단다. 지난번 호스트는 캐럴라인 번콜이었는데 빅 마담과 가까운 사람이지. 기름과 석유 사업에 성공해서 더럽게 돈이 많은 여자란다. 열 명이 모이는 파티였는데 엄청 비싼, 광대 같은 유명 셰프를 불러다가 염소를 세 마리나 잡았다니까. 게다가 내 할아버지의 아버지보다 더 오래된 와인을 대접하더라고."

　"빅 대디는 직업이 있나요?" 내가 콩깍지를 까는 코피 아저씨의 손가락을 보며 물었다. "빅 마담은 직업이 있잖아요. 매일 가게에 나가고요. 그런데 빅 대디는 그러지 않아요. 왜 그런 거예요?"

　"빅 대디는 한심한 작자야. 은행에서 일했거든. 그러다가 친구들한테 대출을 좀 해준 거지. 수십 억 나이라를. 친구들이 그걸 갚을 리가 있겠냐. 은행은 파산하고 2년 후엔 완전히 문을 닫아버렸어. 뭐, 그렇게 된 거지. 그게 언제더라." 아저씨가 골똘히 생각했다. "한 15년 전 즈음인가. 내가 이 집에서 일하기 한참 전이었지. 굉장히 불쾌하고 늘 주변에 폐를 끼치는 거로 유명했단다. 빅 마담의 돈을 가져다가 여자, 나이라벳*, 주류에 쓰

---

* NairaBet: 스포츠 도박 사이트

니까.”

“주류가 뭐예요?”

“음료 말이다. 맥주, 스타우트, 알코올.”

“샴-페그-네이 같은 거요?”

코피 아저씨가 웃었다. “샴, 뭐라고?”

“<나이지리아에 관한 사실들> 책에서 봤어요. 나이지리아인이 수백만 달러를 들여 그걸 산다고요. 스펠링이 CHAMPAG…”

“아, 샴페인 말이구나! 샴-페인이라고 발음한다. 그래, 빅 마담하고 그 친구라는 사람들은 그것쯤은 아무것도 아니라는 듯 모일 때마다 펑펑 터트리곤 하지.”

“그게 내가 살던 마을에서 마시던 오공고로 같은 거예요? 진 같은 거예요? 그걸 많이 마시면 눈이 이렇게 돼요.” 내가 눈동자를 모았다가 대굴대굴 굴리자 아저씨가 웃음을 터트렸다.

“네가 여기 온 지 석 달이 되었구나.” 아저씨가 한동안 말이 없었다. “네가 여기에 8월에 왔으니까. 월급은 어떻게 되고 있니?”

내가 테이블보에서 비누 거품을 짜냈다. “아직 잘 모르겠어요. 빅 마담한테 물어보고 싶지만 맞을까 봐 무서워서요.”

“앞으로 몇 달 더 두고 보자.” 아저씨가 그릇을 내려놓고 손을 무릎에 닦더니 누가 있나 뒤를 확인했다. 그리고 바지 주머니에 손을 깊숙이 넣더니 접은 신문지를 꺼냈다. “이거 받아라. 읽어보고 어떻게 생각하는지 말해다오.”

“제가 신문을 읽어요? 왜요?”

"일단 읽어봐. 찰레. 내가 이 날짜의 <네이션 오일> 신문을 가져오려고 짬을 내서 전에 일하던 대사관까지 갔다 왔단 말이다. 네가 지원할 수 있으면 좋겠구나."

나는 젖은 손을 털고 손가락 끝으로 신문지를 흔들어 펼쳐보았다. 신문에서 뜯어낸 한 페이지였다. 글자가 잔뜩 쓰여 있었다. "이걸 다 읽어야 해요?"

코피 아저씨가 한숨을 쉬었다. "아두니, 왼쪽에 부고 기사 위를 봐라."

천천히 소리를 내어 읽어보았다.

지원자 모집

국내 여성 근로자들을 위한 오션 오일 세컨드리 스쿨 장학생 제도

나이지리아 제일의 석유 회사인 오션 오일은 다이아몬드 스페셜 스쿨과 협력해 연간 장학금을 받을 12세에서 15세 사이의 국내 여성 근로자를 모집한다. 7년째 성공적으로 이어져온 이 제도는 명석하고 재능 있는, 국내에 거주 중인 나이지리아 여성을 위한 제도로 학교교육을 제공하거나 정규 과정을 이수하는 데 중점을 둔다. 오션 오일의 에히 오다페 회장은 자녀들을 학교에 보내기 위해 가정부로 일했던 그의 어머니, 에세 오다페 여사를 기리기 위해 이 장학생 제도를 설립했다.

이 제도의 수혜자는 다음과 같은 혜택을 받을 수 있다. 5명의 학생에게 최대 8년 동안 명문 다이아몬드 스페셜 스쿨의 학비를 지급한다. 기숙사비와 장학금을 지급하는 동안 적절한 생활비도 지원한다.

지원자는 12세에서 15세 사이의 여성으로 가정부, 청소부, 또는 기타 직종으로 국내에서 일하는 근로자여야 한다.

지원자는 학업을 이어가고자 하는 학생으로서 장학금이 필요한 이유를 1,000자 이내로 적은 에세이를 제출해야 한다. 또 견실한 나이지리아 시민이 보증인이나 추천인으로 서명한 동의서를 제출해야 한다. 원서 접수 마감일은 2014년 12월 19일이다.

합격자 명단은 2015년 4월에 사무실에 공개할 예정이다. 이름은 개인 정보 보호를 위해 어떤 매체에도 공개하지 않는다.

"이게 다 무슨 말이에요?" 나는 신문을 발치에 놓고 바람에 날아가지 않게 눌렀다. "영어가 잔뜩 쓰여 있는데. 학교에 대한 얘기인 거 같은데."

"돈을 안 내고 공짜로 학교에 갈 수 있는 기회야. 기숙사도 무료로 제공한다고 하잖니. 오션 오일의 회장이 내 이전 상사의 친구였어. 어마어마한 인물이지. 해마다 직원을 시켜 대사관에다 이 제도를 자세히 설명하는 안내문을 보낸단다. 누구든 지원하고 싶은 아이가 있으면 하라고 말이야."

코피 아저씨의 말을 다 믿긴 힘들었지만 고개를 끄덕였다. "그러면 준비하라는 거, 이거는 다 어떻게 보내요?"

"아부가 어제 시장에서 돌아오는 길에 오션 오일 사무실에 날 데려다줬다. 지원서를 가져다가 내 방에 잘 뒀지. 아두니, 이게 바로 네가 자유를 얻을 수 있는 유일한 기회야." 아저씨 목소리가 바짝 긴장해서 마치 화가 난 것처럼 들렸다. "너 여기 계속 있으면 그… 그 나쁜 자식이 널 해칠 거야. 레베카가 애인이랑 도망갔다고 하지만 누가 아니? 어떨 땐 그 인간이 뭔 일을 저지른 게 아닌가 하는 생각이 들어. 아두니, 나도 가나에 너 같은 딸이 있단다. 정말이지 상상하기도 싫은…." 아저씨가 고개를 흔들었다. "그 나쁜 놈은 그냥 생각도 하지 마. 네 미래만 생각해라. 이 집에 네 미래는 없어. 네 말대로라면 이카티에도 없고. 이 기회가 네가 가진 전부다."

"하지만 준비할 시간이 촉박한데요. 내년까지 영어 실력을 어떻게든 늘린 다음에 도전하…."

"늦출 순 없어." 아저씨는 이제 거의 소리를 지르고 있었다. "넌 열넷이야. 응시 제한 연령이 열다섯이란 말이다. 지금 지원해야 해. 망설이는 거니? 내가 아는 아두니라면 재고 자시고 할 것도 없이 달려들 줄 알았는데."

나는 아무런 대답도 하지 않았다.

사실은 지금 무척 겁이 난다는 걸 아저씨에게 들키고 싶지 않았다. 이런 기회를 아주아주 오랫동안 꿈꿔왔다고. 그런데 막상 아저씨가 이런 기회를 주니까 뛰어들기 무섭다고.

어떻게 준비하지, 생각만 해도 두려웠다.

"자, 두려운 마음이 든다는 거 안다. 탁월한 그러니까, 아주 좋은, 뽑힐 만한 에세이를 써야 하니까. 하지만 넌 머리가 좋은 아이야. 경쟁이 아주 치열하고 아주 까다롭게 고르겠지. 하지만 내가 확실하게 믿는 게 하나 있어. 그건 바로 너라면 해낼 수 있다는 거야."

"정말 그렇게 생각하세요?"

"그럼. 나는 알아." 아저씨가 어깨를 으쓱였다. "하지만 억지로 지원하라고 하진 않을 거야. 찰레, 너한테 달린 거지. 나는 내가 할 수 있는 일을 다 했다. 쿠마시에 있는 내 집을 다 지으면 나는 이 집에서 나갈 거야."

눈에 눈물이 그렁그렁 차올랐다. "어떻게 12월 전에 엉어 실력을 늘려서 에세이를 쓰겠어요? 그나저나 에세이가 뭔데요?"

"이야기다. 너 자신에 대한 이야기를 쓰는 거지. 초등학교에서 작문해 봤니?"

"작문이 뭔지는 알아요." 발치에 둔 신문을 잘 접어서 브래지어 안에 넣었다. "이카티에 있을 때 선생님이 가르쳐줘서 알고 있어요."

"찰레, 넌 아주 잘할 거야. 한번 해봐. 보증인이나 추천인만 찾으면 돼. 난 나이지리아 시민이 아니니까 못 해준다. 나는 셰프라는 위치가 인류 생존에 있어 제일 중요하다고 믿는 사람인데, 너한테는 별 도움이 안 되는구나. 빅 마담이나 빅 대디는 말할 것도 없고. 그래도 도와달라고 부탁해볼 만한 나이지리아 친구들이 좀 있어. 하지만 먼저 너와 만나야겠지. 그게 어려울 거야. 하지만 불가능하진 않아. 준비할 시간이 넉넉하지 않은 거 같아 그게 좀 걱정이구나. 마감일이 한 달 남짓 남았으니."

지금 코피 아저씨가 이런 말을 왜 하는지 그리고 얼마나 내가 장학금을 받길 바라는지 고스란히 느껴졌다. 그리고 맹세하건대 그 무엇보다, 내가 합격하고 싶었다. 하지만 과연 지원이나 제대로 할 수 있을지, 심지어 에세이라는 걸 어떻게 써야 할지 막막했다. 나를 추천할 사람도 찾아야 하고, 이 모든 일을 12월 전에 할 수 있을지 막막하기만 했다.

"그나저나 코피 아저씨, 왜 저보고 맨날 찰레라고 해요?" 이 고민에서 좀 벗어나보려고 물었다. "아두니가 제 이름인 걸 만날 까먹는 거예요?"

"찰레는 가나 말로 친구를 부르는 표현 중 하나란다."

"제가 아저씨 친구예요?" 내가 미소를 지었다. 오늘처럼 코피 아저씨가 친절할 때도 있다. 하지만 대부분은 나를 모르는 사람처럼 대했다. 어쩔 땐 내가 아침 인사를 해도 대답하지 않을 때도 있고 어떤 날은 인사를 받아주고 음식을 줄 때도 있었다. "저한테도 그래요. 아저씨는 제 친구예요. 장학금, 이거 알려주셔서 정말 감사합니다."

"난 이제 콩을 불려야겠다." 아저씨가 콩 그릇을 들고 일어났다. "그 테이블보는 충분히 빨았으니 됐다. 어차피 세탁기에 돌릴 거니까. 됐고, 이제 다른 일 찾아서 해라."

그날 밤, 방에 들어와서 침대 끝에 걸터앉아 브래지어에서 신문지를 꺼냈다.

코피 아저씨가 장학금 얘기를 꺼낸 다음부터 마음 한구석으로 미뤄보려고 했지만 계속, 계속해서 어쩌면? 하는 생각이 들었다. 만약 내가 지원해서, 내가 뽑혀서, 학교에 가게 된다면?

신문을 침대 위에 놓고 손바닥으로 반듯이 폈다. 눈을 가늘게 뜨고 창문으로 들어오는 달빛을 받아 글을 다 읽어보았다. 빅 마담은 밤에 직원들이 조명을 켜는 걸 싫어했지만 어두워도 너무 어두웠다. 일어나시 달빛이 더 들어오게 하려고 창가로 가서 커튼을 젖혔다. 그런데 철창과 창문 사이에 반짝이는 끈이 보이는 게 아닌가.

나는 숨을 멈추고 끈을 당겨보았다. 자르르 소리를 내며 작은 뱀처럼 내 손바닥에 동글게 놓였다. 달빛에 비춰보았다. 이게 뭐지? 목걸이치고는 너무 크고 길었다. 노랑, 초록, 검정, 빨강 구슬을 보니 이카티 강가에서 여자애들이 허리에 구슬을 달고 춤출 때 찰랑찰랑 소리를 내던 허리끈이 생각났다.

어릴 때 나도 이게 갖고 싶어서 엄마한테 말했더니 엄마는 좋아하지 않는다고 했다. 그래서 한 번도 차본 적이 없다. 이 구슬 허리끈은 누구 걸까? 살랑살랑 흔들며 쳐다보았다. 네 번째마다 붉은색 구슬이 꿰어 있었다. 아간 마을에서 보던 붉은색이었다. 달빛에서 보면 오렌지 빛이 돌고 어두운 데서 보면 피처럼 붉은 붉은색이었다.

레베카 건가? 레베카가 아간 마을 출신일까? 왜 허리끈을 벗어서 창살에 걸어뒀을까?

머리가 더 복잡해지기만 했다. 마을에서 구슬 허리끈을 차고 있던 여자애들은 절대로 벗지 않았다. 절대로. 세 살부터 차기 시작해서 허리끈을 벗는 일은 절대 없었다.

레베카, 어두운 허공에 대고 속삭여보았다. 코피 아저씨 말대로 애인이랑 도망간 거라면 왜 허리끈을 갖고 가지 않았니? 왜 이걸 벗었니?

물어도 대답이 없었다. 어떤 소리도 들리지 않았다. 밖에서 발전기가 윙윙 돌아가는 소리만 들렸다. 나는 구슬 허리끈을 베개 밑에 두고 신문지를 들고 침대로 올라갔다. 잠을 자려고 했지만 몸이 무겁고 한기가 느껴졌다. 레베카에게 좋지 않은 일이 일어난 거 같아. 그래, 그게 느껴져. 마치 내 베개 밑의 허리끈이 내 뼈에 돌돌 감긴 듯, 깊숙한 데서부터 느낄 수 있었다.

신문지를 꽉 잡자 구겨졌다.

12월은 멀지 않다.

영어 실력을 늘리고 추천인을 찾아서 장학금에 지원한다면. 어쩌면 나는 이곳에서, 이 지옥 같은 곳에서 나갈 수 있을지도 모른다.

하지만 못돼먹은 인간들만 사는 이 거대한 집에서 누가 나를 도와줄 수 있을까?

29장

일요일 오후, 마당이 온갖 자동차로 꽉 찼다.

난생처음 보는 광경이었다. 비행기나 헬리콥터처럼 생긴 자동차, 보트와 양동이같이 생긴 자동차들이 줄을 맞춰 늘어서 있었다. 지붕이 없는 차도, 빅 마담의 차처럼 커다란 차도 눈에 띄었다. 하나같이 굉장히 비싸 보였다. 나는 뒷마당에서 잡초를 뽑으라는 빅 마담의 명령대로 밖에 있었기 때문에 차에서 내리는 여자들은 보지 못했다.

일요일 오후인데 왜 잡초를 뽑아야 하냐고 물었더니 빅 마담이 얼른 돌을 주워 내 머리에 후려치더니 "감히 어따 대고 말대꾸야!" 하며 멍청한 년이라고 욕을 퍼부었다.

그래서 마당에서 잡초를 뽑고 있는데 부엌에서 코피 아저씨가 외치는 소리가 들렸다. "아두니, 나 아주 돌아버리겠구나. 가서 손 씻고 나 좀 거들어주렴." 그래서 손을 씻고 부엌으로 들어갔더니 코피 아저씨가 초록 피망, 양파, 고기를 가운데 꽂은 이쑤시개가 담긴 그릇을 건네주었다.

"이거 고기 꼬치다. 거실로 가서 서빙 해다오."

그릇을 보니 접시 가장자리를 따라 고기 꼬치가 동그랗게 놓여 있고 가운데에는 조그마한 토마토가 놓여 있었다.

"저보고 가서 고기를 나눠주라고요? 하나씩이요? 그리고 이 토마토는 이건 뭐 어떻게 해야 해요?"

코피 아저씨가 한숨을 쉬었다. "그건 토마토가 아니라 체리란다. 접시에 장식한 가니시야. 그냥 둬라. 아두니, 제발 부탁인데, 음식에 손대지 마라. 누구에게라도 음식을 건네려고 하지 마라. 네가 만졌다간 빅 마담이 모조리 쓰레기통에 부어버린 다음 새로 만들라고 할 테니까. 찰레, 그랬다간 진짜 내가 널 잡아먹을지도 몰라. 그러니 제발 입 다물고 고개를 숙인 채 접시를 들고 예의 바르게 이렇게만 해라." 코피 아저씨가 짧게 무릎을 굽혔다가 일어났다. "다시 말해두는데 절대, 누구와도 말하지 마라. 음식만 서빙 하다가 다시 여기로 돌아와. 알았니? 아이참, 내가 졸로프 라이스 그릇을 대체 어디에 뒀지?"

나는 접시를 들고 거실로 나가 가장 가까이 서 있는 여자에게 갔다. 까만 피부가 반짝거리며 윤이 났다. 씁쓸한 오렌지와 장자 냄새 같은 특

232

이하고 강렬한 향수 때문에 코가 간지러웠다. 무릎까지 오는 몸에 딱 붙는 초록색 드레스를 입고 있어 목 아래로 동그란 가슴 곡선이 드러났다. 갈색빛 나무껍질처럼 짧게 바짝 자른 머리에 옆으로 길게 선이 그려져 있고 귀에서부터 머리 가운데 쪽으로도 선이 그려져 있었다. 얼굴에는 피처럼 붉은 립스틱을 제외하고는 모조리 초록색으로 화장을 했다. 눈두덩이조차 선명한 초록색을 발랐다. 나는 바닥에 시선을 고정한 채 접시를 내밀었다.

"이건 누구야?" 여자가 까칠한 하이 톤의 목소리로 물었다. 담배를 심하게 많이 피우는 사람의 목소리였다. "플로렌스, 이 아이가 전에 말한 그 새로 온 가정부예요?"

"네. 그렇지만 쓸모가 하나도 없는 애예요." 거실 한쪽에 서 있던 빅 마담이 이렇게 말하자 텔레비전 옆에 있던 누군가 웃음을 터트렸다.

"어디서 구했어요?" 다른 여자가 물었다. 얼른 쳐다보았다. 그 여자는 가슴 주변을 반짝이는 보석으로 장식한 파랗고 하얀 앙카라 드레스를 입고 있었다. 머리에 커다랗고 동그란 가발을 쓴 모양새가 축구공을 껌으로 머리 위에 붙인 거 같았다. 얼굴에는 저녁 햇살 같은 오렌지 빛 파우더를 발랐고 입술은 신고 있는 코트 슈*와 똑같이 갈색이었다. "중개인이 누구예요? 콜라 씨예요? 그 지역 중개인 쓰지 말라니까 계속 쓰시네. 내가 전에 알려준 컨설트-에이-메이드를 이용해보라니까요. 최고로 좋은 애들을 보내준다고요. 다 외국 애들이에요."

* 코트 슈: 앞이 약간 뭉툭하고 굽이 낮은 단정해 보이는 구두

빅 마담이 말했다. "제가 여러 번 말씀드렸잖아요. 콜라 씨가 비용이 싸고 괜찮아요. 레베카가 없어지니까 금방 새로운 애를 데려왔잖아요. 난 외국 애가 내 집 청소하는 거 별로예요. 아이들도 외국에 나가 있으니 눈치 볼 거 없이 마음껏 부려먹어도 되잖아요. 애들 위한답시고 비싼 필리핀인 유모를 들인다면서요. 글쎄요, 필리핀인 유모가 과연 이런 애들보다 낫겠어요? 다 필요 없어요. 피부가 밝고 악센트가 독특한 말투를 쓴다고 해서 일을 더 잘하는 건 아니니까. 그리고 직원 월급을 달러로 지급한다면서요? 도대체 내 나라에서 왜 가정부에게 달러로 줘야 해요? 지금 환율이 얼만데?"

초록 눈의 여자가 고기를 집었다. 긴 손톱도 눈처럼 초록색이었다. 손톱 끝이 안으로 말려 들어가 있어 저 긴 손톱으로 화장실에선 어떻게 엉덩이를 닦을까 궁금했다.

"이름이 뭐니? 괜찮다. 고개를 들어보렴. 이름이 뭐니?"

어쩔 수 없이 내가 고개를 들었다. 코피 아저씨가 입을 열지 말라고 신신당부했지만, 이 초록 눈의 여자가 나를 빤히 쳐다보고 눈을 깜빡이며 내 대답을 기다리고 있었다. 그녀를 보니 고양이가 생각났다. 갈색 털과 초록색 눈을 가진 발톱이 긴 검은 고양이.

"아두니입니다."

"그래, 적어도 영어는 할 줄 아는 애네. 플로렌스가 지난주에 데리고 있던 여자애가 누구였죠? 부엌에 있던 음식의 반을 훔친 애. 이름이 뭐라고요?"

"치치였죠. 고약한 계집 같으니라고! 내가 아침에 쓰는 잔에 소변 누는 걸 잡았잖아요. 지옥 같다는 고향으로 당장 쫓아냈지."

"레베카가 제일 나았어요. 영어도 잘하고 태도도 좋고. 몇 살이었죠? 스무 살?"

레베카 얘기가 나오자 나도 모르게 긴장됐다. 어쩌면 이 중에 아는 사람이 있을지도 몰라. 어쩌면 빅 마담이 무슨 말을 할지도 몰라.

"알게 뭐예요! 칵테일 드실 분 계세요? 그릴에 달팽이 요리도 있고 수야도 맛있게 됐네요."

축구공 머리 여자가 물었다. "플로렌스, 레베카가 어떻게 된 건지 알아냈어요? 난 그 애가 참 좋던데. 도망간 거예요? 가족에게는 가봤어요?"

빅 마담이 말했다. "누가 수제 피나콜라다 달라고 했었는데."

"결국에는 다들 도망가잖아요. 그렇지 않아요?" 다른 여자가 말했다. 누가 말하는지 흘끗 쳐다보았다. 몸 전체가 하나의 직선이었다. 가슴이 바닥처럼 납작했다. 등까지 내려온 긴 머리는 곧고 숯처럼 새까맸다. 눈썹이 엄청나게 길어서 뺨에 바른 붉은 파우더를 쓸려고 얼굴에 꽂아놓은 작달막한 빗자루 같았다. "왜 플로렌스가 어디 갔는지도 모르는 레베카를 찾느라 고생해야 해요? 가정부들은 어차피 한심한 동네 멍청이랑 엮여서 임신해 갖고 도망쳐버리는 거 다 알잖아요. 애, 너, 그 접시 이리 가져와라."

"네, 알겠습니다." 나는 접시를 들고 시선은 바닥의 황금 타일에 고정했다. "여기 있습니다."

그 여자는 성냥개비 같은 손가락으로 꼬치 두 개를 집어 들었다. "이제 여기 아가씨들에게 한 바퀴 돌려라."

내가 고개를 들었다. "아가씨요? 이 아줌마들 말인가요?"

그 여자가 갑자기 가느다란 머리를 뒤로 휙 젖히자 목이 똑 하고 부러져 바닥을 데굴데굴 구를 거 같았다.

"너 방금 우리를 아줌마들이라고 부른 거니?" 그 여자가 눈에 눈물이 고일 정도로 깔깔 웃었다. "아유, 세상에. 이거 정말 웃기네. 키키, 캐럴라인, 사데. 이 애가 방금 우리보고 아줌마라네요."

모두 웃음을 터트렸다. 마치 미친 사람들이 합창하는 듯했다.

"죄송합니다. 제가 잘 몰랐어요."

"여러분, 왜 그러세요?" 웃음소리 너머 누군가의 목소리가 들렸다. 아주 멀리서 들리는 목소리, 마치 말하기 전에 꿀을 잔뜩 먹은 듯한 목소리였다. 쳐다보고 싶었지만, 차마 고개를 돌릴 수 없어 귀만 쫑긋해서 목소리를 잘 기억해두었다.

"우리 아줌마 맞잖아요. 애를 무안하게 할 필요가 있어요? 재밌지도 않고요. 하나도요."

"티아는 또 뭐가 마음에 들지 않아서 저런대요?" 초록 눈이 축구공 머리에게 속삭였다.

축구공은 자기 입 냄새가 고약하다는 듯 코를 씰룩거렸다. "허구한 날 오존층 얘기만 하잖아요. 이상한 여자야."

"쯧쯧, 잠자리를 좀 즐겨야 애가 들어설 텐데." 초록 눈이 코웃음을 쳤고 삐쩍 마른 여자는 고기 꼬치를 또 하나 집어 들었다.

"아두니, 내가 뒷마당에 있으라고 하지 않았니." 빅 마담의 목소리가 들려왔다. 그녀가 걸어오자 붉은 부부가 바닥을 온통 휩쓸었고 어깨의 노란 리본이 위아래로 흔들렸다. 들고 있던 와인 잔의 붉은색 음료가 둥글게 흔들렸다. "고기 꼬치 다 돌렸으면 여기서 나가라. 네 목소리가 다시 들렸다가는 컵으로 네 머리를 내리칠 거야."

"네, 알았습니다."

"압둘 의원이 조녀선의 선거 캠페인을 지지하기로 했다면서요?" 초록 눈이 말했다. "제일 반대하던 사람 아니에요. 역시 돈이면 다 되나 봐요."

"남편이 아소 록이랑 내일 미팅이 잡혀 있대요." 삐쩍 마른 여자가 내 그릇에서 고기 꼬치를 두 개 더 가져가 화가 난 듯 우걱우걱 씹으며 말했다. 이렇게 말랐는데, 먹은 음식이 다 어디로 가는 거야?

"그이가 오일 수익 건으로 빌라 대통령에게 호출당하고 집에 올 때마다 돈을 아주 그냥 여행 가방으로 싸 들고 와요. 선거가 코앞으로 닥치면 아마 트럭으로 싣고 오겠죠. 내가 조신하게 굴어야 그이가 다음 주에 당일치기로 해러즈*로 보내주지 않겠어요. 구찌 악어가죽 백이 날 부르니까."

"5천짜리요? 대나무 손잡이 달린 거?" 초록 눈이 물었다.

"5천 뭐요? 달러요?" 축구공 머리가 물었다.

"자기야, 파운드지." 삐쩍 마른 여자가 답했다. "라둔 의원 50세 생일 파티 때 들고 가려고요. 지난달에 하비 니콜스**에서 그 신발 구했거든요! 15센티미터짜리 빨간색 밑창이 그야말로 환상적이에요. 백이랑 아주 잘

---

*/** 해러즈, 하비 니콜스: 모두 영국에 있는 백화점 이름이다.

어울리겠죠?"

세상에, 맙소사. 이 부자들 머리가 잘못됐나. 왜 바닥이 시뻘건 신발을 신겠다는 거야? 누가 밑창이 빨간 신발을 신어? 이따가 밤에 <나이지리아에 관한 사실들> 책에서 찾아보면 나와 있을지도 몰라. 왜 나이지리아 부자들이 밑창이 빨간 신발을 신으려는지.

"난 구찌 별로던데." 초록 눈이 말했다. "내가 에르메스 버킨 백을 얼마나 오랫동안 기다리고 있는지 다 알죠? 아유, 8개월째인데. 내가 장담컨대, 라고스에 그 백 가진 사람 한 명도 없다고요. 그나저나, 롤라 남편 애인이 임신했다면서요? 벌써 쌍둥이를 낳는다는데."

"우리 이제, 이코이의 고아원 설립을 위한 기금에 관해서 얘기하면 안 될까요?" 누군가 이렇게 말했다. 누가 말한 건지 내가 얼굴을 들기도 전에 깡마른 여자가 "그럴 줄 알았어! 내 그럴 줄 알았다고. 내가 롤라에게 눈치를 줬잖아요. 안 그래요? 애들 좀 모아다가 단단히 혼쭐을 내라니까. 그런데 롤라가 성경을 들먹이더니 하나님이 대신 싸워주실 거라나, 그러더라고요."

접시를 들고 다니는 내내 값비싼 가방과 신발을 달러로 샀네, 파운드로 샀네 하는 얘기와 누군가의 남편이 애인을 임신시켰네, 그게 아니네 하는 여자들의 수다가 끝도 없이 이어졌다.

마지막으로 제일 구석에 혼자 서 있던 여자에게 접시를 내밀었다. 그 여자는 멍한 눈빛으로 내가 여기 왜 있지, 하는 듯했다. 분홍색 티셔츠에 청바지, 흰색 캔버스 운동화 차림이었다. 다른 여자들과 달리 좀 젊어 보였고 갸름한 달걀 모양의 얼굴에 피부는 구운 케슈너트 색이었다. 머리카락은 모두 세심하게 꼬아 수백만 가닥은 돼 보였다. 땋은 머리 중 일부가 얼굴 쪽으로 내려왔고, 동그랗게 말린 끝이 코 위에서 달랑거리기도 했다. 나머지 땋은 머리는 한가운데로 모아 고무줄로 묶었다. 화장기는 없는 대신 입술만 빨개서 마치 내가 들고 있던 접시 가운데 놓인 체리 같았다. 왼쪽 콧구멍에 금색 링이 달려 있었다.

내가 접시를 내밀자 그 여자가 철사로 둘러싸인 하얀 이를 드러내며 웃어 보였다. "우리 아줌마들 맞아." 다름 아닌 그 꿀 목소리였다. 속삭이듯 말했지만 분명했다. "신경 쓰지 마."

세상에, 무슨 목소리가 음악 소리 같았다. 배 속에서 무언가 몽실몽실하게 피어오르는 듯하고 갑자기 노래가 부르고 싶어졌다. 절로 미소가 지어졌다. 나는 가만히 눈을 들어 그 여자의 얼굴, 하얀 캔버스 운동화, 청바지를 입은 짧고 가는 다리를 보았다. 그녀가 단정히 깎은 손톱으로 고기 꼬치를 집어 들었다. "고마워."

고마워.

이 집에서 한 번도 들어보지 못한 말이었다. 나는 눈을 껌뻑이며 그 여자의 얼굴을 쳐다보았다. 왜 나한테 고맙다고 하지? 접시를 들어줘서? 아니면, 그냥?

"고마워." 그 여자가 환상적인 목소리로 다시 말했다. "네가 플로렌스 부인 밑에서 일하는 게 즐거웠으면 진심으로 좋겠구나."

"친절하시군요. 저한테 고맙다고 하시다니. 이카티를 떠난 후로 저한테 고맙다고 한 사람은 아무도 없었어요."

"그렇구나. 이제 가보렴." 그녀가 내 어깨를 살짝 만졌다.

그 손길에 흠칫 놀라고 말았다. 누군가의 손이 내 몸에 닿자 전기 충격기로 지지기라도 한 것처럼 깜짝 놀랐다. 나도 모르게 접시를 떨어뜨려 고기 꼬치가 발 옆으로 산산이 흩어졌다.

"너 괜찮니?" 꿀 목소리 여자가 물었다.

바닥에 나뒹구는 꼬치 여섯 개를 보자 그저 엄마 생각만 났다. 지금, 이 순간, 엄마가 2~3분만 살아나준다면. 그래서 빅 마담에게 나를 때리지 말아달라고 말해줄 수 있다면. 아니면 마법이라도 부려서 꼬치가 모두 바닥에서 없어질 때까지 나를 어딘가로 숨겨줄 수 있다면. 그것도 아니라면….

"울지 마. 자, 내가 도와줄게. 조금만 뒤로 가봐. 내가…."

"아닙니다. 아닙니다. 제가 하겠습니다." 내가 눈물을 훔쳤다.

무릎을 굽혀 꼬치 하나를 미처 줍기도 전에 갑자기 차갑고 묵직한 무언가가 내 머리에 느껴졌다. 꿀 목소리 여자가 소리를 질렀다. "플로렌스, 당신 돌았어요?" 나는 그렇다고, 내 머리가 진짜 돈 거 같다고 말하고 싶었다. 머리 안에서 불이 활활 타오르는 느낌이었다. 천장이 무너져서 머리에 정통으로 맞았다고 생각했는데, 고개를 들자 빅 마담이 보였다. 빨간 신발 한 짝을 들고 있었다. 내가 입술을 떼기도 전에 정수리로 또 신발이 날아들었다.

30장

☑ 팩트: 나이지리아 북부에 위치한 잠파라는 2000년 일부다처제를 처음으로 합법 화한 주다.

"내 목소리가 들리니?"

그 여자의 목소리를 들으니 가슴이 따뜻해졌지만 머리는 여전히 뜨겁고 뇌가 두개골 안에서 쿵쿵 울렸다. 주변이 온통 깜깜했다. 내 얼굴과 눈에 무언가 축축한 게 올라와 있었다. 차갑고 부드러운, 천인가?

"눈 좀 떠봐."

냄새. 코코넛 오일, 버터, 흰 백합의 냄새다.

"아두니, 눈 좀 떠봐."

우리는 뒷마당에 있었다. 나는 야외 수도꼭지 근처에 누워 있었고 그 여자가 내 앞에 한쪽 무릎을 굽히고 앉아 있었다. 뒤로는 하늘에서 태양이 잔디를 비추고 있었다. 그 여자의 얼굴에 미소가 떠오르자 이에 붙어 있는 철삿줄이 햇빛을 받아 반짝였다. 나도 미소 짓고 싶었지만 머리가 깨질 듯 아파 입술이 일그러졌다.

"아플 거야."

"너무 뜨거워요."

그 여자가 고개를 끄덕였다. "내가 요리사한테 진통제가 있는지 알아볼게."

얼굴로 액체 같은 게 흘러내려서 내가 만지려고 하자 그 여자가 천을 집어 들어 닦아주었다. 부엌에서 쓰는 회색 행주였다. 하지만 그 여자가 내 얼굴을 닦자 행주가 이내 붉게 물들었다.

"저 지금 피 나요? 빅 마담이 세게 때린 거예요?"

"보기보다 괜찮은 거 같아. 좀 어떠니?"

"보코하람이 머리 안에다 폭탄을 던진 거 같아요."

그 여자가 웃음을 터트렸다. "네 안주인이 화가 많이 났어. 너보고 밖에서 일하라고 했다며? 왜 안에서 손님들에게 서빙을 했니?"

"코피 아저씨가 도와달라고 했거든요."

그 여자가 웃음소리와 음악이 흘러나오는 집 쪽을 흘끗 쳐다보았다. "후, 그냥 여기서 너랑 있는 편이 낫겠다."

우리는 마치 어릴 때부터 사귄 친구처럼 바닥에 나란히 앉았다. "WRWA에 참석한 건 이번이 두 번째야." 한동안 말이 없더니, 그 여자가 다시 입을 열었다. "남편이 동네 주민들이랑 좀 더 친하게 지내보라고 하더라. 그이는 내가 고지식하다고 생각하거든. 머리는 어때? 좀 나아진 거 같아?”

“네, 마담. 나아졌습니다. 친절하시군요.”

“마담이란 소린 하지 말아줘. 그냥 티아라고 부를래?”

“마담 티―야?”

“미즈 티아.”

“미즈 티아.” 내가 웃어 보였다. “원하시는 대로 부를게요.”

“몇 살이니?”

“열네 살이에요.”

“열네 살?” 미즈 티아의 표정이 굳었다. “그럼 안 되는데… 플로렌스가 미성년자를 가정부로 고용하면 안 되는데. 아무래도 내가 말을….”

“안 돼요.” 내가 거의 소리를 지르다시피 말했다. 미즈 티아가 걱정스러운 표정으로 나를 쳐다보자 억지로 웃어 보였다. “그러니까, 빅 마담에게 저에 대한 얘기는 하지 말아주세요. 그냥 여기서 지내게 해주세요.” 이 여자에게 내가 장학금을 신청할 때까지는 여기서 지내야 한다고, 이곳 말고는 갈 데가 아무 데도 없다고 어떻게 설명한단 말인가.

“그래.” 아주 느리고, 무거운 말투였다. “아무 말도 안 할게. 그런데, 너어디 출신이니? 아까 음식 서빙 할 때 이카티라고 그랬지? 그게 어디 있는 거야?”

이카티가 어디에 있는 마을인지 설명할 수는 없지만, 라고스까지 한참을 자동차로 왔기 때문에 여기서 멀다는 건 안다고 했다.

“여기서 네가 어떻게 지내고 있는지, 그건 물어볼 필요도 없지. 행복하지 않을 게 뻔하니까.”

나는 고개를 푹 숙인 채 가로저었다. “여기서 먼 곳에 사세요?”

“지난해에 이 동네로 이사 왔어. 아니지. 나만 왔구나. 남편은 늘 이 동네에 살았으니까. 나는 잉글랜드에서 살았었어. 잉글랜드 아니? UK.”

에이드라는 아저씨가 떠올랐다. 엄마 친구였다고 했지. “UK라는 말을, 해외라는 말을 들어보긴 했어요. 텔레비전에서 CNN 뉴스를 본 적이 있거든요.”

그 여자가 무언가를 생각하는 듯 손톱으로 턱을 긁었다. “학교는 다녔니?”

“잠깐 다녔어요. 돈도 없고 엄마가 죽어서 마치진 못했지만요. 하지만 지금 코앞에 닥친 시험에 합격하려면 영어를 열심히 공부하고 스피킹을 열심히 연습해야 해요. 그래서 <나이지리아에 관한 사실들>이랑 <콜린스>를 읽고 있어요.”

“콜린스? 아, 사전 말이구나?” 미즈 티아가 내 얼굴을, 내 눈동자를 빤히 들여다보았다. 마치 내 눈동자 깊숙한 곳에서 무언가를 찾는 듯, 나를 처음 본다는 듯한 표정이었다. “플로렌스가 너를 학교에 보낼 생각이라니, 그거 아주 놀라운데! 읽을 만한 책도 좀 달라고 말씀드려봐. 문법 책도 읽으면 시험에 대비하는 데 도움이 될 거야.”

“네, 마담. 아니, 미즈 티아.” 빅 마담은 나를 학교에 보낼 생각이 전혀 없다는 말을 어떻게 하지?

“레베카를 아세요?” 갑자기 내 베개 밑에 둔 구슬 허리끈이 떠올랐다. 어쩌면 미즈 티아가 알고 있을지도 몰라.

"사람들이 그 애에 대해서 말하는 걸 듣긴 했지. 실제로 본 적은 없어. 그건 왜 묻는 거니?"

"그냥요. 그 애가 전에 이 집에서 일했었는데 지금 없어졌거든요. 코피 아저씨에게 물어보니까 남자 친구랑 도망갔을 거라고 하더라고요."

"아마 그랬을 거야. 그런 일이 자주 일어나더라고."

미즈 티아와 이런 얘기를 하고 있으니 머리의 통증이 점점 사라지는 듯했다. 그 여자의 꿀 같은 목소리가 마치 약 같고 웃음소리는 시원한 물 같아서 내 뜨끈한 머리를 식혀주었다. 나는 미즈 티아가 서둘러 안으로 들어가버리지 않길 바랐다. 그래서 좀 붙잡아두려는 마음에 머릿속에 떠오르는 대로 이런저런 질문을 던지기 시작했다. "태어나서 지금까지 계속 나이지리아에서 살았어요? 언제 해외로 간 거예요?"

"난 라고스에서 태어났어. 초등학교도 여기서 다녔지. 정확히는 이코이야. 아빠가 포트하커트에 있는 석유 회사에 취직하셨거든. 그래서 이사 왔지."

미즈 티아가 포트하커트를 발음할 때 혀로 부드럽게 감싼 단어가 마치 춤을 추는 것처럼 들렸다.

"그러니까 내 인생 대부분을 포트하커트에서 살았다고 할 수 있지. 대학을 서리(Surrey)로 가기 전까진 말이야."

"왜 소리라고 해요? 우울한 곳인가요?"

미즈 티아가 손으로 햇살을 가리며 웃었다. "아니, 멋진 곳이야. 그게, 다른 말인데."

"오빠나 언니 있어요? 엄마는 어디 계세요?"

"난 외동딸이야." 무덤덤한 말투였다. "부모님은 아직도 포트하커트에 사셔. 아빠는 여전히 석유 회사에서 일하고. 엄마는 지난해에 아프기전까지 포트하커트 대학에서 사서로 일하셨지."

"엄마가 아파요?" 감정이 울컥 몰려왔다. "엄마가 아픈 건 세상에서 제일 나쁜 일이에요. 엄마가 아팠을 때 나는 제대로 살 수가 없었어요. 엄마가 돌아가실 때까지 매일 울었어요. 지금도 가끔 울어요. 거의 매일 울어요. 미즈 티아도 매일 우나요?"

미즈 티아가 한숨을 내쉬었다. "아니, 울진 않아. 엄마가 돌아가셨다니 참 안됐구나. 너랑 사이가 좋았나 본데."

"엄마요?" 나는 가만히 미소를 지었다. "엄마는 나의 모든 것이었어요. 제일 친한 친구요. 모든 것이요."

"엄마랑 사이가 돈독한 건 좋은 거지. 나는… 음, 이걸 어떻게 설명한다? 재배치… 그러니까 다시 왔어. 지난해에, 나이지리아로."

보아하니 미즈 티아는 엄마가 아프다는 사실에 그다지 신경을 쓰지 않는 눈치였다. 아니면 엄마 얘기를 하기 싫거나.

"왜 나이지리아로 돌아왔어요? 엄마가 아파서요?"

"내가 오고 싶어서 온 거야. 라고스 환경 자문 회사라는 작지만 아주 탄탄한 회사에서 근무하게 됐거든. 꼭 여기서 일하고 싶었어. 또…" 미즈 티아가 얼굴에서 삐져나온 털을 잡아 뽑아 손가락으로 돌렸다. "남편을 만나 결혼하게 됐으니까." 남편 얘기가 나오자 목소리가 완전히 하이 톤으로 바뀌면서 눈동자가 반짝였다. "그이 이름은 켄이야. 케네스 다다. 의사지. 좋은 사람이야. 여자들이 임신하게 도와준단다."

내 시선이 곧장 미즈 티아의 배에 꽂혔다. 티셔츠 아래 저 납작한 배에? 아기가 들어 있다고?

"나는 아이가 없어." 미즈 티아가 마치 내 생각을 읽은 듯 말했다.

"아이가 없어요?" 화분 뒤에서 도마뱀이 재빠르게 기어 나왔다. 나와 미즈 티아를 빤히 쳐다보며 천천히 눈을 깜빡였다. 마치 졸음을 참는 것처럼. 그리고 오렌지색 머리를 위아래로 끄덕이더니 마당 반대편으로 가로질러 갔다.

미즈 티아가 도마뱀을 응시했다. "없어. 우린 아이를 원하지 않거든."

"아이를 원하지 않으세요. 한 명도요?"

진짜, 정말이지, 지금까지 살면서 아이를 원하지 않는 성인 여성은 처음 보았다. 내가 살던 마을에서는 모든 성인 여성은 아이가 있고, 몸이 좋지 않아서 임신하지 못하면 남편이 얼른 다른 여자랑 결혼해서 먼저 결혼한 여성이 창피를 당하지 않도록 했다. 미즈 티아가 걱정됐다. "그럼 미즈 티아가 아기를 낳지 않으면 남편이 다른 여자랑 결혼하겠네요?"

미즈 티아가 작은 종이 댕그랑 울리는 것처럼 웃음을 터트렸다. "하하, 그럴 리는 없지. 사람들이 아이를 낳지 않기로 선택하는 데는 여러 가지 이유가 있단다."

미즈 티아는 나보다 나이가 많은 어른이지만, 나는 마치 그녀가 하는 말을 다 이해한다는 듯 고개를 주억거렸다.

"얼마 안 된 얘긴데…." 임신을 막으려고 모루푸의 집에서 약을 먹던 일이 떠올랐다. "저는 임신하게 될까 봐 되게 무서웠어요. 왜냐면 제가 살던 마을에선 사람들이 여자애들보고 빨리 임신하라고 하거든요. 하지만 전 학교부터 마치고 싶었어요. 엄마가 죽기 전에 제가 학교 공부를 마칠 수 있게 하려고 고생을 많이 했거든요. 엄마는 정말이지 이 세상에서 최고의 엄마였어요. 나는 학교를 마친 다음에 직장을 찾아서 좋은 남자랑 결혼하겠다고 마음먹었죠. 하지만 아빠가 저한테 그다지 잘해주는 편이 아니라서 딸은 학교에 갈 필요가 없다고 했어요. 하지만 나는 아빠랑 생각이 달라서 아빠 같은 남자랑 결혼하기 싫었어요. 절대로요. 나는 열심히 일해서 내가 원할 때 아이를 갖고 아이를 아주 좋은 학교에 보내고 싶었어요. 아이들이 전부 딸이어도요. 그래서 언젠가 이카티로 돌아가서 아빠한테 제가 사는 모습을 보여주고, 아이들이랑 내가 모은 돈도 보여주면 아빠가 나를 자랑스러워할 거라고요."

언젠가는, 어쩌면 내가 이카티에서 도망친 일로 아빠가 화를 내지 않게 될지도 몰라. 이런 생각이 들자 기분이 가라앉았다. "제가 살던 마을에 좋은 친구가 있었어요. 카디자라는 사람이에요. 그 친구가 아이들은 기쁨을 가져다준다고 했어요." 내가 가만히 웃었다. "어쩌면, 언젠가는 나도 그 기쁨을 알게 되겠죠. 그리고 아빠와 함께 기뻐하고요. 행복한 할아버지가 되게 할 수 있을지도 몰라요."

미즈 티아가 천천히 고개를 끄덕이며 나를 뚫어져라 쳐다봐서 살짝 불편해졌다.

"미즈 티아는 어때요?" 내가 고개를 갸웃거리며 이런 질문을 하다니 나도 내가 의외였다. "학교도 마쳤고, 직업도 좋고, 아이를 원하지 않는 이유가 뭐예요?"

미즈 티아의 표정이 딱딱해졌다. 이런, 내가 미즈 티아를 화나게 했구

나. 이제 빅 마담이 했던 것처럼 신발로 내 머리를 내리쳐 뇌가 산산이 흩어질지도 몰라. 그런데 미즈 티아는 신발을 벗지 않았다. 눈썹을 찡그린 채 매서운 눈길로 쳐다보기만 했다. 그러더니 일어나서 바지에 묻은 모래를 털었다.

"다친 게 얼른 나았으면 좋겠구나. 너랑 얘기해서 좋았어."

미즈 티아가 내 앞에서 사라지자 후회가 몰려왔다. 이놈의 입방정. 왜 입을 함부로 나불댔지. 왜 그렇게 멍청하고 어이없는 질문을 했지?

31장

☑ 팩트: 나이지리아의 영화 산업은 날리우드라고 불린다. 매주 50편 이상의 영화를 제작하며 약 50억 달러의 가치가 있다. 이는 인도의 발리우드에 이어 세계에서 두 번째로 높은 수치다.

빅 마담이 내 머리를 박살 나게 때린 다음 날, 또 나를 찾았다.

거실에 가보니 빅 마담이 한쪽 다리는 의자 손잡이에 다른 쪽 다리는 바닥 쿠션 위에 떡 올려놓은 채 소파에 앉아 있었다. 텔레비전에서는 오래된 요루바 영화가 시끄럽게 떠들어댔다. 텔레비전에 나온 남자는 소라고둥을 단 붉은색 옷을 입은 채 흰 닭을 들고 있었다. 검게 칠한 얼굴에 흰 점이 무수히 많았다. 그는 닭에게 자신을 부자로 만들어달라고 애걸복걸하는 중이있다.

"마담?" 나는 빅 마담 앞에 무릎을 꿇으면서도 곁눈으로 텔레비전에서 눈을 떼지 않았다. 남자는 이제 한 발로 춤을 추며 닭을 빙글빙글 돌리고 있었다.

빅 마담이 리모컨을 누르자 화면이 멈췄다. 남자는 한쪽 팔과 다리가 공중에 붕 뜬 채로 멈춰 서 있어 마치 조각상이 날아가는 듯했다.

"머리는 어떠냐?" 빅 마담이 차라리 내 뇌가 부서져버렸으면 하는 눈길로 쳐다봤다.

"괜찮습니다."

"다음번엔 두개골을 확실히 두 쪽 내주마. 그래서 내가 지시를 내리면 그게 뇌의 정확한 위치에 박히도록." 목소리가 점점 커졌다. "내가 어리석은 행동은 절대 용납하지 않는다는 걸 알고 있을 거야. 손님이 오면 밖에 있으라고 말했지. 거실로 들어오지 말라고. 거실로. 들어오지. 말라고. 여기서 어느 부분이 이해가 가지 않았니?"

"이제 이해합니다."

"어제 티아 다다가 우리 집에 온 게 너한테는 하늘이 도운 줄 알아라. 그러지 않았으면 내가 널 죽였을지 어떻게 아니! 그 앵앵거리는 여자는 도대체 누가 초대했는지 모르겠어. 내가, 내 집에서, 내 가정부를 훈계 좀 했다고 경찰을 부르겠다고 나서는 꼬락서니라니! 나이지리아에서 빅 마담을 체포할 수 있는 경찰이 어딨다고! 내가 누군지는 아는 거야? 나이지리아에서 이름깨나 났다는 사람들에게 옷으로 줄을 대는 게 나인 줄 모르는 거야? 무슨 죄명으로 나를 체포하겠다는 거야? 치프 미시즈 플로렌스 아데오티를 체포할 수 있는 경찰이 대체 누구야? 자기가 뭐라고 생각하는 거야?" 그러고는 금색 부부 끝자락을 들어 올려 후 하고 안에 바람을 불어넣었다.

"이게 다 닥터 켄 잘못이야. 우리가 몰라라랑 결혼해서 그냥 살라고 했더니 싫다고 그랬지. 자기의 바람을 이해해주는 여자를 원한다나. 무슨 놈의 이해? 지금 사는 꼬락서니를 한번 보라지. 오만한 헛똑똑이 같으니 라고. 결혼한 지 1년이 다 돼가는데 임신할 기미도 보이지 않잖아."

미즈 티아를 헐뜯는 말을 듣고 있으려니 가슴이 덴 듯 답답했다. 성난 불이 활활 타오르는 듯해 나도 빅 마담에게 퍼붓고 싶었다. 미즈 티아의 목소리는 꿀처럼 달콤하고 마음씨는 또 얼마나 고운데요! 다 그럴 만한 이유가 있어서 임신하지 않은 거예요. 하지만 실제로 이런 말을 했다간 빅 마담이 칼로 내 목을 그어버리겠지.

"너 귀가 몇 개니?"

"두 개입니다."

"자, 네 귀를 바짝 당겨라. 그래. 당겨. 이렇게." 빅 마담이 내 오른쪽 귀를 손톱으로 쪽 당겼다. "잘 들어라. 다음 주에 내가 여행을 간다. 스위스 랑 두바이에 갈 거야. 애들 만나러 UK에도 들를 거다. 하나님이 살펴주신 다면 2주 정도 후에 돌아올 거야."

"네, 알았습니다."

"내가 없는 동안 행동거지 똑바로 해라. 코피 입에서 네가 엉뚱한 짓을 했다는 말이 나왔다간 알아서 해. 알았니?"

"네."

"집에서 필요한 품목 적었어?"

"이제 나가면 적으려고 했습니다. 아부 아저씨에게 드릴게요."

"빅 대디도 집에 없을 거다. 찢어지게 가난한 자기 친척 만나러 이예부에 간다니까. 내가 집에 오기 전에 빅 대디가 먼저 돌아오면 가까이 가지 마라. 뒷마당으로 오면 네 방으로 가. 너를 찾으면 대답하지 마. 내가집에 있을 때만 빅 대디의 말에 대답해. 정말이지 내가 해외에 나가 있을 때 집에 여자 가정부들을 두는 건 내키지 않는다니까."

빅 마담이 고개를 저었다. "이케자에 사는 내 여동생도 여행 중이야. 내 마음의 평화를 위해 너를 동생네 집에 데려다주면 좋으련만." 빅 마담이 리모컨을 누르자 텔레비전에서 영화가 계속되었다. "코피에게 너를 돌봐주라고 말해두었다. 그가 너를 주시할 거야. 코피가 하라는 대로, 그대로 해라. 그 사람 입에서 불만이 한 마디라도 나왔다가는 널 길거리에 내다버릴 거야. 콜라 씨에게 데리러 오라고 하지도 않을 거야. 쓰레기 버리듯 그냥 버려버릴 거야. 알아들었니? 알았냐고?"

"네, 알겠습니다. 저, 뭐 하나 물어봐도 될까요?"

"뭐?"

"레베카에 관한 건데요. 왜…"

"나가." 갑자기 빅 마담이 버럭 소리를 질러 심장이 떨어질 뻔했다. "너 따위가 왜 레베카에 대해 물어? 걔가 누군데? 그런 질문을 하다니 머리가 있는 거야, 없는 거야." 빅 마담이 허리를 숙여 왼쪽 신발을 벗기 시작하자 나는 잽싸게 일어나 뛰었다. 그때 신발 한 짝이 휭 날아와 유리문에 쾅 부딪혀 유리가 깨질 뻔했다.

뒷마당 야외 수도꼭지 근처에 아부 아저씨가 있었다. 바지를 무릎까지 걷은 아부 아저씨 옆에 파란색 프레이어 케틀*이 있었다.

"아부 아저씨, 안녕하세요." 내가 숨을 몰아쉬며 인사했다.

아부 아저씨랑 별로 말해보진 않았지만 눈이 마주치면 웃으며 인사하곤 했다. 아저씨가 오후 예배를 드리러 나갈 때는 자동차 타이어를 같이 씻기도 했다.

"잘 잤니, 아두니." 아부 아저씨가 수도꼭지를 틀어 주전자를 채웠다. "왜 그렇게 뛰니? 내가 뭐 도와줄까?"

코피 아저씨처럼 아부 아저씨도 특유의 억양과 발음이 있다. 아부 아저씨는 p를 f로 발음했다. 그래서 헬프(help)라고 말할 때 끝에 p 발음이 아니라 f 발음이 나게 말했다. 또 아저씨가 환타(Fanta)를 마시고 싶다고 할 때면 판타(Panta)라고 말하는 것처럼 들렸다. 처음에는 아저씨 말을 잘 이해할 수 없었지만 이제는 전부 알아듣는다. 모든 사람이 조금씩 다르게 말하는 거 같았다. 빅 마담, 미즈 티아, 코피, 아부 아저씨도 그렇고. 나도, 아두니도 그렇고. 다들 살아온 모습이 다르니까 그렇게 된 게 아닐까. 하지만 조금만 귀를 기울이면 다 알아들을 수 있다.

"빅 마담한테서 도망치는 길이에요." 그 말을 하는데 갑자기 웃음이 터져 나왔다. 웃음이 한 번 터지자 멈추지 않아 가슴이 아플 때까지 웃었다. "아, 그냥 간단한 것 하나 물었을 뿐인데 신발이 날아오잖아요. 정말이지, 저 여자는 문제가 심각해요. 어쨌든 아저씨한테 장 볼 목록 드리래요. 쇼핑할 거요."

* 프레이어 케틀(Prayer Kettle): 예전에 흑인 노예들이 글을 읽고 쓰는 걸 금지당하자 백인 주인들의 눈을 피해 주전자를 붙잡고 기도했다.

"차 안에 둬라." 아저씨가 수도꼭지를 잠갔다. "기도 끝내고 난 다음에 코피랑 숍라이트 매장에 갈 거다."

"알았습니다." 그리고 나는 목소리를 낮췄다. "아부 아저씨, 뭐 물어보고 싶은 게 있는데요. 레베카 아시죠?"

아부 아저씨가 바닥에 침을 탁 뱉더니 손등으로 입을 훔쳤다. "너 오기 전에 마담을 위해 일했던 아이 말이냐? 내가 잘 알지."

내가 고개를 끄덕였다. "네. 그런데 그 애가 왜 없어졌는지 아세요? 코피 아저씨는 계속 모른다고만 하세요. 남자 친구랑 도망간 거 같다나. 궁금해서 빅 마담에게 물어본 건데 갑자기 신발을 던지잖아요. 그래서 아부 아저씨가 알지도 모르니까 물어보는 거예요."

"정말, 아두니. 넌 문젯거리만 찾는구나." 아부 아저씨가 플라스틱 주전자를 쥐더니 서둘러 걷기 시작했다. "코피가 도망간 거라고 하면 그대로 믿고 더 이상 묻지 마라."

"아부 아저씨, 잠깐만요!" 내가 소리쳤지만 아저씨는 직원 숙소 모퉁이를 돌아 기도실로 사라졌다.

32장

☑ 팩트: 음악계의 전설, 펠라 쿠티의 어머니 푼밀라요 랜섬-쿠티는 여성이 남성과 동등한 교육을 받을 수 있도록 투쟁했던 유명한 페미니스트다.

빅 마담이 해외로 출발한 다음 날, 미즈 티아가 찾아왔다.

내가 아래층 화장실에서 변기에 머리를 처박고 벅벅 닦고 있는데 코피 아저씨가 나를 찾는 손님이 왔다고 했다. 처음에는 아빠가 마을 사람을 몽땅 끌고 찾아온 게 아닌가 싶어 덜덜 떨었다. 하지만 응접실에 가보니 미즈 티아가 앉아서 흰색 캔버스 운동화의 끈을 매고 있었다. 딱 붙는 검은색 바지와 소매 없는 셔츠 차림이었다. 미즈 티아가 나를 보고 활짝 웃었다.

"안녕."

"안녕하세요. 저를 찾으셨어요?" 어쩌면 내가 저번에 이상한 질문을 해서 아직도 화가 나 있는지도 몰라. "제가 저번에 한 말 때문에 화나셨죠? 제가 가끔 말을 너무 많이 해서…."

미즈 티아가 손을 올려 내 말을 막았다. "나, 사실 사과하러 온 거야. 내가 그 질문을 많이 받는데 너도 그걸 물었다고 해서 그런 식으로 와버리면 안 되는 거였어. 내 행동이 옳지 못했어. 미안하다."

"나한테 미안하다고요?" 이 여자 정말 이상한데.

"저번에 너랑 대화했던 게, 그게 참…." 미즈 티아가 머리를 긁적이며 땋은 머리를 귀 뒤로 넘겼다. "그러니까… 이상하게 계속 생각나더라고. 참 이상했어."

무슨 말을 하는 거야?

미즈 티아가 응접실을 둘러봤다. "마담 안 계시지, 그렇지? 저번에 모였을 때 해외에 간다고 그랬거든. 지금 내가 여기 왔다고… 그러니까 네가 나랑 얘기를 했다고 네가 곤란해지거나 그러진 않겠지. 그렇지?"

"괜찮습니다."

우리는 한동안 말없이 서 있었다. 미즈 티아가 먼저 입을 뗐다. "네가 저번에 한 말 있잖아. 내 이유랑, 그런 거. 그 말을 듣고 내 안에 있던 뭔가가 쑥 올라온 거 같아."

"뭐가 올라와요?" 무슨 말인지 어리둥절해서 가만히 팔짱을 끼고 그녀를 쳐다보았다.

미즈 티아는 시선을 어디에 둘지 몰라 두리번거리며 손을 비벼댔다. "그러니까 이틀 전 이른 아침에 레키-이코이 브리지에서 조깅을 하고 있었거든. 뭐, 다 괜찮았어. 뛰는 속도도 좋았고 그랬는데, 다리 중간에서, 딱 갑자기 각성이 된 거야.”

“각, 뭐라고요?”

미즈 티아가 손을 휘두르며 눈을 둥그렇게 떴다. “무언가를 확 깨닫게 되는 순간 같은 거야. 내가 아기를 원하고 그런 문제에 대한… 우리가 나눈 대화 덕분에 말이야.” 그러고는 와하하 웃더니 갑자기 뚝 그쳤다. “내가 이상하니?”

“네, 되게요.” 이상하다. 이 여자가 갑자기 머리가 이상해졌나. 부자들은 참 뇌에 문제가 많네. 진짜로.

“그렇구나. 지금 내가 좀 흥분해서 그래. 이제 집에 가야겠다. 조심해서 잘 지내. 그리고 시험 잘 보길 바라.” 미즈 티아가 돌아가려고 했다. 그때, 나는 알 수 있었다. 내가 이대로 보낸다면 다시는 볼 수 없을 거라는 걸. 그래서 미처 생각을 정리하기도 전에 팔짝 뛰어올라 그녀의 손을 덥석 잡았다.

미즈 티아가 깜짝 놀라 팔을 붙잡은 내 손을 쳐다보았다. “왜 그러니?”

“죄송합니다. 화내지 말아주세요.”

“왜 그러는데?”

나는 미즈 티아가 짜증을 내며 소리 지르길 기다렸다. 하지만 그녀는 잠잠했다. 평온해 보였다. 부드러운 눈길이었고 미소를 띠고 있었다. 나는 얼른 바닥에 꿇어앉았다. “저한테 시험에 대해 물으셨죠?” 그리고 브래지어 안에 숨겨둔 신문지를 끼낸 다음 잘 펴시 긴넸다. “시험이 있는 세 아니라요. 미즈 티아의 도움이 필요합니다. 저를 추천해줄 사람이 필요합니다."

"추천서? 왜? 아유, 얼른 일어나렴." 미즈 티아가 나를 잡아 올렸다. "신문에 뭐라고 쓰여 있는데?" 미즈 티아가 신문을 펼치고 조용히 읽었다. 눈동자가 신문지 위로 왔다 갔다 했다. "그렇구나." 미즈 티아가 신문지를 접어 다시 내게 주었다. "국내 근로자를 위한 장학금 제도라니. 아주 훌륭한 제도야. 이건 플로렌스는 전혀 모르는 일이겠구나?"

"이 일을 알면 절 죽일 거예요. 하지만 전 도전해서 꼭 들어가야 해요."

"왜 이렇게 서두르는 건데?"

갑자기 눈앞이 가물거렸다. 손가락으로 입술을 꾹 눌렀다. "제가 평생 기다려온 기회예요. 제발." 눈물이 목구멍으로 넘어갔다. "마지막으로 지원할 수 있는 나이가 열다섯이에요. 제발."

미즈 티아가 자세를 바꿨다. "솔직히 말하자면, 내가 네 보증인이 되어줄 만큼 너를 잘 알지 못하는데…."

"빅 마담이 지금 여행 중이잖아요. 그래서 나이지리아가 독립을 찾은 것처럼, 지금 저도 독립할 길을 찾으려고 하는 거예요. 물론 제 독립은 딱 2주 동안이지만요. 영원한 게 아니고요. 저한테 뭐든 물어봐도 돼요. 뭐든 시키면 다 할게요. 2주 동안 알아가면 되잖아요. 2주 동안 진짜 제 모습을 보여줄게요. 그리고 양식에다가 쓰면 되잖아요. 제가 착한 소녀라고, 매일 열심히 일한다고 써주세요. 제발요."

미즈 티아의 입술이 달싹거리더니 짧은 웃음이 터졌다. "넌 내가 살면서 만난 소녀 중 가장 재미있는 아이 같다. 아두니, 너를 꼭 도와주고 싶지만 플로렌스랑 내가 사이가 별로 좋지 않아. 만약 내가 너를 추천하거나 보증인 역할을 해준 걸 알게 된다면…."

"절대로, 영원히 알아낼 수 없을 거예요." 내가 확신에 찬 눈으로 말했다. "영원히, 영원토록 비밀로 할게요. 빅 마담이 저를 매일 때려요. 이번 기회를 잡으면 저는 자유로워질 수 있어요. 제발요." 얼른 그렇다는 대답을 듣고 싶었다. 나를 도와주겠다는 대답이 너무나 간절했다. "저를 도와줄 수 있나요?"

미즈 티아가 한숨을 뱉었다. "네가 날 도와줬으니 그 대가로 나도 이 일을 해줘야겠구나." 내가 뭘 도와줬느냐고 물으려는데 미즈 티아가 "2주 내로 1천 자 내외의 에세이를 써야 하니?" 하고 물었다.

"네." 그 말을 들으니 가슴이 쿵쾅대며 뛰기 시작했다.

"그렇다면…." 미즈 티아가 천장을 올려다봤다가 나를 쳐다봤다. "켄이 이번 주엔 집에 없고, 이달 기사는 처리했고, 내일 저녁에 환경청이랑 잡힌 미팅은 미루면 되고, 카인지 댐 리포트는 하루이틀 늦게 끝내면 되겠구나. 이게 가능할까?"

지금 나한테 말하는 건지 본인한테 말하는 건지 둘 다인지 모르겠지만, 아무튼 나는 계속해서 해주겠다는 대답을 기다리고 또 기다렸다.

"아두니, 잘 들어봐. 이번 주에 내가 시간을 좀 낼 수 있어. 다음 주에도 며칠 낼 수 있을 거야. 네 안주인이 안 계시니까 저녁때 들를게. 그러면 너한테 영어도 좀 가르쳐주고 에세이를 준비하고 스피킹도 연습할 수 있을 거야. 이렇게 해서 훌륭한 추천서를 쓸 수 있을 정도로 너를 알게 된다면 좋겠다. 네가 저녁때 시간을 좀 낼 수 있다면…. 너 어지럽니?"

세상이 빙글빙글 돌았다. 머리가 어지러웠다. "저를 도와주고 가르쳐주겠다고요?" 손을 가슴에 올렸다. "저를요?"

이러고저러고 생각할 틈도 없이 미즈 티아를 와락 안았다. 부자들한테서 나는 땀 냄새, 민트 향 같은 냄새가 났다. 미즈 티아는 가만히 서서 웃었다. 내가 안고 있는데도 버럭 화를 내거나 하지 않았다. 이 부자 여인이 빅 마담처럼 나를 밀어내고 침을 뱉지 않자 나는 슬프기도 하고 행복하기도 했다.

"이렇게 안아서 죄송합니다. 너무 신나서요. 영어 공부를 가르쳐주고 나를 도와주겠다니! 추천인도 되어줄 수 있나요?"

"어려울 건 없을 듯한데. 수고로운 건 아니지. 내일 저녁에 올게. 몇 시가 좋으니?"

"저녁 7시나 7시 30분쯤이면 집안일이 끝나요."

미즈 티아의 눈이 커졌다. "몇 시부터 저녁 7시까지 일하는 건데?"

"새벽 4시 30분이나 5시쯤 일어나요. 청소, 마당 쓸기, 빨래 같은 집안일을 저녁 7시나 7시 30분까지 해요. 하지만 빅 마담이 집에 있으면 어쩔 땐 밤 11시나 12시까지 일하기도 해요."

"새벽부터 자정까지? 그건 미친 짓인데!" 미즈 티아가 혼자 내뱉듯이 말했지만 난 다 들을 수 있었다.

"아두니. 그럼, 내일 저녁에 보자." 미즈 티아가 손가락 두 개를 흔들며 돌아섰다.

"감사합니다. 내일 봬요."

그날 밤, 오랜만에 꿀잠을 잤다. 꿈에 카디자와 엄마도 나왔다. 둘은 모두 무지갯빛 새가 되어 활기차게 날개를 펄럭이며 구름 한 점 없는 푸른 하늘을 높이, 높이 날았다.

33장

"그런데 왜 당신 이에다 철문을 씌웠어요?"

미즈 티아가 영어를 가르치러 온 첫날 밤, 내가 이렇게 물었다. 시계는 7시 15분을 가리키고 있었지만 해가 아직도 높이 떠 있어 주변은 온통 오렌지 빛이었다. 우리는 부엌 쪽 야외 수도꼭지 옆에 있는 야자나무 아래에 자리를 잡았다. 바람 한 점 없어 공기가 텁텁했고 코피 아저씨가 까던 양파 냄새가 진동했다.

우리는 바닥에 앉았다. 나는 유니폼을 입은 채였고 미즈 티아는 청바지에 흰 티셔츠를 입고 있었다. 앞에 검은색 볼펜 같은 걸로 'GIRLS RULE'이라고 쓰여 있었다. 또 흰색 캔버스 운동화를 신고 있었다. 아담한 체구였다. 자그마한 그녀를 보니 카디자가 절로 떠올랐다.

"철문?" 미즈 티아가 코를 찡그렸다. "내 이에? 하하, 브레이스 말이니?"

"브라이즈? 그거 뭐라고 해요?"

"브레이스라고 해. 크면서 이가 삐뚤게 났거든. 서로 겹치게 말이야. 그래서 아기 상어 이빨 같았지. 1년 있다 뺄 거야. 음, 작은 철문처럼 보일 수도 있겠구나." 미즈 티아가 혀로 철문을 하나씩 하나씩 더듬었다. "내가 생각해봤는데 쉬운 내용부터 시작해야 할 거 같아. 시제부터."

바닥에서 연필과 연습장을 집어 들더니 겉표지에 '아두니'라고 썼다. 글자를 엄청나게 꼬불꼬불하게 썼다. 그걸 보니 결혼식 날 에니탄이 내 손에 그려줬던 헤나 문신이 생각났다. "초급반을 위한 실러버스를 온라인에서 찾아봤어. '실러버스'라는 건 우리가 어떻게 공부할지, 뭘 배울지를 적은 계획표 같은 거야."

"시-라-버스."

"발음 좋은데. 내가 어디까지 말했지? 아, 그래. 온라인에서 찾아봤어. 휴대전화에서." 미즈 티아가 다리를 펴고 주머니에서 휴대전화를 꺼냈다. 손가락으로 뭘 그리니까 휴대전화에서 빛이 새어 나왔다. 그러더니 휴대전화를 내게 들이밀었다. 신문처럼 글자가 잔뜩 쓰여 있었다.

"중급자 코스부터 하자." 미즈 티아가 자기 쪽으로 휴대전화를 가져가 읽기 시작했다. "이 웹사이트에 정보가 많더라고. BBC 웹사이트야."

나는 그저 멍하니 있었다.

"무료 온라인 코스도 있어. 내가 직접 가르치는 날도 있겠지만, 가끔은 내가 휴대전화를 줄 테니 네가 그냥 듣고 따라 해보자."

"무슨, 라인이라고요?"

"인터넷 말이야. 온라인이 그 말이야."

"인타…넷." <나이지리아에 관한 사실들>에서 보긴 했지만, 나는 라바케가 머리에 쓰던 망처럼 구멍이 잔뜩 난 무슨 천 같은 걸 떠올렸었다.

"자. 이걸 봐. 이 휴대전화로 인터넷에 연결할 수 있어. 세상 어디서나 사람들과 연결될 수 있는 곳이라고 생각하면 돼. 어떤 정보든 다 찾을 수 있지. 휴대전화나 컴퓨터를 인터넷에 연결하면 온라인 되는거야. 시장에서 물건도 사고 친구도 사귀고 이메일도 보내고, 온라인으로 수많은 일을 할 수 있지."

"온라인으로 시장에 갈 수 있다고요?"

미즈 티아가 고개를 끄덕였다. "나도 온라인으로 사. 음식, 옷, 뭐든 다 살 수 있지."

"더 비쌀 거 같은데. 진짜 시장에 직접 가면 안 돼요?"

미즈 티아가 활짝 웃었다. "내가 진짜 라고스 시장에 갈 시간이 없거든. 시장에 가더라도 내 형편없는 요루바어 실력으로는 쉽지 않아. 게다가 흥정하는 데는 영 소질이 없거든. '흥정'이라는 건 파는 사람한테 값을 낮춰달라고 요구하는 거야. 어쨌든 내가 그걸 되게 못해. 그래서 결국 엄청 좌절해서 집에 돌아오거든."

"다음엔 제가 같이 가드릴게요. 이카티에서도 엄마 심부름으로 늘 시장에 갔었거든요. 전 늘 싸게 샀어요. 우린 늘 돈이 없었기 때문에 시장 여자들이 팔던 값보다 더 싸게 샀어요. 아까 뭐라 그랬죠? 흥정, 제가 어떻게 흥정하는지 가르쳐드릴게요." 내가 방긋 웃었다. "저도 도와드리고 싶어요. 지금 미즈 티아가 저를 도와주는 것처럼요."

"그거 참 좋은 생각이다. 고마워." 미즈 티아도 싱긋 웃었다.

"남편이랑 어떻게 만났어요? 나이지리아에서 만났어요, 해외에서 만났어요?"

"사실 남편은 온라인으로 만났어. 페이스북에서. 1년 동안 장거리 연애를 하다가, 쉽진 않았지. 18개월 전에 바베이도스에서 결혼했어."

"페이스북이란 것도 온라인에 있어요?"

"보여줄게." 미즈 티아가 휴대전화에서 뭘 누르더니 내게 보여주었다. 페이스북이라고 하얀색과 파란색으로 쓰인 글자가 보였다. 미즈 티아의 사진이 조그맣게 보였고 여러 사람의 사진이 잔뜩 있었지만, 사진에 나온 사람 중 아무도 책(book)을 읽고 있진 않았다.* "소셜 네트워킹 사이트야. 전 세계에 있는 사람들을 버튼 하나만 누르면 찾아낼 수 있어. 그러니까 예를 들면… 아, 봐봐. 케이티가 방금 메시지를 보냈어." 어떤 여자 사진을 눌렀다. "얘가 케이티야. 내 친구지. 아파트를 셰어 했었는데."

케이티라는 여자가 이를 드러내고 활짝 웃고 있었다. 그런데 피부가 무슨 털을 다 뽑은 닭처럼 창백했다. 코는 물음표처럼 끝이 완전히 꼬부라져 있었다. 피처럼 붉은 머리카락이 폭포수처럼 치렁치렁 어깨까지 내

---

*아두니는 Facebook이란 말에 책과 관련된 것으로 짐작했다

려왔다. "이 여자도 나이지리아 사람이에요?"

"영국인이야."

그 말끝에 문득 한 가지 일이 떠올랐다. "이 친구가 우리의 자유를 가져갔어요. 하지만 우리가 1960년 10월 1일에 다시 가져왔죠."

"영국 정부가 그랬지." 미즈 티아가 웃으며 말했다. "케이티나 한 개인이 그런 게 아니야."

"언젠가는 저도 빅 마담에게서 제 자유를 가져올 거예요."

"그럼, 그럴 거야. 언젠가는."

나는 다시 케이티 사진을 보았다. "미즈 티아 같은 사람도 해외에서 살 수 있는지 몰랐어요. 내가 빅 마담 집에서 텔레비전 뉴스를 볼 때마다 케이티 같은 사람만 보였거든요."

"뭐, 뉴스에 백인들만 나왔다고?" 미즈 티아가 씁쓸한 미소를 지었다. "그게 아니라, 영국 TV에도 흑인이 자주 나오는데… 그래, 사실은….." 미즈 티아가 한숨을 쉬더니 나직하고 슬픈 목소리로 말했다. "네 말이 일리가 있네. 뉴스 앵커 중에 흑인이 많지 않지. 국회에도…. 정상에 있는 사람들도 그렇고. 많지 않아."

나는 미즈 티아가 지금 무슨 말을 하는 건지, 왜 해외 사람들을 무슨 크레용이나 색연필처럼 백이니 흑이니 그렇게 부르는지도 이해할 수 없었다. 내가 아는 거라고는 나이지리아인만 해도 모두 피부색이 다르다는 거였다. 나랑 카유스, 장남만 해도 피부색이 다 다르다. 하지만 검으니 하야니 그렇게 부르지 않고 그냥 아두니, 카유스, 장남이라고 부른다. 그게 다였다.

나는 영국이라는, 해외라는 곳에서는 사람 피부색이 다른 게 중요하냐고 물어볼까 하고 미즈 티아를 쳐다봤다. 하지만 입술을 꽉 깨문 채 여전히 슬퍼 보이길래 그냥 다른 사실을 말했다. "미스터 뭉고 파크가 니제르 강을 발견했어요."

"뭐라고?"

"또 다른 사실이에요. <나이지리아에 관한 사실들>에 나오는 사실요. 미스터 뭉고 파크는 영국 사람인데 나이지리아를 여행하다가 니제르 강을 발견했어요. 하지만 그 사람은 나이지리아인이 아니잖아요. 옛날부터 계속 나이지리아에 있던 강을 어떻게 발견하겠어요? 나이지리아 사람이 미스터 뭉고 파크에게 저기로 가면 강이 있다고 가르쳐준 거잖아요. 그 사람이 누구예요? 왜 그 사람 이름은 <나이지리아에 관한 사실들>에 안 나와 있어요?"

"그건 아마도…." 미즈 티아가 이로 입술을 뜯었다. "사실 모르겠어. 생각해봐야 할 문제지."

"코피 아저씨도 그래요. 거의 5년째 이 집에서 먹는 음식을 전부 만들고 있지만 아무도 알아주지 않아요. 손님들이 와서 코피 아저씨가 만든 볶음밥을 먹으면서도 맨날 빅 마담에게 밥이 맛있다고 그래요. 그러면 빅 마담은 웃으면서 감사하다고 하죠. 왜 코피 아저씨가 만든 거라고 말을 못 해요? 다른 사람이 한 일로 감사하다는 인사를 대신 받잖아요."

"빅 마담이 깊이 생각을 안 하는 거지. 자기가 코피에게 월급을 주고 있으니까, 그런 거일 수도 있고. 그렇다고 그게 옳은 행동이라는 건 아니야. 페이스북에서 로그아웃 해야겠다."

"이 페이스북이라는 거요. 거기 안에서 제가 찾고 싶은 사람은 누구든 찾을 수 있어요?"

미즈 티아가 고개를 끄덕였다. "대부분은 그렇지."

나는 바미델레를 떠올리며 그를 찾을 수 있을까 하고 생각했다. "바미델레라고 하는 사람들 찾을 수 있을까요?"

"바미델레?" 미즈 티아가 휴대전화를 누르며 고개를 저었다. "아두니, 이름이 바미델레인 사람은 너무 많아. 성이 뭐니?"

"정확히는 안 했어요(I didn't sure)."

"정확히는 몰라요(I am not sure)." 미즈 티아가 말했다.

"뭐라고요?"

"네가 말한 걸 고쳐서 말한 거야. 정확히는 몰라요. '정확히는 안 했어요'가 아니라."

"아, 그렇구나."

"그래. 자, 그러면 우리의 첫 수업은 시제에 관한 거야. 다행히 너는 영어를 이미 잘하고 어려운 단어도 쓸 줄 알지만, 시제는 좀 공부를 해야겠더라. 할 수 있겠지?"

"네, 잘할 수 있습니다."

미즈 티아의 눈동자가 반짝였다. "자, 여기 노트랑 연필 받아. 시작하자."

34장

진짜, 정말이지, 영어는 몹시 헷갈리는 언어다.

어쩔 땐 미즈 티아가 가르쳐준 거랑 내가 이미 알고 있는 거랑 뭐가 다른지도 모르겠다. 머릿속으로는 정확하게 말한 거 같은데 미즈 티아는 늘 내가 틀리게 말했다고 지적했다. 처음에는 내가 도와달라고 많이 졸라야 했지만 이제는 미즈 티아가 아주 신난 거 같았다. 매일같이 저녁 7시 30분에 노트랑 연필을 들고 무슨 놀러 가는 애들처럼 깡총깡총 뛰어와서는 나를 가르치고 싶어 했다. 가끔 미즈 티아가 가르치고 고쳐주는 게 힘들 때도 있지만 더 열심히 공부할수록 학교에 입학할 가능성이 커진다는 건 나도 알고 있다.

어떤 날은 그저 얘기만 할 때도 있다.

어제는 내 얘기를 더 하게 되었다. 아빠가 집세 낼 돈이 없어서 나를 모루푸에게 팔았기 때문에 도망쳐 나왔다는 이야기, 콜라 씨를 만나 빅마담네 집으로 오게 된 이야기를 했다. 엄마에 관한 이야기와 엄마를 얼마나 그리워하는지도. 내가 울기 시작하자 미즈 티아는 손으로 내 등을 둥글게 둥글게 계속 문질러주었다. "아두니, 괜찮아질 거야. 그렇게 될 거야." 하지만 내가 괜찮아질지 괜찮아지지 않을지 미즈 티아가 어떻게 안단 말인가! 미즈 티아는 비행기에 들어가서 포트하커트에 가기만 하면 엄마를 만날 수 있는데. 나는, 어느 비행기가 나를 천국으로 데려다준단 말인가!

엄마는 내게 기쁨을 주는 달콤한 추억이었다가 고통스럽고 쓰라린 추억이기도 하고, 어쩔 땐 꽃이다가 어쩔 땐 하늘에서 반짝이는 빛이기도 했다. 나는 모루푸와 결혼한 얘기와 그가 파이어 크래커를 마시고 방에서 나한테 했던 그 모든 일들은 얘기하지 않았다. 카디자에 관한 얘기도 하지 않았다. 말하지 않은 건 그 일들은 내가 마음속 상자에 담아 열쇠로 잠근 다음 영혼의 강에다 던져버렸기 때문이다. 어쩌면, 언젠가는 영혼의 강으로 헤엄쳐 들어가 열쇠를 찾을지도 모르지.

미즈 티아도 자기 얘기를 했다. 아빠와는 '더없이 다정한' 사이였지만 엄마와는 늘 다퉜다고 했다. 미즈 티아가 어릴 때부터 엄마가 '심하게 몰아붙였기' 때문에 늘 싸웠단다. 어릴 때는 친구도 못 사귀게 해서 지금도 친구를 사귀는 게 좀 어렵다고 했다. 부모님이 에도와 이야우 출신이기 때문에 요루바어를 가르치지 않았다. 그래서 요루바어를 못해서 약간 부끄럽다고 했다. 남편의 가족들과 요루바어로 말하고 싶은데 못 하니까. 그래서 내가 가르쳐주겠다고 했더니 활짝 웃으며 "그거 좋은 생각이야." 하고 말했다.

그러고는 아이를 갖고 싶다고 했다. 미즈 티아는 아기를 원하는데 남편은 그다지 절실하지 않단다. 하지만 지금은 임신하려고 노력하기 시작했다고 했다. 이 말을 할 때 미즈 티아의 눈에 눈물이 고였다. 미즈 티아가 나한테 속내를 털어놓는 거 같았고, 오랫동안 지고 있던 짐을 내려놓는 것처럼 느껴졌다. 왜 아기를 갖기로 마음을 바꿨느냐고 묻자 갑자기 휴대전화를 꺼냈다. 그리고 인터넷이란 걸 눌러 보여주었다.

"들어봐. 영어 발음에 관한 내용인데 듣고 발음해보자."

나는 영어 발음을 연습하는 시간을 별로 좋아하지 않았다. 뭐라고 하는지 알아듣기가 쉽지 않았다. 말이 어찌나 빠른지. 누가 몽둥이를 들고 쫓아오기라도 하듯, 숨도 쉬지 말고 빨리 말하라고 다그치는 듯했다. 하지만 미즈 티아가 나를 빤히 쳐다보며 기다리고 있으니까 어쩔 수 없이 휴대전화가 하는 말을 따라 해야 했다. 어제도 cutlery를 발음하는 법을 배웠다.

"코티-리어-리."

휴대전화에서 이렇게 말했다. "커틀러-리"

미즈 티아가 이렇게 발음했다. "커틀러-리"

그래서 내가 이렇게 물었다. "내 발음하고 미즈 티아 발음하고 어떻게 틀려요?"

미즈 티아가 이렇게 대답했다. "내 발음하고 미즈 티아 발음하고 어떻게 달라요? 아두니, 다르다. 틀리다가 아니라."

그리고 그녀가 말하는 '다르다'와 내가 말하는 '틀리다'가 어떻게 다른지 가르쳐주었다.

이게 우리의 방식이었다. 대화가 시작되고 내가 무슨 말을 하면 미즈 티아가 코를 찡긋하고 나를 가르치기 시작했다. 그러면 우리는 전에 무슨 말을 하고 있었는지 홀라당 잊어버렸다.

하지만 오늘 저녁, 수업을 시작하기 전 바닥에 앉아 있던 내가 질문을 던졌다. "미즈 티아, 뭐 물어봐도 돼요?"

"그럼. 뭐든 물어보렴."

"왜 아기를 갖기로 마음을 바꿨는지 다시 물어봐도 돼요?"

미즈 티아가 한숨을 쉬었다. 발치에 있던 돌을 들어 잔디에 던졌다. 그러고는 입술을 깨물고 눈을 깜빡깜빡했다. "전에 내 엄마가 엄청 센 분이라고 말했지. 지금도 그러셔. 하지만 아프고 나더니 좀 부드러워지셨어. 아무래도 몸이 약해지니까. 엄마는 내가 늘 모든 면에서 완벽하길 바라셨어. 모든 방면에서. 나는 어릴 때 친구도 없었어. 언제나 공부만 해야 했지. 내가 회계사가 되길 바라셨거든. 난 숫자라면 질색인데. 그리고 스물두 살에 결혼해 바로 아이를 갖길 원하셨지. 너무 늦기 전에, 자신이 바라는 나이에 할머니가 되고 싶어 하셨거든. 학교를 졸업하고 곧장 포트하커트로 오라고 하셨지만, 켄을 만나게 됐고, 라고스로 이사를 오게 됐어. 엄마한테는 내 인생이 어때야 한다는 매뉴얼이 있는데 내가 거기에 반항한 셈이지. 머리가 커지면서 고집이 생기니까 엄마가 나를 대신해 내렸던 그 모든 결정에 반기를 들었어. 엄마 때문에 나는 무척 불행했기 때문에 내가 아이를 낳아서 엄마가 나한테 했던 것처럼, 내가 내 아이에게 그렇게 하는 건 정말 상상조차 할 수 없었어. 좋은 엄마가 될 수 없을 거 같더라. 아이들을 이 세상에 데리고 오고 싶지도 않았어. 지금 세상이 돌아가는 꼴을 좀 봐! 지구를 위해서 난 기꺼이 자발적으로 인구를 줄이는 데 동참할 작정이었지. 그래서 1년간 여행하고, 켄을 만나기 전에 말이야, 인구 증가에 반대하는 캠페인을 벌이기도 했어."

그녀의 목소리가 차분해졌다. "하지만 지난해에 엄마가 병에 걸렸고 말기라고 진단을 받자, 그건 결코 나아지지 않는다는 뜻이야, 엄마를 약간 다르게 보기 시작했어. 엄마가 나를 볼 때마다 내 손을 잡고 우시더라. 마치 우리 사이가 이렇게 되어서 미안하다고 하는 거 같았어. 특히 지난 몇 달간 포트하커트로 왔다 갔다 하면서 아기를 데리고 가면 좋겠다는 생각이 들더라. 엄마가 더 힘을 내서 병과 싸울 이유가 될 테니까 말이야. 솔직히 말하면 잠깐 스치는 생각이었지, 켄과 진지하게 얘길하거나 내 마음이 바뀔 정도로 결심이 선 건 절대 아니었어. 그런데 우리가 밤에 만났던 날 있잖아." 미즈 티아가 나를 흘긋 보며 미소를 지었다. "넌 아버지가 좋은 사람은 아니라고 했지. 그렇다고 네가 아버지를 사랑하지 않은 건 아니었어. 적당한 때에 좋은 남자를 찾아서 너에게는 없었던 좋은 아빠를 아이들에게 만들어줄 거라고 했잖아. 네 말을 듣고 나도 좋은 엄마가 될 수 있다는 걸 깨달았어. 엄마 같은 엄마가 되지 않기로 내가 선택할 수 있다는 사실을 말이야. 넌 모르겠지만 그날 네가 했던 말이 내 심금을 울렸어. 오랫동안 묻어두었던 마음을 꺼내게 된 셈이지."

미즈 티아의 눈이 글썽이는 눈물로 반짝였다. "이제는 내가 뭘 원하는지 알아. 이 생각을 멈출 수가 없어. 남자아이나 여자아이를 하나만 갖는 거. 우리가 처한 환경 상태를 고려해야 하니까." 그러고는 가만히 웃었다. "나는 내 아기를 사랑이 넘치는 안정된 가정에서 키울 거야. 아기가 너처럼 똑똑하고 총명하고 사랑스러운 아이로 컸으면 좋겠다."

"좋은 엄마가 될 거예요." 눈물이 핑 돌아 눈을 깜빡였다. "우리 엄마처럼요. 미즈 티아의 엄마와 달라요. 미즈 티아는 좋은 사람이에요."

미즈 티아가 내 손을 꼭 잡고 아무런 말도 하지 않았다.

"의사 선생님은 뭐라고 해요? 마음이 바뀌었다니까?" 미즈 티아가 남편에 관해 말해준 이후로 나는 그녀의 남편을 의사 선생님이라고 부르기 시작했다. 그녀도 개의치 않았다.

"처음에는 좋아하지 않았어. 언짢아했지. 애초에 우리가 세운 계획이랑 다르니까. 하지만 사실 그렇게 하자고 동의한 적은 없거든. 우리가 사귈 때 남편은 아이를 원하지 않는다고 했어. 난 괜찮다고 했지. 그래서 결혼한 거거든." 미즈 티아가 수줍은 듯한 미소를 지었다. "그래도 이제는 생각을 바꾼 거 같아. 요새 시도 중이거든. 임신이 될 거 같아."

"금방 될 거예요."

미즈 티아가 고개를 끄덕이며 노트와 연필을 건넸다. "자, 이제 오늘 공부로 들어가도 되겠니?"

여섯 번의 밤이 지났다. 나는 방에서 미즈 티아가 준 종이를 읽고 있었다. 종이에 문장 열 개가 있는데 이 중 올바른 영어 문장과 틀린 문장을 골라야 했다. 침대에 기대앉아 연필을 쥐고 종이를 들여다보았다. 그때 찬장 뒤에서 어떤 소리가 들렸다. 쥐가 문을 긁는 듯한 소리.

침대에서 내려와 신발 한 짝을 주워 들었다. 만약 쥐가 고개를 들이밀면 콱 그냥 내리쳐야지. 빠르게 숨을 몰아쉬며 조용히 기다렸다. 또 소리가 났다. 삐걱. 소리는 문 뒤, 바깥에서 나고 있었다. 손잡이를 돌려 문을 열었다.

거기엔 빅 대디가 놀란 표정으로 서 있었다. 바지에 흰색 러닝셔츠, 슬리퍼 차림이었다. 몸에서는 술 냄새가 진동했다.

이 사람이 이 건물엔 웬일이지? 직원들 숙소에?

"아두니." 그가 잠옷을 입은 내 가슴 쪽을 바라봤다. "잘 지냈니?"

"네." 나는 무릎을 굽혀 인사하면서 손으로 잠옷을 잡고 가슴을 가렸다. "잘 지냅니다. 안녕하세요." 빅 대디가 불러도 대답하지 말라는 빅 마담의 경고가 떠올랐다. 그래서 나는 일어나서 방으로 들어가려고 했다.

"이리 와라." 빅 대디가 윗입술을 빨며 말하자 내 안에 있던 희망 같은 게 꺼지는 기분이 들었다.

"이리 오라니까. 무서워하지 말고."

나는 좌우를 살폈다. 지금쯤이면 코피 아저씨는 코를 골며 깊이 잠들어 있을 것이다.

"넌 참 아리따운 소녀야." 빅 대디가 안경을 코로 눌러 내렸다. "똑똑하기도 하고."

"감사합니다."

"지금 내 아내가 없잖니."

"네."

"그 여자는 불안해해. 내 아내 말이야. 내 주변에 있는 여자라는 여자는 모조리 불안해한단다. 힘들어. 정말이지, 힘들단다."

"네."

"걱정할 거 하나 없는데 말이야." 빅 대디가 발을 비틀거리며 고개를 저었다. "아니, 내 아내 말이야. 걱정할 게 하나도 없다고."

나는 다시 '네'라고 대답하지 않았다. 그냥 벽에 기대어 팔짱을 끼고 잠옷을 가린 채 가만히 서 있기만 했다.

"아두니, 내가 프로포절을 하나 하고 싶구나. 제안이란 뜻이다. 사람 이름이 아니라."

"원하시는 게 뭔대요?" 나는 팔에 붙어 있던 모기를 쳐내며 하품을 했다. "저는 잠이 와서요."

"아두니, 그렇게 서둘러 갈 필요 없다. 너도 보면 알지만 내가 신사거든."

전혀 그렇게 보이지 않는데. 그래서 대답하지 않고 가만히 있었다.

"그러니까 내가 하려는 말은…." 그가 헛기침을 했다. "널 돕고 싶다는 거야. 너한테 돈을 주겠다는 거지." 몸이 흔들리자 빅 대디가 어깨를 벽에 붙였다. "알겠니?"

"감사하지만 괜찮습니다." 나는 한 걸음 뒤로 물러나 내 방문을 열었다. 빅 대디가 한 걸음 다가와 발을 문지방에 댔다.

"제발요. 제가 소리 지르기 전에 가주세요." 차분한 목소리로 말했지만 심장이 머릿속에서 쾅쾅 뛰기 시작했다. 만약 지금, 이 사람이 나를 덮친다면 누굴 부를 수 있지? 내가 소리를 지르면 과연 코피 아저씨한테 들릴까?

빅 대디가 안경을 올려 쓰더니 두 손을 들었다. "자, 시끄럽게 할 필요 없다. 그럴 일이 전혀…"

"안녕하십니까." 복도에서 난데없이 코피 아저씨가 나타났다. 요리 모자를 쓰고 있지 않은 머리는 머리카락이 없어 동그랗고 부드러운 공 같았다. 허리에 흰 천을 두르고 셔츠를 걸치지 않아 맨가슴이 드러나 있었다. 내 평생에 거의 벗은 남자를 본 게 이렇게 반가운 건 처음이었다.

"무슨 소리가 들리는 듯해 잠에서 깼지 뭡니까. 뭐 필요한 게 있으신가요? 간단한 야식을 준비할까요?"

빅 대디가 고개를 저었다. "아니, 아두니가 저기, 도와달라고 그래서. 그러니까 얘가 무슨 소리가 들린다며 놀랐는지. 난 그냥, 그렇지. 이제 가려던 참이네. 고마워요."

그리고 나와 코피 아저씨가 뭐라고 하기도 전에 홱 돌아서더니 어두운 밤으로 사라졌다. 잠시 후, 문이 쾅 닫혔다.

"내가 안 자고 있었으니 망정이지, 너 운 좋은 줄 알아라."

한기가 오르내리며 온몸을 찔러댔다. "고맙습니다. 코피 아저씨."

"빅 마담이 다음 주면 돌아온다. 에세이 시작했니? 너랑 그 여자, 의사부인, 지난주에 내내 쓴 거지. 그렇지?"

"네… 제가 잘 쓸 수 있게 영어를 가르쳐주고 있어요." 그래도 그 생각을 하자마자 밝고 따뜻한 희망이 가득 차오르면서 온몸을 덜덜 떨리게 만들던 차가운 기운이 멀어졌다.

35장

☑ 팩트: 아동 조혼은 2003년 나이지리아 정부에 의해 불법으로 규정되었다. 하지만 나이지리아 소녀 중 17%(특히 나이지리아 북부에 거주하는 소녀)가 15세 이전에 결혼한다.

그날 밤 이후로 잠을 깊이 자지 못했다.

가끔 침대에 앉아 레베카의 구슬 허리끈을 쥐고 엄마의 성경책을 읽거나 미즈 티아가 준 영어 책을 읽었다. 가끔은 천장의 전구를 바라보며 괜히 야외 발전기가 윙윙거리는 소리를 듣거나 빅 대디가 집에 있는지 확인하기도 했다. 빅 대디는 나름대로 행동을 조심하는 거 같았다. 어제도 그 전날 밤도 다시 오지 않았다. 하지만 코피 아저씨가 없을 때 다시 올 궁리를 하고 있을 게 뻔했다. 어떻게 해야 그를 멀리할 수 있을까. 아무리 고민해도 딱히 해결책이 떠오르지 않자 미즈 티아에게 말해보기로 했다.

그날 저녁, 우리는 부엌 뒤에 앉아 있었다. 나는 조그만 나무 의자에 앉고 미즈 티아는 칠판 앞에 서 있다. (미즈 티아가 어제 칠판을 가져왔다. 네모난 모양에 이카티의 우리 집에 있던 텔레비전 크기였다.) 칠판을 부엌 스툴에 놓고 분홍색 분필로 썼다.

"엊그제 밤에 빅 대디가 저를 찾아왔었어요." 천으로 칠판을 지우고 있는 미즈 티아에게 내가 털어놓았다. "제 방으로 들어왔어요."

미즈 티아가 뒤로 돌아 뒷주머니에 있던 티슈로 손을 닦았다. "무슨 일이 있었니? 왜 네 방에 온 거야?"

"모르겠어요. 하지만 저한테 잘 자라고 인사하러 온 건 아니라는 건 저도 알아요. 무언가를 찾고 있었고 그게 나쁜 일인 것 같아 무서웠어요."

"너한테 뭐라고 했니?" 미즈 티아가 집 쪽을 살폈다. "지금 집에 있니?"

"아까 나가요(He have go out). 아주 늦게까지 안 올 거예요."

"아까 나갔어요(He has gone out). 너한테 무슨 말을 했어?"

"말도 안 되는 소리만 했죠. 하지만 저한테 거칠게 굴 거 같아 무서웠어요."

미즈 티아가 하늘을 올려다봤다. 내가 하는 말이 하늘에 쓰여 있기라도 하듯. 그리고 고개를 저었다. "거칠게 굴다니? 그러니까 너를 부적절하게? 잘못된 방식으로?"

"네." 나는 속삭이듯 대답했다. "코피 아저씨가 와서 막아줬어요." 생각만 해도 몸이 금세 차가워졌다. "미즈 티아, 나 무서워요. 그래서 내가 여기를 떠나려는 거예요. 학교에 들어가야 해요."

"아두니, 잘 들어." 미즈 티아가 두 걸음 다가와 몸을 굽혀 내 발 앞에 앉았다. 그리고 내 눈동자를 뚫어져라 쳐다보았다. "너 정말 조심해야 해. 방에 자물쇠 있니?"

내가 고개를 저었다. "자물쇠 없다해요(It don't have a lock)."

"자물쇠 없어요(It doesn't have a lock)." 내가 눈을 찡그리자 미즈 티아가 미소를 지으며 말했다. "알아. 헷갈리지. 차차 잘하게 될 거야. 마담이 이틀 후에 돌아오지, 그렇지?"

"토요일에요. 내일 다음 내일이요."

"내일모레. 그러면 우리가 더는 자주 만날 수 없게 되겠지." 착 가라앉은 듯한 목소리였다. "플로렌스가 허락하지 않을 거야."

"허락 안 하죠." 나도 우울했다.

"우리가 같이 어디 갈 수 있게 일을 만들어야겠다."

"어떤 일이요?"

"그럴 일이 뭐가 있을까…. 모르겠네. 우리가 서로 만나야 할 이유가 뭘까? 어쩌면 켄보고 플로렌스에게 말 좀 해보라고 할 수도 있지. 켄을 존경하니까. 켄한테 플로렌스에게 네가 나랑 시장에 같이 가줬으면 좋겠다고 말해달라고 할까? 네 에세이 쓰려면 시간이 더 필요한데."

"빅 마담이 가라고 할까요?"

"물어볼 수는 있지. 그런데 남편이 한 일에 대해서는 말하지 말까?"

내가 눈을 똥그렇게 뜨고 고개를 저었다. "그걸 말한다고요? 저를 마구 때릴 거예요. 쫓아낼지도 몰라요. 난 쫓겨날 수 없어요. 아직은요."

"알았어. 아직은 말하지 않을게. 하지만 자물쇠는 반드시 달아달라고 해야 해. 방에 자물쇠를 달고 싶다고 말씀드려. 아두니, 그 말은 할 수 있니? 네가 그런 말을 했다고 너를 때리진 않겠지, 그렇지?"

"모르겠어요. 한번 해볼게요."

"꼭 해야 해." 미즈 티아가 다리에 기운을 불어넣으려는 듯 탈탈 털며 일어났다. "빅 마담의 남편은 아주 조심해야 해. 네 방에 다시 오면 나한테 꼭 말해야 한다. 알았지?"

미즈 티아가 나를 쳐다보는 눈빛을 보자 온갖 감정이 밀려왔다. "오늘 배울 내용은 뭐예요?"

"현재진행형이야." 미즈 티아의 목소리가 이상했다. 입에 힘을 꽉 주고 있었다. 칠판으로 걸어가 'VERB: BE (ING from)'라고 썼다. "처음에는 잘 이해할 수 없겠지만 내가 설명해줄게."

나는 연필 끝을 물고 칠판을 쳐다보았다.

"기본적으로 우리는 지금을 말할 때 현재진행형을 써. 지금 이 순간에 일어나는 일 말이야. 예를 들면, 나는 지금 네 앞에 서 있는 중이야. I am standing in front of you. 'standing'이 바로 현재진행형 시제지. 이 시제는 주로 동사에 'ing'를 붙여서 표시해. 동사가 뭔지는 알지?"

"동작을 나타내요. 뭘 한다는 단어." 이카티에서 선생님이 가르쳐주신 내용이었다. 그건 하나도 까먹지 않았다.

"좋아. 현재진행형 예문을 만들어볼래?"

"나는 의자 위에 앉아 있는 중이다(I am sitting on top the chair)."

"아주 좋아!" 미즈 티아가 손뼉을 쳤다. "I am sitting on the chair가

맞지. 그 문자에 'top'은 붙일 필요는 없어." 그러고는 돌아서서 칠판에 sittin을 쓰다가 g를 쓰기 전 갑자기 멈췄다.

손을 떨고 있었다. 미즈 티아가 돌아서더니 "나 좀 앉아야 할 거 같아." 하고 말했다. 그러고는 비틀비틀 힘없이 바닥에 앉더니 무릎 사이로 머리를 묻었다.

"괜찮아요?" 무릎 위 땋은 머리카락을 바라보며 물었다. "얼음물 마실래요?"

미즈 티아가 고개를 들며 가만히 미소를 지었다. "피곤해서 그래. 혹시, 바라기는, 임신이었으면 하는데."

"그래요? 어떻게 알아요?" 나는 놀라서 입을 손으로 가리고 눈을 둥 그렇게 떴다.

미즈 티아가 코 주변에서 대롱거리던 땋은 머리를 치우며 웃었다. "그냥 하는 말이야. 아직은 좀 이르지."

"지난달에 언제 생리했는데요?"

"2~3일 후면 시작이야."

"생리 안 할 거예요. 정말 안 하게 될 거예요." 내가 고개를 세차게 끄덕거리며 힘주어 말했다.

"넌 참 다정해. 그냥. 켄의 어머니가 신경이 쓰여서 그래."

"의사 선생님 엄마요? 왜요?"

미즈 티아가 후 하고 내 얼굴 쪽으로 한숨을 쉬었다. 치약 냄새가 났다. "오늘 아침에 집에 오셨어. 한 달에 한 번 정도 오시거든."

"왜요? 지금 그 일로 이렇게 슬픈 거예요? 왜 온 건데요?"

"내가 임신했는지 알아보러 오시는 거야. 상상이 되니? 지난 6개월 동안 매달 집에 와서는 '내 손자 어딨어? 내가 내 손자를 언제 안아보고 같이 춤을 추겠어?' 이런다니까. 마치 내가 무슨 애들을 다락방에 숨겨놓기라도 한 것처럼. 춤을 추고 싶다면 그 지저분한 나이트클럽에나 가면 되잖아." 뭐가 지저분하다는 건지 물어보고 싶었는데 미즈 티아가 틈을 주지 않았다. "그이 가족을 대하는 게 좀 스트레스야. 아기를 갖지 않기로 결정했다는 걸 지금까지 알리지 않았으니까 더 그렇지."

나는 영어 단어를 신중히 고르느라 천천히 말했다. "그러니까 시어머니가… 모르는군요. 의사 선생님이 아이를 원하지 않는다는 걸?"

미즈 티아가 고개를 끄덕였다.

코에 파리가 앉은 거 같아 내 코를 찰싹 쳤다. "그러면 시간이 걸릴 거라고, 의사 선생님이랑 임신하기로 막 결정했다고 말해요. 시어머니가 기다릴 수 없다면 아들이랑 직접 싸우라고 해요."

미즈 티아가 어깨를 으쓱였다. "아, 내 말은 안 믿어. 너무 오래 걸린다 그러시지. 기다리다 지쳤나 봐."

"금방 될 거예요. 아기가 태어날 거고 그러면 더는 뭐라고 그러지 않을 거예요."

미즈 티아가 나를 쳐다보고 한숨을 쉬며 일어나 분필을 집어 들었다. "얼른 끝내자. 오늘 밤, 켄에게 너랑 같이 시장 가는 걸 말해볼게."

36장

☑ 팩트: 나이지리아 상원의원은 세계에서 가장 급여를 많이 받는 국회의원이다. 연간 2억 4,000나이라(170만 달러)*의 월급과 수당을 받는다.

빅 마담은 새 옷 냄새를 잔뜩 풍기며 입이 귀에 걸린 채 신이 나서 돌아왔다.

차에서 내려 곧장 집으로 들어가더니, 문이란 문은 다 열어보고 더러운 곳은 없는지 확인하기 시작했다. 화장실 수도꼭지가 번쩍이는 걸 보고 청소 상태가 마음에 들었는지 내 머리를 두 번 쓰다듬기까지 했다. 나는 조심스럽게 자녀들은 잘 지내는지, 런던이 많이 춥진 않았는지 물었다.

* 약 19억 원

빅 마담이 아들은 IT 업계에서 일하고, 딸 케일라는 약혼할 거라고 했다.

"은행에서 일해." 두 번째 문을 열어 화장실 안쪽을 살피며 웃었다. "내년에 결혼할 거야. 약혼자가 쿠티 상원의원의 아들이야. 이름이 쿤레지. 아주 잘생겼어. 런던 정경대학교를 1등으로 졸업했다니까. 내가 딸을 잘 키웠지. 남편감을 찾아다니더니 아주 보석을 물고 왔지 뭐야. 돈 많고 잘생긴 남자라니. 하하하." 또 함박웃음을 터트렸다. "화장실 아주 깨끗하구먼. 아두니, 집을 잘 관리했구나. 아주 잘했다. 아주 좋아."

나는 감사하다고 한 다음 빅 마담이 해외에서 산 가방들을 낑낑거리고 들고 따라갔다.

"가방 여기에 둬라." 빅 마담이 방문 앞에 이르자 이렇게 말했다. 그러고는 복도에 있는 소파에 털썩 주저앉아 손으로 부채질을 하기 시작했다. "나가 있다 보니 이 나라가 얼마나 더운 나라인지 잊었구나. 어떻게 된 게 이 지경으로 더워? 아두니, 에어컨 틀어라. 제일 세게 틀어."

벽에 붙은 에어컨 켜고 바닥의 선풍기도 켰다. 방 안에 금세 차가운 공기가 돌았다. 나는 또 무슨 일을 시킬까 싶어 무릎을 꿇고 앉았다.

휴대전화가 울리자 빅 마담이 받았다. "네, 방금 공항에서 왔어요. 들었어요? 세상에, 소식이 빠르기도 하지. 감사해요. 하나님께 감사하지. 쿠티 의원 아들이잖아요." 빅 마담이 고개를 젖히고 으하하 웃었다. "아유, 하나님. 정말이지 신이 내리신 인연이죠. 케일라랑 쿤레를 이어주다니. 결혼식이요? 내년 12월이요. 그렇죠, 1년 좀 더 남았어요. 그런데 내년 여름에 약혼식을 하려고요. 크게 해야지. 당연하죠. 옷은 내가 해야지. 내일 가게에 와서 보세요. 자세한 거 더 알려드릴게. 좀 쉬어야겠어요. 나중에 전화할게요."

빅 마담이 통화를 끝냈다. "비행기에서 내리자마자 전화기에 아주 그냥 불이 난다. 치프 어디 있느냐?"

"나갔습니다."

빅 마담이 씩씩댔다. "그러면 그렇지. 쓸모없는 인간 같으니. 내가 해외에 간 사이 너를 귀찮게 하지 않았겠지?"

방에 자물쇠를 달라는 미즈 티아의 말을 떠올렸다. "그런 일 없었습니다."

"가도 좋다. 나중에 와서 머리를 좀 긁어다오. 발도 좀 마사지해야 해."

"네, 알았습니다." 나는 일어섰다가 다시 앉았다. "부탁하고 싶은 게 있는데요."

빅 마담이 가방 지퍼를 찍 열었다. "뭐냐?"

"그러니까…" 단어를 신중히 고르느라 머리를 긁었다. "제 방문에 자물쇠를 달고 싶습니다."

빅 마담이 고개를 휙 돌리더니 째려보았다. "왜?"

"아닙니다. 그냥, 가끔. 그게 내가 커가다 보니까. 그래서." 머리가 지끈거리는 거 같아 입술을 물었다. 미즈 티아가 해준 말이 날개 달린 새가 되어 날아갔는지 머릿속이 텅 비었다.

"치프가 직원 숙소에 갔던 게냐?" 빅 마담이 바짝 다가와 내 눈을 들여다보았다. "아두니, 사실대로 말해라. 내 남편이 네 방에 간 거야?"

나는 고개를 저었다가 끄덕였다가 갈팡질팡했다. "아니요. 그러니까.

그분이 아니라, 쥐였습니다. 쥐가 시끄러운 소리를 내서 문을 잠그고 싶어요. 쥐 때문에요."

"쥐 때문이라, 정말?" 빅 마담이 눈을 가늘게 떴다. "알았다. 나가거라. 목수를 불러서 자물쇠를 달아주마."

"감사합니다." 나는 그제야 일어섰다. "저녁쯤에 머리 마사지 하러 오겠습니다."

내가 나가는 동안 빅 마담은 아무런 대답이 없었다.

저녁때 빅 마담의 머리를 마사지 하러 계단을 올라갔다.

빅 마담의 방문을 노크하려고 주먹을 쥐려는 찰나, 방 안에서 시끄러운 소리가 들렸다. 나쁜 짓인 줄 알면서도 가만히 들어보았다. 두 사람이 크게 싸우는 소리였다. 나는 방문에 머리를 대고 귀를 쫑긋 세웠다.

누군가 무언가를 내리치는 소리가 들렸다. 빅 마담이 고함을 질렀다. "치프, 창피한 짓거리 언제 그만할 거예요? 제발. 아두니는 이제 열네 살이라고요. 걔 방에 뭘 찾으러 갔어요?"

대답하는 빅 대디의 목소리가 술에 취해 느릿느릿했다. "아두니가 내가, 걔 방에 갔다고 해?"

"애가 자물쇠를 달아달라고 하더라고요. 하찮은 당신 몸뚱아리가 걔 방에 간 게 아니면 왜 자물쇠를 달아달라고 하겠어요? 뭐 할 말 있어요? 쓸모없는 인간 같으니."

"입 조심해. 이 여자야. 내가 손봐주기 전에."

"당신은 아무것도 못 해." 빅 마담이 고래고래 소리를 질렀다. "내가 당신 고개 들고 살라고 주머니에 돈 넣어주는 거라고. 남자 구실 좀 하라고. 내가 라고스 대학 다니는 아마카를 모를 줄 알아요? 당신이 지난주에 내 돈 20만 나이라를 그년 계좌에 꽂아줬잖아, 아니야? 타요는 어떻고? 이페 대학교 다니는, 그 다리 삐쩍 마른 년. 지난달만 해도 그년을 잔지바르에 보내주지 않았어요? 내가 다 알아. 그런데 내 집으로 들여와? 내 지붕 밑에? 아, 당신 그러다 천벌 받을 거야. 어떻게 평범한 집 애들을 상대로 추잡한 짓이나 하면서 빌빌거리고 쫓아다닐 수가 있어? 별 볼 것도 없는 애들이랑? 도대체 어디까지 내려갈 거예요?" 빅 마담이 울부짖듯 외치기 시작했다. "왜 나를 사랑해주지 않는 거예요? 당신이 나를 있는 그대로, 사랑받을 만한 여자로 보게 하려면 내가 뭘 더 해야 해? 당신을 위해 이토록 희생한 여자한테? 애들이 당신이 나한테 하는 거 보고 크리스마스에 집에 오기 싫대요. 그런데도 난 이 결혼을 유지하고 있잖아. 당신을 사랑하니까!"

"그러니까 케일라가 두 달 동안 나한테 전화하지 않는 이유가 이거야?" 빅 대디가 빅 마담의 울음을 그치게 하려고 고함을 질렀다. "내 자식들에게 무슨 말을 한 거야!"

"치프, 내가 말할 필요도 없어요." 빅 마담이 수그러든 목소리로 말했다. "걔들도 장님이 아니라고. 이 집에서 컸고 당신이 나를 어떻게 대하는지 다 봤다고! 왜 집안을 이 꼴로 만드는 거예요?"

그러고는 아두니 같은 아무것도 아닌 애를 노리다니 얼마나 더 천박한 짓을 할 거냐고 따지기 시작했다. 그때 베개 같은 걸 내리치는 소리가 들렸다. 퍽. 퍽. 두 번 때리는 소리. 세 번 때리는 소리. 가슴이 쿵쾅거렸다. 내가 자물쇠를 달아달라고 해서 빅 마담과 빅 대디가 이렇게 싸우는 걸까? 내가 둘 사이 문제의 원인이 된 걸까? 아! 아까 왜 입을 다물고 있지 않았을까?

빅 마담이 나를 쫓아낼까? 쫓겨나면 어디로 가지? 빅 마담이 빅 대디와 그의 가족들에게 욕을 퍼붓기 시작하자 나는 뒤로 한 걸음, 또 한 걸음 물러나 계단 아래로 뛰어 내려갔다. 부엌을 지나 숙소까지 정신없이 달리고 또 달렸다.

37장

방에 갔더니 코피 아저씨가 내 방문 앞에 화난 표정으로 서 있었다.

"아침부터 내내 요리하느라 힘들어 죽을 지경이다." 아저씨가 앞치마로 이마의 땀을 훔쳤다. "현관문 벨이 울려서 내가 미친 사람처럼 본관에다 대고 네 이름을 계속 불렀잖니. 지난번에 봤을 때는 본관에서 일하고 있었는데, 네가 숙소로 물러갔는지 몰랐구나."

"누가 누굴 치료*해요? 빅 마담에게 문제가 생겼나요, 의사가 필요하대요? 죽었나요?"

"물러갔다고!** 따라와라. 손님이 오셨다."

"어떤 손님인데요?" 얼른 따라가며 물었다. "빅 마담은 어디 있어요?

아두니가 retreat** 을 treat* 로 잘못 알아들었다.

별일 없는 거죠?"

"빅 마담은 괜찮다." 코피 아저씨가 어찌나 빨리 걷는지 아저씨 말을 들으려면 거의 달려야 했다.

"둘이 싸웠지. 제길, 네 입방정이 언젠가 너를 죽이고 말 거다. 왜 빅 마담에게 자물쇠를 달아달라고 했니? 내가 조심하라고 했잖아. 자물쇠를 달라고 할 필요가 없지. 여러 가지 다른 방법이 있을 수 있잖니. 나한테 와서 상의했어야지. 예를 들면, 찬장을 끌어다가 방문 뒤에 받쳐둘 수도 있고. 입구에 쥐덫을 놔서 그 인간이 네 방문에 오면 발을 찍어버릴 수도 있고. 그럼 그거 볼만하지 했겠지. 빅 대디가 비명을 지르며 한 발로 깡충깡충 뛰어다니는 꼴이라니! 왜 발을 다쳤는지 마누라한테 말도 못 하고. 참나!"

"그거 때문에 싸우게 될 줄은 몰랐어요." 내가 눈물을 훔치며 훌쩍였다. "잠깐만요. 아저씨 너무 빨리 걸어요."

"튀김기에 닭 다리 넣어놨단 말이다. 나는 산책이나 하며 수다 떨 시간이 없는 사람이야."

"하지만 미즈 티아가 꼭 자물쇠를 달아달라 하라고 그랬단 말이에요. 그랬더니 문제가 이렇게 커진 거예요. 빅 마담이 저를 쫓아낼까요?"

"모르겠다. 미즈 티아는 무지하게 부자인 의사랑 만나서 결혼했으니 인생에 무슨 문제가 있겠느냐. 반 까막눈이에 튀긴 생선의 아이큐밖에 안 되는 애한테 충고한답시고 그렇게 나서면 곤란하지."

"아이큐 생선이요? 닭이랑 뭐, 생선도 튀기는 거예요?"

코피 아저씨가 걸음을 멈추더니 한참 동안 나를 노려보다 다시 걷기 시작했다. "빅 마담 머릿속이 딸 결혼식 문제로 꽉 차서 장학생 발표 전에 너를 내보내야겠다는 생각을 할 틈이 없게 해달라고 비는 게 좋을 거다. 그러니까 빅 대디에게 맞은 걸 회복한 다음에 말이지."

"빅 대디는 왜 맨날 빅 마담을 때려요?"

부엌 뒷문에 도착하자 코피 아저씨가 부엌 테이블 위에 있는 튀김기의 뜨거운 기름에서 튀김 망을 꺼냈다. 닭이 골든 브라운 색으로 잘 익어 있었다. 냄새가 퍼지자 입에 침이 고이고 배에서 꾸르륵 소리가 났다. 이제 빅 마담이 집에 왔으니 아침 먹던 것도 끝이구나.

"손님들이 응접실에 계신다." 코피 아저씨가 망에서 닭 다리를 들어 이로 물어뜯었다. "어이구, 양념이 아주 잘됐네. 소금이랑 향신료가 완벽한 밸런스를 이루는구먼. 뭘 쳐다보니? 얼른 가서 손님한테 인사하고 위층으로 가서 빅 마담에게 손님이 왔다고 알려라. 어휴, 살아서 내려오길 바란다."

미즈 티아와 의사 선생님이 응접실에 앉아 있었다. 내가 무릎을 꿇고 인사하자 미즈 티아가 미소를 지었다. 하지만 나랑 친하게 지내던 사람이나 이야기를 많이 한 사람이 짓는 미소가 아니었다. 처음 보는 사람이거나 오래전에 만났던 사람에게 짓는 어색한 미소였다.

"아두니, 맞지? 잘 있었니? 다시 만나서 반갑구나." 미즈 티아가 이렇게 말하고 손을 의사 선생님의 무릎에 올렸다. "내 남편, 닥터 켄이야. 플로렌스 부인과 치프에게 따님이 약혼하게 되어 축하한다는 말을 전하려고 왔어. 코피가 두 분이 위층에 계시다는데. 우리가 왔다고 좀 알려주겠니?"

미즈 티아가 의사 선생님을 쳐다보며 말했다. "WRWA 미팅에서 아두니를 만났다고 말했죠. 나랑 시장에 가서 흥정하는 기술이나 이런저런 걸 가르쳐줄 만한 아이로 적임자라는 애가 이 아이예요. 물론 플로렌스 부인이 반대하지 않는다면요."

의사 선생님은 옅은 갈색 눈동자에 키가 훌쩍 컸다. 눈썹이 북실북실했고 콧구멍에서 턱 중간까지 콧수염을 기르고 있었다. 흰색 셔츠의 버튼을 가슴까지 채워 길고 부드러운 목에 금색 십자가 체인 목걸이가 반짝이는 게 보였다. 무릎까지 오는 갈색 반바지 아래로 다리털이 무성했다. 발에는 고무 냄새가 강하게 나는 갈색 슬리퍼를 신고 있었다.

그가 나를 아래위로 자세히 관찰했다. "너에 관한 흥미로운 이야기를 들었단다." 말하기 전에 단어에 기름칠이라도 한 듯 입에서 나오는 단어가 세련되고 부드러웠다. 그러니 그와 미즈 티아는 서로 얼마나 잘 맞는 짝꿍이란 말인가. 꿀 목소리와 기름 목소리라니. 아기라는 작은 문제가 있으니, 그건 안타깝지만.

"네. 안녕하세요. 빅 마담과 빅 대디를 아래층으로 모시고 오겠습니다. 시원한 음료 드릴까요? 시원한 환타와 신선한 주스, 냉장고에 둔 와인이 있습니다. 어느 걸로 드릴까요?"

의사 선생님이 손을 내저었다. "물이면 됐다. 고맙다."

내가 일어서자 의사 선생님이 아내에게 속삭였다. "당신도 알지? 웰링턴 로드에 당신이랑 얼마든지 시장에 같이 가줄 만한 말도 잘하고 세련

된 여자들이 줄을 섰다는 거?"

미즈 티아가 종이 울리는 듯한 특유의 소리로 웃으며 말했다. "여보, 내 말을 믿어요. 나한테 필요한 게 뭔지 내가 안다니까. 이 애가 딱 맞아요."

38장

☑ 팩트: 많은 나이지리아인이 임신에 관한 속설을 믿는다. 그중에는 임신한 여성의 옷에 옷핀을 꽂아두면 악령을 쫓을 수 있다는 것도 있다.

"티아가 쓰는 이번 주 칼럼도 아주 잘 진행되고 있어요." 내가 잔이 담긴 쟁반을 들고 거실로 가자 의사 선생님의 목소리가 들려왔다. "블로그 구독자가 막 5천 명이 됐죠. 읽어보셨나요?"

"돈 버느라 바쁜데 누가 환경에 관한 글을 읽을 짬이 나겠어요?" 빅 마담이 웃었다.

빅 마담은 빅 대디와 나란히 다이닝 룸 의자에 앉아 있었다. 미즈 티아와 의사 선생님도 옆에 앉아 있었다. 빅 마담의 얼굴은 무지개를 녹여서 얼굴에다 묻힌 듯 색색으로 화장을 한 상태였다. 시뻘겋고 금색이 도는 립스틱 아래로 하얀 이가 반짝였다. 입술 한쪽이 부어 있었다. 빅 마담과 빅 대디는 방금 전까지 죽일 듯이 싸우던 사람들이라고는 도저히 믿을 수 없을 정도로 멀쩡하게 허허 웃고 있었다.

"유리잔 거기다 놔라. 테이블 중앙에다. 그래. 거기에 놔라." 빅 마담이 말했다.

"그런데도 심심하다고 불만이라니까요." 내가 쟁반에서 컵을 내려놓자 의사 선생님이 말을 이었다. "플로렌스 부인 같은 분과 좀 더 어울려 지내라고 했죠. 우리 마을에 사는 품위 있는 여성들과 말이에요. 그런데 그건 안 하고 집에 있으면서 불평을 하더라고요."

"다다 부인에게 필요한 건 아이들이에요." 빅 마담이 컵을 들어 자세히 보고 손으로 문지르더니 내려놓았다. "다다 부인, 집에서 온 사방으로 애들을 쫓아다니다 보면 불평할 틈이 없을 거예요. 애들이 잔뜩 있는 집에서 지루할 틈이 어디 있겠어요? 그럴 수가 없죠. 아두니, 유리잔 치프 앞에 놔라. 왜 아이 갖는 걸 미루는 거예요? 결혼한 지 1년이 넘었잖아요. 나는 치프랑 결혼한 첫날 밤, 그이가 나를 처음으로 만진 날, 바로 임신했잖아요." 빅 마담이 부끄러운 듯 웃었다. "설마 아기를 낳기 전에 인생을 탐험하고 세계를 여행하겠다는 건 아니죠? 서두르지 않으면 자궁이 곧 시한이 다 된다니까요." 빅 마담이 또 웃었지만 같이 웃는 사람은 아무도 없었다. "그리고 나중에 임신이 되면 잘 가리고 다녀야 해요. 임신한 티가 나기 시작하면 옷에 옷핀을 꽂는 거 잊지 말고요. 아무도 사악한 눈으로 자궁에서 아기를 가로채지 못하게 해야 하니까."

미즈 티아의 몸이 풀 먹인 것처럼 뻣뻣하게 굳었다.

"언제쯤 좋은 소식을 기대할 수 있을까요?" 빅 마담이 입에 귀신이라도 들린 듯 쉬지 않고 나불댔다. "언제쯤 쌀과 닭을 먹게 될까요?"

"저희 이제 막…." 미즈 티아가 말하려는 순간 의사 선생님이 아내의 손을 잡았다. "노력하는 중입니다. 하나님이 정하신 때에 되겠죠. 저는 그저 티아만 행복하면 만족해요. 제가 정말 원하지 않는 건 누군가 티아에게 스트레스를 주는 거죠." 의사 선생님이 사랑스러운 눈길로 아내를 보며 괜찮으냐고 묻듯 고개를 끄덕였다.

"그렇답니다." 마치 입에 날카로운 핀이 들어간 듯한 말투였다. "노력 중이에요. 스트레스 없어요."

빅 대디 앞에 유리잔을 놓는 내 손에 빅 대디의 뜨거운 시선이 느껴져 나도 모르게 기침이 나왔다.

"코피에게 음식을 내오라고 할까요? 오렌지 주스도요?"

빅 대디가 입을 뗐다. "이런 일은 하나님이 정해주신 때가 제일 좋죠. 아기들은 선물이에요. 기적과도 같죠."

"그렇죠." 의사 선생님이 동의했다.

"오렌지 주스 드시겠어요?" 내가 다시 물었지만 아무도 대답하지 않아 뒤로 물러서 쟁반을 가슴에 갖다 댔다. 미즈 티아가 유리 테이블에 비친 자신의 슬픈 표정을 보고 가여운 듯 고개를 내리고 있었다. 의사 선생님이 테이블 아래로 미즈 티아의 손을 꼭 잡았다.

"아기를 가져야 한다는 스트레스를 좀 풀기 위해서 외출을 자주 하는 게 좋겠다는 생각이 들더군요. 티아는 문화적인 걸 구경하고 싶어 해요. 요새 집을 새로 단장하고 싶어 하고요. 그래서 이 댁의 도움을 받을 수 있을지 여쭤보고 싶었습니다." 의사 선생님이 나를 보고 차분한 미소를 지었다. "시장에 갈 때 저 아이를 데리고 갈 수 있을까요? 티아를 도와, 어, 흥정하는 법을 배웠으면 합니다만."

"어떤 아이요?" 빅 마담이 물었다. "아두니요? 저 애가 뭘 알아요! 쟤는 라고스에 처음 와본 앤데. 문맹에다 쓸모 있는 구석이라고는 하나도 없어요. 누가 시장에 가건 같이 갈 수 없습니다. 게다가 다다 부인은 왜 혼자서 흥정을 못 하죠? 나이지리아 사람 아닌가요? 왜 아두니가 필요하죠?"

"저도 흥정할 수 있죠." 미즈 티아가 고개를 들었다. "적어도 시도는 해볼 수 있어요. 하지만 시장에서 도와줄 사람이 있다면 마음이 놓일 거예요. 아두니가 요루바어를 아주 잘하더군요. 똑똑하고 같이 있으면 마음이 편안해요. 다른 사람들보다 더 편하더군요. 함께 여러 가지를 찾을 수 있을 거라고 생각합니다."

"함께 여러 가지를 찾는다고요?" 빅 마담이 고개를 흔들며 웃었다. "내 가정부가 무슨 검색 엔진입니까? 아니요, 아니요. 아두니는 어디에도…."

빅 대디가 손을 들었다. "플로렌스, 생각해보니 이거 좋은 생각 같은데? 그러면 주중 저녁에 한 번 아두니를 데려가셔도 좋습니다."

빅 마담이 눈알을 총알 삼아 빅 대디를 쏴버리고 싶다는 듯 쳐다보았다. 저런 멍청한 말을 하다니 죽여버리고 싶다는 듯이.

"정말이세요? 문제 되지 않는다면 아주 좋을 거 같습니다." 미즈 티아가 말했다.

"문제라니요. 그렇게 하시지요. 닥터 켄은 우리의 아주 소중한 친구 아닙니까. 그의 훌륭한 아내가 작은 호의를 요청하는데 우리가 누구라고 거절합니까."

미즈 티아가 웃으며 의사 선생님을 쳐다보았다. "여보, 들었지?"

의사 선생님이 우려스러운 눈길을 보냈다. "플로렌스 부인이 썩 내키지 않으신다면…"

"괜찮습니다." 빅 마담의 말에 모두가 놀랐다. "아두니가 주중에 하루, 시장에 잠깐씩만 가서 도와드리기로 하죠. 아주, 아주 잠깐이요. 집안일을 해야 하니까요. 그러니 오랜 시간 쓸 가정부가 필요하시다면 콜라 씨를 추천해드릴게요. 알맞은 비용에 괜찮은 가사 도우미를 구해오니까요."

"무척 친절하시네요. 깊이 감사드립니다. 고마워요." 미즈 티아가 말했다.

빅 마담이 뭐라고 혼잣말을 내뱉으며 끙 앓는 소리를 냈다.

내 심장박동이 빨라졌다. 그렇다면 미즈 티아랑 일주일에 한 번 만날 수 있다는 뜻인가? 에세이를 쓰기 전에 영어 공부를 더 할 수 있을까? 정말이지 이건 라고스에 온 이후 내게 제일 좋은 뉴스였다.

빅 마담이 나를 쳐다보았다. "아직도 거기 서서 뭐 하는 거니? 가서 주스 가져와. 뺨 한 대 맞고 웃음기 날려보내기 전에."

39장

밤이 되었다. 하나님께 저녁 기도를 드렸다. 빅 마담의 마음을 움직여 미즈 티아랑 일주일에 한 번 바깥에 나갈 수 있게 해주신 데 대한 감사의 기도였다.

콜라 씨가 내 돈을 갖고 오진 않았지만 내 몸이 땅에 묻혀 흙이 래퍼인 양 베개인 양 두르고 있지 않은 것도 감사했다. 2015년 새해가 다가오고 있다는 사실에도 감사했다. 좋은 해, 행복한 해가 되길 빌었다. 내가 학교에 들어가는 해가 될 수도 있으니까. 카디자가 떠올랐다. 하나님께 카디자가 천국에서 편안하게 지내게 해달라고, 커다란 침대와 먹을 것도 잔뜩 달라고 부탁했다. 엄마도 잘 보살펴달라고 부탁했다.

미즈 티아도 생각났다. 임신하게 해달라고, 내년에는 아이를 한 명만 낳게 해달라고 기도했다. 미즈 티아는 둘이나 셋이 아니라 하나만 원하니까. 그리고 그게 의사 선생님의 엄마에게 문제가 되지 않게 해달라고 기도했다. 그리고 아빠… 하나님이 아빠의 마음을 부드럽게 만들어주셔서 평안히 지낼 수 있기를.

카유스를 위해선 기도하지 않았다. 카유스에 대해 생각하거나 기도한다면 내 가슴이 슬픔으로 꽉 찰 것이기 때문이다. 오늘은 좋은 날이다. 슬픈 날이 아니다. 기도를 마치자 오랫동안 느낄 수 없었던 자유로움이 느껴졌다. 빙긋이 혼자 웃으니 해방감이 배 속부터 올라와 이 사이로 번지는 느낌이 들었다.

땋은 머리를 풀기 시작했다. 새까만 내 머리카락은 스펀지처럼 두꺼워 어릴 때는 엄마의 나무 빗을 모조리 부러뜨렸다. 표백제와 오래된 기름 냄새가 났다. 땋은 머리를 다 푸는 데 꼬박 한 시간이 걸렸다. 거울을 보니 머리카락이 목 주변에 둥둥 뜬 구름 같고, 뜨듯한 기름을 잔뜩 끼얹은 듯했다. 머리를 흔들자 머리카락이 어깨 위에서 붕붕 뛰었다. 그 모습이 웃겨서 옷을 갈아입는 동안 웃음이 났다. 몸에 래퍼를 두르고 밖으로 나가보았다.

이제 밖은 어둑했다. 하늘의 달을 보니 하나님이 넓적한 검은 쟁반에 반짝이는 달걀을 심어놓은 듯했다. 별은 달 주변에서 흐려지기도 깜빡이기도 했고 어떤 별은 하늘에서 독특한 모양으로 가만히 반짝였다. 귀뚜라미가 잔디에서 귀뚤귀뚤 울며 폴짝 뛰어오르자 나는 웃으며 잔디밭을 가로질러 빠른 속도로 걸어갔다. 빨래가 걸려 있는 빨랫줄에 이르렀을 때였다. 어둠 속에서 남자 비슷한 형체가 다리가 반쪽밖에 없는 모양새로 걸어오고 있었다. 빅 대디였다. 나는 손으로 가슴을 누르고 그에게서 시선을 떼지 않았다. 누군가와 통화하는 중이었다. 나직한 목소리였지만 모두 들리는 거리였다.

"자기야, 내가 미안하다고 했잖아. 내가 잘할게. 약속할게. 내일 밤에 페데럴 팰리스 호텔에서 만나는 거 어때? 아니면 특별한… 아두니!"

빅 대디가 나를 보고 화들짝 놀라더니 조각처럼 얼어붙었다. 귀에 전화기를 댄 채 눈을 어찌나 크게 떴는지 이마까지 커다란 눈알처럼 보였다. 전화하던 여자가 아직도 뭐라고 떠들고 있었다. 벌을 삼킨 것처럼 잉잉거렸지만 자그맣게 "자기야, 듣고 있는 거야?"라는 소리가 들렸다.

"안녕하십니까." 내가 인사를 건넸다. 빅 대디가 정신을 차리더니 전화기를 귀에서 뗐다. 전에 본 적이 없는 전화기였다. 검은색에 얇고 성냥갑 만한 게 비싸 보였다. 그가 전화기를 누르자 앞면의 번호들이 빛나며 얼굴에 이상한 초록색을 비췄다. 그러더니 앙카라 주머니에 전화기를 넣었다. 아침부터 입고 있던 바지였다.

"너 여기서 뭐 하고 있니? 잠깐만. 너 내가 통화하는 소리 들었니?"

"빨랫줄로 가고 있었습니다." 빅 대디가 아내가 집에서 자는 동안 밖에서 다른 여자랑 통화를 하든 말든 그건 내 관심 밖이었다. "아무것도 듣지 못했습니다."

빅 대디가 고개를 끄덕였다. "그래. 내가 목사님, 아니, 사모님하고 통화 중이었거든. 그러니까 내일 호텔에서 드릴 특별 예배를 준비 중이었다. 참 아름다운 저녁 아니냐?"

"안녕히 주무십시오."

"잠깐 이리 와 봐라. 오늘 일이 그렇게 됐는데 나한테 사의를 좀 표해야 하지 않겠니?"

"사, 뭐라고요?" 가슴 부분의 옷을 거머쥐며 물었다.

"그게 무슨 뜻인지 모른다면…"

"무슨 뜻인지 압니다. 제가 어떤 일로 감사를 드려야 하지요?"

"오늘 저녁에 내가 빅 마담을 막아줬잖니." 그가 나직이 말했다. "다다 씨네 말이다. 자, 모르는 척하지 마라." 빅 대디가 어깨 뒤를 슬쩍 돌아보았다. 제일 위에 있는 창문에 조명이 꺼져 있고 커튼이 드리워 있었다. "티아 다다가 교재네 뭐네 하면서 너랑 만난 거 안다. 플로렌스가 없는 동안 한두 번 봤지. 부엌 뒤에 너랑 앉아 있더구나. 너에게 공부를 가르쳐준다니, 좋은 일이야." 그가 입술을 핥았다. "난 지지한다. 100퍼센트. 그래서 내가 다이닝 룸에서 그런 제안을 한 거란다. 어쨌든 아내는 절대 허락하지 않을 테니까. 그쪽은 나처럼 관대하지 않거든."

"감사합니다."

"네 마담이 너를 길거리로 쫓아내기 일보 직전이라는 거 알지?" 빅 대디가 손가락 두 개를 눈높이로 들었다. "요 정도로 직전이지. 하지만 내가 개입한다면 네가 원하는 대로 언제까지든 일주일에 한 번씩 티아 다다를 만나게 해줄 수 있지. 한 가지 조건을 지킨다면 말이다."

"조건이 뭔대요?" 어깨 위의 모기를 내리치고 손바닥을 슬쩍 보았다. 피가 묻었다. "빨리 말씀하세요. 들어가고 싶습니다. 모기가 물어요."

"네가 살던 마을에서는 모기랑 같이 먹고 마시며 지내지 않니? 이젠 모기에 대해 불평을 다 하네. 참 웃긴 가정부들이야. 화려한 생활을 한 번 맛보고 나면 하나같이 저희한테 무슨 권리가 생긴 줄 안다니까. 잘 들어라. 내가 원하는 건 내가 너를 도울 수 있게 놔두는 거야. 너한테 친절을 베풀 수 있게. 알아듣니?"

그를 가만히 바라보았다. 개똥 같은 인간. 흰 수염이 턱 주변으로 은색 솜털처럼 나 있고 뭐가 분한지 씩씩거렸다. 문득 이 생각이 떠올랐다. "저를 돕고 싶다면 콜라 씨를 찾아주세요. 8월부터 제가 일하고 받은 돈을 모두 가져오라고 해주세요. 지금이 12월 첫 주인데 4개월간 일하는 동안 돈을 못 받았습니다."

"콜라 씨? 그게 누군데? 에이전트?" 빅 대디가 코웃음을 쳤다. "내가 왜 내 시간과 지원을 들여 콜라 씨를 찾아야 하냐? 쥐꼬리만 한 돈 때문에? 네 월급이 얼마니? 내가 두 배, 세 배로 주마. 들어봐라. 내가 너를 돕게 되면 너는 네가 쓰고도 남을 큰돈을 갖게 된다."

"저는 제가 일해서 번 돈을 갖고 싶습니다." 이렇게 말하고 뒷걸음치기 시작했다. "안녕히 주무십시오."

"아두니!" 그가 외쳤다. 하지만 크게 내지르진 않았다. 빅 마담이 들을까 무서울 테지.

"아두니, 이리 와봐라. 이리 와봐." 그가 속삭였다.

나는 숙소 뒤쪽의 나무 두 그루에 묶인 빨랫줄로 가서 내 옷을 낚아채 어깨에 둘렀다.

모루푸와 빅 대디의 다른 점이 뭘까? 하나는 영어를 잘하고 하나는 영어를 못하지. 둘 다 끔찍한 마음의 병이 있는 건 똑같구나.

저 약도 없는 병.

40장

☑ 팩트: 2012년을 기준 으로, 나이지리아는 독립 이후부터 부정부패로 4,000억 달러의 석유 수익을 손실했다.

텔레비전에 나온 남자가 한 시간째 선거에 대해 떠들고 있다.

나는 바닥에 앉아 빅 마담의 발을 마사지하면서 텔레비전을 계속 힐끔거렸다. 마이크를 든 남자는 회색 잉글리시 재킷을 입었고 목이 기다랬다. "2014년이 저무는 때에 모든 사람이 생각하는 문제는 이걸 겁니다. 어릴 때 신발도 신어보지 않은, 페도라를 쓴 남자의 집권하에 이 거대한 아프리카는 계속해서 불안, 유혈 사태, 경제난을 이어갈 것인가. 아니면, 나이지리아인들이 분연히 떨치고 일어나 한때 국가원수이자 퇴직한 육군 소장 무하마두 부하리의 집권을 위해, 변화를 위해 투표할 것인가? 국가의 운명이 정해지기까지 4개월 남았습니다. 그때까지 여러분이 애청하는 채널에서 눈을 떼지 마십시오."

"부하리는 절대 재집권할 수 없지." 빅 마담이 내 손에 있는 발을 꼼지락거리며 말했다. "아두니, 거기, 거기, 거기 긁어라. 그래. 발꿈치 옆에 거기. 딱 좋다. 제발 하나님이 부하리가 대통령이 되는 일은 막으시길."

빅 마담이 나한테 말하고 있는 건 아니었지만 나를 보고 있긴 했다. 정확히는 발을 여기저기 마사지하는 내 손을 보고 있었지만. "부하리는 조녀선 밑에서 특혜를 본 인간들은 전부 가만두지 않을걸. 어휴, 하나님 이시여, 제발 굿럭 조녀선이 당선되길. 부하리는 진보의 적이야. 도대체 무슨 부패가 있다고 싸우겠다는 거야? 말짱 거짓말이지! 변화라는 말도 안 되는 약속에 나이지리아 사람들이 눈이 멀었다고. 부하리가 차기 오바마라도 되는 줄 안다니까. 불쌍도 하지. 그 인간은 인간미가 없어. 무력으로 나라를 끝장내버릴 거야."

누군가 문을 두드렸다. 미즈 티아였다. 늘 입는 티셔츠와 청바지 차림이었다. 이번 티셔츠에는 반짝이는 글자로 'NAIJA GIRL'이라고 쓰여 있었다. 미즈 티아는 나를 보고 윙크하더니 빅 마담에게 고개를 까닥였다.

"안녕하세요, 플로렌스 부인. 토요일 잘 보내고 계시죠?"

빅 마담이 공중에서 무슨 냄새가 난다는 듯 코를 치켜들었다. "다다 부인."

미즈 티아는 미소를 잃지 않았다. "토요일 아침이니까, 우리가 어, 지난주에 약속한 대로 아두니가 저랑 같이 시장에 갈 수 있을 거 같아서요. 그래서 오늘 언제쯤이 좋을까, 확인차 들렀습니다. 오후 2시 어떠세요?"

"아두니는 지금 바빠요. 마사지 계속해. 엄지발가락을 잘 문지르란 말이다."

미즈 티아가 어디가 아픈 것처럼 웃었다. "그렇군요. 제 생각에는 지난주에 그렇게 하기로."

"약속한 거 하나도 없습니다." 빅 마담이 발을 모으고 소파에서 일어났다. "내 가사 도우미를, 호의를 베푼 거지, 난 당신한테 신세 진 거 하나 없습니다. 오늘은 애가 바빠요. 내가 가게에 있을 때 월요일에 오세요."

"다음 주에 다시 오겠습니다."

미즈 티아가 한숨을 쉬며 발걸음을 돌리자 나는 마음이 무거워졌다. 빅 마담이 손을 치켜들었다. "다다 부인, 잠깐만요. 내가 지난주에 말한 콜라 중개인 말이에요. 아주 믿음직하답니다. 비용도 적당하고요. 전화번호 드릴 수 있어요. 콜라가 싫으시다면, 당신 같은 사람들은 우아한 거 좋아하니까, WRWA 미팅에서 키키가 얘기했던 에이전시에 연락해볼 수도 있죠. 뭐라고 했더라? 컨설트-에이- 뭐라고 했는데?"

"컨설트-에이-메이드였죠. 월요일에 다시 오겠습니다." 미즈 티아가 한 손을 문손잡이에 올리고 물었다. "몇 시쯤 올까요?"

"정오 전에 오세요."

"알았습니다."

"자기 집 가정부는 직접 구하세요." 거실을 나가는 미즈 티아 등 뒤로 빅 마담이 외쳤다. "난 가정부 공짜로 빌려주고 그렇지 않습니다. 다다 부인, 기분 좋은 오후 보내세요."

미즈 티아가 억지로 웃으며 고개를 끄덕였다. "주말 잘 보내세요."

월요일이 되기 전, 뇌를 쥐어짜서 영어를 공부했다.

<콜린스>를 읽으면서 더 어려운 단어를 외워보려고 끙끙댔다.

책을 펼쳐 내가 모르는 단어를 아무거나 세 개 골랐다. 미즈 티아 앞에서 이 단어를 빨리 써먹고 싶어 안달이 날 지경이었다. 내가 외운 단어는 이거였다.

1) assimilate

2) communicate

3) extermination

미즈 티아가 가르쳐준 현재진행형도 열심히 공부했다.

월요일 아침, 해가 하늘에 커다랗게 떠 있었다. 겨드랑이에 핀을 백 개쯤 꽂은 것처럼 땀이 샘솟았다. 나는 문가에서 미즈 티아를 기다리는 중이었다. 저만치서 미즈 티아가 달려오는 게 보이자 손을 치켜들며 활짝 웃었다. 미즈 티아는 자동차를 타고 오지 않았는데 모퉁이만 돌면 자기 집이 보이니까 집까지 뛰어가자고 했다. 자동차 매연은 오존층이라는 데 문제를 일으키기 때문이라고 했다.

"주말은 어땠어?" 웰링턴 로드를 걸으며 미즈 티아가 내게 물었다. 한 적한 길이었다. 지나가는 차도 없고 높은 담장 너머로 빨강, 초록, 갈색 지 붕을 인 커다란 집들만 빼꼼 보였다.

"공부한 내용을 전부 이해했습니다(I assimilate all my work)." 내 말 에 미즈 티아가 걸음을 멈췄다. 그러고는 내가 무슨 이상한 말을 한 것처럼 쳐다봤다.

"너 사전을 읽고 있었구나?"

"나는 <콜린스>와 의사소통을 하고 있습니다(I am communicating the Collins)." 이 말끝에 미즈 티아가 고개를 젖히더니 엄청나게 큰 소리로 웃기 시작했다. 하도 깔깔대고 웃어서 주변이 다 울렸고 앞쪽 야자나무에 앉아 있던 새가 푸드덕 하고 날아갔다. 미즈 티아는 넘어지지 않으려고 무릎을 손으로 받치고서야 겨우 웃음을 그쳤다.

"아두니, 너 진짜 대단한 아이야. 있잖아, 사전만으로는 말을 더 잘하게 되거나 글이 더 잘 써지거나 그러진 않아." 그녀가 눈물을 손가락으로 훔쳤다. "내가 가르쳐주는 대로 같이 공부하다 보면 실력이 늘 거야. 마감까지 아직 2주 남았으니까 천천히 해도 돼. 알았지?"

나는 '나는 내 형편없는 영어를 박멸하고 싶습니다(I want to extermination my bad English).' 라고 대답하고 싶었지만 단어를 제대로 썼는지 확실치 않아 마음을 바꿨다. 그래서 "네"라고만 대답했다.

"네 안주인이 내가 토요일에 찾아가서 별로 좋아하지 않았지?" 어느새 웰링턴 로드 끝에 다다랐다. "우리가 오늘은 실제로, 같이 시장에 가는 게 좋을 거 같아. 빅 마담 남편이 나서주지 않았다면 우리가 같이 나가지 못할 뻔했어. 무척 안타깝지만 뭐 어쩔 수 없지. 아쉬운 대로, 시간이 날 때마다 최대한 활용해야지." 앞에 잔디가 깔린 회색 문 옆의 등을 지나자 미즈 티아가 걸음을 멈췄다. "여기가 우리 집이야. 밀버턴 로드 쪽에서 오면 첫 번째로 보이는 집이지. 들어갈까?"

내가 고개를 끄덕였다. 약간 떨리는 거 같았다.

미즈 티아의 집은 빅 마담의 집처럼 문을 열어주는 사람은 없었다. 미즈 티아가 직접 문을 열어 마당으로 들어갔다. 푸른 잔디 뒤로 아름다운 여왕처럼 생긴 집이 보였다. 잔디의 초록빛이 빅 마담의 잔디처럼 흐리멍덩하지 않고 숨을 쉬고 생생히 살아 있는 듯 푸르렀다. 집은 흰색이고 파란색 창에 지붕은 붉은색이었다. 지붕 위에 네모나고 파란 유리가 서른 장 정도 얹혀 있었다. 하얀색 선과 점이 연결된 유리창은 전부 다닥다닥 붙어 있었고 아침 햇빛을 받아 반짝였다. 현관까지 이어진 바닥에는 회색 돌이 일렬로 깔리고 꽃 화분이 놓여 있었다. 현관문에는 빨간 리본에 금색 종으로 장식한 동그란 모양의 잔디 장식이 걸려 있었다.

"네 주인집처럼 크진 않아. 켄은 큰 집에, 침실이 다섯 개, 화장실이 다섯 개에다가, 수영장이 있는 집에 살고 싶어 했어. 그런데 난 내키지 않더라고. 그런 규모의 집을 관리하려면 에너지가 얼마나 많이 들겠니? 짐작도 못 하겠더라."

"지붕에 저 유리창, 저게 뭐예요?"

"아, 저건 태양전지판이야. 태양에서 전기를 얻는 거지. 발전기가 돌아가는 소리나 매연 때문에 환경이 오염된다고 생각하면 마음이 안 좋아서 설치한 거야."

"언젠가 이카티에 있는 집들에 저 판을 올려놓을 방법을 찾아낼 거예요." 내가 지붕을 올려다보며 말했다. "우리 마을에는 전기가 안 들어오는 집이 많거든요. 미즈 티아, 우리가 저 판 같은 거를 놓을 수 있고 태양에서 빛을 모아서 모든 집에 놓을 수 있다면 마을이 훨씬 살기 좋아질 거예요. 누가 전깃불을 안 줘도 되고 비싼 발전기를 사느라 돈을 구하지 않아도 되고요. 태양에서 빛을 받기만 하면 되잖아요."

"아두니, 그거 아주 좋은 생각이다." 미즈 티아가 놀랍다는 눈으로 쳐다보았다. "회사에서 다음에 회의할 때 이 건을 제안해야겠어. 제휴할 수 있는 다른 에이전시가 있을 거야. 마을에 패널을 저렴한 비용으로 설치할 수 있을지도 몰라. 어쩌면 이카티가 우리 사업의 첫 번째 대상 마을이 될 수도 있지. 아두니, 이리 와. 제라늄 화분 조심하고. 여기서 신발을 벗으렴."

나는 신발을 벗으면서도 미즈 티아가 이카티에 패널을 놓는다는 말에 뿌듯한 마음이 솟아 가슴이 몽글몽글해졌다. 이카티의 모든 집과 거리, 상점들에 조명이 들어온다면 얼마나 예쁠지 상상조차 하기 힘들었다.

미즈 티아도 신발을 벗어 부엌문 밖 나무 탁자에 놓았다. 우리는 부엌으로 갔다. 그런데 부엌에는 음식을 먹거나 사용한 흔적이 전혀 없었다.

"여기서 요리하세요?" 부엌 테이블에 놓인 기계들을 둘러보며 물었다. 커피를 만드는 기계와 주전자가 어찌나 번쩍번쩍한지 상자에서 방금 꺼낸 듯했다. 모든 게 하얬다. 너무 하얗고 너무 깨끗하고 표백제 냄새가 났다. 미즈 티아가 더러워지는 걸 아주 두려워하고 물건을 많이 두는 걸 싫어할지도 모른다는 생각이 들었다. 바닥의 타일과 벽의 부엌 찬장, 가스레인지 옆의 토스터, 물을 정수하는 기계도 지나치게 새하얬다.

"왜 그러니? 왜 그렇게 쳐다보니? 요리는 대부분 켄이 하고 나는 나중에 뒷정리만 확실히 해. 뭐 먹을래?"

배가 고팠지만 고개를 저었다. 이렇게 부엌이 텅 비었는데 나한테 줄 음식이 어디 있겠는가?

미즈 티아가 서랍에서 하얀 수건을 꺼내 이미 깨끗한 테이블을 또 닦았다. "오늘 바깥바람을 쐬서 참 좋다. 다른 생각을 하는 데 도움이 될 테니까."

"다른 거 뭐요?"

"생리를 다시 시작했어." 미즈 티아가 어깨를 으쓱였다. "이번에는 왜 그렇게 기대했는지 모르겠네. 그래서 일주일을 완전히 망쳤지 뭐. 게다가 더 화나는 일이 있었는데, 시어머니가 주술사한테 가자는 거야. 젠장*, 무슨 목욕을 하라나."

"피** 목욕이요? 왜요?"

"아, 미안. 피 목욕이 아니라. 개울에 목욕하러 가자고 하시네. 불임을 씻어내는 주술사를 안다나. 이전에도 몇 번 얘기하긴 했는데. 난 임신이 금방 될 줄 알고 필요 없다고 했거든. 그런데 지금은 계속 우기시니까."

"이카티에서도 항상 그랬어요." 별안간 카디자가 목욕을 하지 않아 죽은 일이 떠올랐다. "아마 도움이 될지도 몰라요. 임신이 잘 될지도 몰라요. 그래서 이번만 임신이 되게 해요. 이번만."

미즈 티아가 눈을 치켜떴다. "아두니, 이런 거 다 그냥 헛소리지? 그렇지?"

내가 어깨를 으쓱였다. "그런 헛소리가 이카티에서는 통할 때가 있었어요. 도움이 돼서 아기가 빨리 들어서게 할지도 몰라요."

"그냥…." 미즈 티아가 수건을 꼭 쥐어 동그란 공 모양으로 만들었다.

아두니가 bloody(젠장)* 를 blood(피)** 로 잘못 알아들었다.

"어떤 지저분한 노인네가 목욕시킨답시고 손으로 내 몸을 더듬을지도 모른다고 생각하니까. 윽, 역겨워서."

"한번 해보세요. 의사 선생님 엄마의 기분을 달랠 수 있을 테니까요. 결혼 생활을 걱정하지 않게 할 수도 있고요. 목욕이 시작되면 눈을 이렇게 꼭 감으세요. 역겨운 게 하나도 안 보이게." 내가 눈을 꼭 감았다. "목욕할 때 좋은 거, 좋은 것만 생각해요. 아기 이름이라든가 아기 옷이라든가. 아니면 친구요. 캣-티."

내가 눈을 떴다. "케이티." 미즈 티아가 웃었다. "내 아기 이름을 아두니라고 하고 싶어. 딸이면 말야. 아두니는 사랑스럽다는 뜻이지?"

"맞아요." 그 말을 들으니 한껏 들떴다. "제가 아기 보는 걸 도와드릴게요."

"그래, 작은 이모처럼. 그렇다면 목욕을 생각해봐야겠다."

미즈 티아의 얼굴에 근심이 가득했다. "제가 따라가드릴까요?" 목욕하러 갔던 강에서 카디자에게 무슨 일이 일어났는지 미처 떠올리기도 전에, 나도 모르게 그 말이 입에서 튀어나왔다.

"그래 줄 수 있다면" 잠깐, 내가 마음을 고쳐먹으려는데 미즈 티아가 달려들었다. "정말 천지 차이일 거야. 네가 같이 가준다면. 네 마담에게 하루 더 나가게 해달라고 해서 목욕하러 가는 데 쓸까?"

"그렇게 하고 싶으세요?"

"그래." 미즈 티아가 윙크를 했다. "목욕하러는 아마 다음 주까지는 가지 않을 거야. 플로렌스 부인한테는 우리가 마지막으로 만나는 거라고 말하면 되지. 장학생 선발 결과가 그때쯤이면 나왔으면 좋겠다. 시어머니랑 날짜를 맞춰서 너를 데리러 갈게."

"의사 선생님은요? 이 목욕 하는 거 아세요?"

"알아." 미즈 티아가 수건을 접어서 세탁기를 열고 던져 넣었다. "그이는 나쁠 거 없을 거래. 어머니를 행복하게 한다면야. 나야 내 정신 건강을 위해서 생각해본 거지. 자기 어머니가 나한테 스트레스를 많이 주니까 미안한지, 회사에다가 장미를 잔뜩 보냈더라고. 어쨌든 이리 와봐. 이걸 보면 네가 깜짝 놀랄 거야."

41장

☑ 팩트: 세계 최초의 조각 예술품 중 일부가 나이지리아에서 출토되었다. 가장 널리 알려진 이페의 청동 머리 조각은 1938년에 발견되었고, 1년 후 영국 박물관으로 옮겨졌다.

복도로 들어서니 흰 벽에 미즈 티아와 의사 선생님의 사진이 걸려 있었다.

사진 속에서 둘은 웃고 입 맞추고 사랑하는, 진실로 결혼한 모습이었다. 그 사진을 보자 모루푸와 했던 결혼 그리고 카디자와 라바케와 지냈던 그 차갑고 쓰리고 아프기만 했던 내 결혼 생활이 떠올라 서글퍼졌다. 언젠가는 나도 진짜 사랑을 찾게 될까? 훌륭하고 착한, 의사 선생님 같은 남자를 만나게 될까?

"이쪽으로 와." 미즈 티아가 복도 끝에 있는 문을 열었다. "여기가 거실이야."

텔레비전이 없었다. 거실에 전자 제품이라곤 없었다. 대신 비누 냄새와 레몬그라스 냄새 같은 향이 진하게 풍겼다. 하얗고 둥근 소파가 있는데 태어나서 처음 보는 디자인이었다. 소파 위에는 하얗고 둥근 쿠션이 잔뜩 올려져 있었다. 강렬한 은빛 가지가 달린 어린애 정도 크기의 나무가 구석에 서 있었다. 별과 금색 전구, 유리로 만든 천사 인형이 나무에 달려 있었다. 저게 크리스마스트리구나. 지난주에 빅 마담이 아부 아저씨에게 시장에서 크리스마스트리를 사 오라고 했던 게 생각났다. 다만 미즈 티아의 나무는 초록색이 아니라 흰색이지만. 투명 화분 네 개에 꽃이 꽂혀 있고 안에는 작은 카드가 들어 있었다. 살짝 보니까 의사 선생님이 미즈 티아에게 보낸 거였다. 매주 사랑의 표현으로 꽃을 보내는 걸 좋아하는구나.

벽에 그림이 두 개 보였다. 하나는 앙카라를 입은 어떤 여자의 그림이고, 다른 하나는 점토로 만든 머리의 그림이었다. 눈은 없고 덜렁 머리만 그려져 있었다. 눈, 코, 입은 구멍으로 표현되어 있었다. 얼굴에 무슨 자국 같은 게 보였는데 이마부터 눈 아래를 지나 턱까지 가느다랗고 기다란 선이 그려져 있었다. 화가 난 사람이 손톱으로 얼굴을 온통 긁어놓은 거 같았다.

"니케 아트 갤러리에서 산 그림이야. 레키에 있는 훌륭한 갤러리지." 미즈 티아가 점토 머리를 가리켰다. "이 상처 있는 그림이 내가 제일 좋아하는 작품이야. 이페의 청동 머리 조각을 그린 건데 명작이지. 예술품 좋아하니?"

"<나이지리아에 관한 사실들>에서 읽었어요. 영국이 우리 예술품을 어떻게 훔쳐 갔는지에 관해서요. 그런데, 깜짝 놀랄 게 뭔데요?"

"앉아봐. 편안히 있어. 금방 올게."

소파에 앉아 기다리고 있는데 미즈 티아가 파란색 가방을 가져왔다.

"여기." 미즈 티아가 눈을 반짝이며 가방에서 책을 세 권 꺼냈다. "좀 이른 크리스마스 선물로 준비해봤어. 문법에 관한 책 중에서 최고로 좋은 것들이야. 이건 <Better English>라는 거야. 내가 훑어봤는데 아주 좋더라. 너한테 딱 맞아. 나머지 두 권도 좋지만 <Better English>를 먼저 읽어봐."

책을 받아 들자 눈물이 핑그르르 돌았다. "감사합니다. 저한테 정말, 아주 많이 친절하세요."

"이게 다가 아냐." 미즈 티아가 뒷주머니에 손을 넣더니 휴대전화를 꺼냈다. 검은색에 어린아이의 손처럼 얇고 작았다. "간단한 작동법만 익히면 돼. 안주인한테 들키지 않기에도 안성맞춤이지. 내가 이미 크레디트를 좀⋯."

미즈 티아의 말이 끝나기도 전에 내가 벌떡 일어섰다. 그리고 미즈 티아를 와락 안자, 무릎에 있던 책 세 권이 우수수 떨어졌다.

"미즈 티아, 감사합니다!" 내가 꽉 안자 미즈 티아가 웃음을 터트렸다. "감사합니다!"

"아두니, 별거 아냐." 내가 팔을 풀었다. "네가 네 바깥주인 얘기를 했을 때 걱정이 많이 되더라. 그 사람이⋯. 네 방에 왔었다고 했잖아. 자물쇠,

단 거지?"

내가 고개를 끄덕였다. "빅 마담이 목수를 불러서 달았어요."

"자, 이제 너는 휴대전화도 있어." 미즈 티아가 휴대전화를 누르자 지잉 지잉 거려 간지러웠다. 내가 웃자 미즈 티아도 웃었다. "문자메시지 보내는 방법을 가르쳐줄게. 내 번호를 여기 '티아'라고 저장해뒀어. 지금 휴대전화에 저장된 번호는 이거 하나야. 너한테 곤란한 일이 생기면 나한테 문자메시지를 보내. 그냥 'HELP'라고만 눌러. 그러면 내가 최대한 빨리 너희 집으로 갈게. 내가 단어를 발음한 것도 몇 개 녹음해뒀어. 들어봐."

휴대전화를 받아 손으로 만져보았다. 눈으로 보고 있는데도 믿을 수가 없었다. 나, 아두니가, 이카티 마을 출신의 작은 소녀가, 휴대전화를 갖게 되다니. 심지어 아빠도 갖기 전에 말이다. 가슴이 너무 벅차 심장이 터질 거 같았다.

"안주인한테 절대 들키면 안 된다. 알지?"

"그건 가르쳐주시지 않아도 상식으로 알죠. 여기에도 페이스북이 있나요?" 나는 휴대전화가 마치 하늘에서 뚝 떨어지기라도 한 듯 다시 멍하니 쳐다보았다.

"없어. 네가 정확히 다루는 법을 알기 전까진 인터넷을 연결해주지 않을 거야. 그리고…." 미즈 티아가 잠시 무언가 골똘히 생각하며 입술을 깨물었다. "바깥주인이 다시 너를 건드리려고 하면 싸워야 해. 알았니? 네 안에 있는 모든 힘을 쥐어짜서 싸워. 그리고 소리 질러. 싸우고 소리 질러. 이 두 단어를 기억할 수 있을까? 그렇게 하겠다고 약속할 수 있지?"

내가 고개를 끄덕여 알겠다고 했다. "그때 이후로는 가까이 오지 않았어요." 작은 거짓말이지만 미즈 티아가 빅 마담에게 달려가 싸우는 건 원치 않았기 때문에 어쩔 수 없었다. 둘이 다투면 나한테 무슨 일어날지 생각만 해도 무서우니까.

"그런 일이 다시 일어난다면, 하나님 제발 그러면 안 되지만, 그 나쁜 자식이 또 오면, 빌어먹을 놈을 내가 반드시 붙잡아서 아주 그냥 철저히 벌을 받게 해주겠어." 미즈 티아가 코와 입으로 씩씩 공기를 내뱉으며 눈을 빠르게 깜빡였다. 내 안에서 무언가가 덜컹 움직였다. 이 여자는 내게 왜 이렇게 잘해주는 걸까? 어떨 때는 나조차 내 안에 아무것도 없다는 생각이 들 때가 있는데. 이 여자는 무엇을 본 걸까? 창피하게도 눈물이 나려고 해서 꾹 참으려고 했지만 그만 주르륵 흐르고 말았다.

"아, 너를 울리려 한 게 아닌데." 미즈 티아가 내 왼쪽 눈 밑을 손가락으로 훔쳤다.

"미즈 티아, 제 안에 뭐가 있다고 생각하세요?"

미즈 티아가 고개를 저으며 내 두 손을 쫙 펼쳐 잡았다. 그래서 두 개의 창살 같은 모양이 된 내 손가락 사이로 얼굴을 뚫어져라 바라보았다. 미즈 티아가 몸 밖으로 나와 내 영혼 속으로, 내 안으로 들어오는 듯했다.

"아두니, 네 인생에서 제일 바라는 게 하나 있다면 그게 뭐니?"

"엄마가 죽지 않는 거요." 내 목소리가 갈라졌다. "엄마가 돌아오는 거. 그래서 모든 게 좋아지는 거요."

"알아." 미즈 티아가 부드러운, 슬픈 미소를 지었다. "알아. 하지만 다른 거. 네가 원하는 걸 생각해볼래?"

"학교에 가는 거요. 지금은 장학금을 받는 거요."

"아두니, 그게 왜 너한테 그렇게 중요하지?"

"엄마가 교육을 받으면 저한테 목소리가 생긴다고 했어요. 저는 평범한 목소리를 내고 싶지 않아요. 저는 커다란 목소리를 내고 싶어요. 제가 어떤 방에 들어가면 입을 열기도 전에 사람들이 들을 수 있으면 좋겠어요. 저는 이 삶을 제대로 살아내고 싶고 많은 사람을 도와주고 싶어요. 그래서 늙어서 죽은 다음에도 제가 도와준 사람들을 통해서 계속 살아 있고 싶어요. 미즈 티아, 생각해보세요. 제가 학교에 가서 선생님이 된다면 월급을 받아서 이카티에 집을 지을 수 있을지도 몰라요. 그래서 여자아이들을 가르칠 수 있을지도 몰라요. 우리 동네 여자애들은 학교에 갈 기회가 거의 없거든요. 저는 그걸 바꾸고 싶어요. 왜냐하면 여자애들은 자라서 나이지리아를 지금보다 훨씬 더 좋게 만들 위대한 사람들을 낳을 사람들이니까요."

미즈 티아가 내 말을 들으면서 연신 고개를 끄덕였다. "넌 할 수 있어. 하나님은 네가 그 일을 잘해낼 수 있도록 필요한 모든 것을 이미 주셨어. 그게 바로 네 안에 다 있어." 미즈 티아가 내 손을 놓고 손가락으로 내 가슴을 가리켰다. "바로 여기에. 네 가슴 안에. 너도 믿고 있지. 난 알아. 그 신념을 꼭 지켜. 절대 버리지 마. 매일 아침 일어나면 내일은 오늘보다 더 나을 거라고 되새기길 바라. 너는 귀한 사람이라고. 너는 중요한 사람이라고. 장학금을 받든 안 받든, 너도 이걸 믿어야 해. 알았지?"

미즈 티아의 눈동자를 똑바로 바라보았다. 그녀의 갈색 눈동자에 어떤 금빛 같은 게 반짝이자 내 심장이 녹아내리는 듯했다. 나는 그녀가 진심만을 담아 이 말을 하고 있다는 걸 안다. 하지만 동전 한 푼 없는 인생으로 태어나 별의별 고생을 하다 보니, 그 말을 믿기는 쉽진 않았다. 스스로 선택하지 않은 삶이니까. 나도 가끔은 멋진 인생을 살 수 있다고 믿고 싶다. 내게도 마법 같은 일이 일어나 인생이 술술 풀릴 거라고. 하지만 어쩌면 그 무엇보다 내 마음을 믿는 것이 시작일지 모른다. 그래서 고개를 아주 천천히 끄덕이며 이렇게 말했다. "내일은 오늘보다 더 나은 날이 될 것이다. 나는 귀한 사람이다."

"아주 좋아, 아두니. 아주 좋아." 미즈 티아가 웃는지 우는지 모를 미소를 지었다. "자, 이제 가자. 밖에 차가 와 있어. 시장에 가자."

검은색 토요타 차였다. 미즈 티아가 '우버'라고 부르는 차가 우리를 집 대문 앞에서 태웠다.

운전기사 마이클은 미즈 티아를 보자 셔츠 옷깃을 턱까지 세우고 고개를 숙였다. 그러더니 고개를 한쪽으로 기웃하면서 어디가 아픈 사람처럼 굴었다. 나는 저 사람이 아침에 나오기 전에 무슨 독약을 먹었나 했다. 마이클이 차를 출발하기 전에 거울을 보더니 입술을 핥았다.

"이야, 아가씨. 좀 핫하시네요. 네?"

나는 미즈 티아를 쳐다보았다. 미즈 티아가 더운가?

하지만 미즈 티아는 눈알을 굴리며 "위즈키드*를 틀든가 쿨 FM 틀어주실래요? 별로 말하고 싶지 않네요."라고 했다.

"올롸잇! 예쁜 갈색 눈동자 그렇게 굴릴 필요 없어요."

그러더니 음악을 틀고 출발했다. 한 시간 내내 혼잡한 길을 오르락내

---

* 위즈키드Wizkid: 나이지리아 출신 가수

리락하면서 1분마다 빵빵거리는 차들 사이로 차선을 바꾸고 또 바꿨다. 그러자 수백만 명은 되어 보이는 사람들로 가득 찬 거리가 나타났다. 마이클이 빨간 간판의 '프랭키스' 패스트푸드점 앞에 차를 세웠다. 분홍색 케이크가 세 개 있는 사진과 한 아이가 아이스크림을 먹는 사진이 앞 유리에 붙어 있었다.

"올롸잇, 다 왔수다. 아가씨들. 여기까지가 최대예요."

우리는 차에서 내렸다. 마이클은 또 고개를 끄덕이며 차를 몰고 갔다.

"저 사람, 고개를 끄덕였다 꺾었다가 왜 저래요? 멀쩡한 거 맞아요?" 내가 미즈 티아에게 이렇게 묻자 그녀는 내 손을 꼭 잡고 군중 사이로 비집고 들어갔다.

"그럼 멀쩡하고말고." 미즈 티아가 주변을 둘러봤다. "자, 이제 어디서 시작한다?"

나도 빙 둘러봤지만 어지럽기만 했다.

발로군 시장은 길게 쭉 뻗은 길이었다. 사람들과 온갖 소음으로 복잡하기가 이루 말할 수 없었다. 하나님이 도시 하나를 통째로 가방에 넣어 다니다가 이 거리에 가방을 홀라당 뒤집어 풀어놓은 것 같았다. 세상의 소리란 소리는 모조리 여기에서, 지금, 동시에 나는 것 같았다. 자동차 빵빵대는 소리, 염소가 매 우는 소리, 다닥다닥 붙은 교회와 사원의 커다란 스피커에서 흘러나오는 '알라 후 아크바르*, 하나님을 찬양합시다.' 하는 소리.

---

*알라 후 아크라르: 신은 위대하시다

음식 파는 상인이 흔드는 종소리, 머리에 인 투명한 통에 윤기가 자르르 흐르는 아카라와 퍼프-퍼프를 담아 다니며 파는 사람이 외치는 소리, 온갖 물건이란 물건은 다 파는 남녀, 어린아이의 고함 소리. 바지와 브래지어, 신발, 아이스크림, 비닐에 든 생수와 말린 새우를 넣은 롤빵, 가발까지 그야말로 없는 게 없었다. 멍하니 서서 보니 사람들의 머리가 물 위를 흐르는 카펫처럼, 작은 개미 떼처럼 보였다. 수백 명이 길을 따라 이동하고 있었다.

고개를 숙여 내 발을 보려고 했지만 시커멓기만 했다. 나와 미즈 티아 사이에 그리고 나를 뒤에서 미는 사람 사이에 공간이라고는 전혀 없었다. 뒤에 있는 사람은 '중국에서 온 컨테이너'에 대해, 그걸 잃어버리면 끝장이라는 말을 휴대전화에 대고 크게 떠들어댔다.

"잘 잡아." 미즈 티아가 그렇게 말하는 거 같았지만 머리 위의 스피커에서 남성의 문제를 치료하는 강력한 허브에 대해 요루바어로 시끄럽게 떠드는 소리에 먹혀버렸다. 이 복잡한 거리에 자동차까지 지나다녔다. 라고스의 노랗고 검은 택시였는데 움직이지도 못하고 그냥 서서 경적만 울려댔다. 한 남자가 자동차 창문을 두드리며 "이 새끼야, 당장 이거 치워!" 하고 운전사에게 소리쳤다.

사람들은 계속 앞으로 서서히 다른 사람들을 밀치면서 갖은 체취를 풍기며 앞으로 나갔다. 생리 중인 여자들의 퀴퀴한 냄새, 지독한 땀내, 강한 꽃 향수 냄새, 향 냄새, 빵 굽는 냄새, 담배 냄새, 더러운 발 냄새. 길 한쪽에 분홍, 빨강, 노랑, 하양 등 색색의 화려한 우산 아래 앉아 있는 여자들이 보였다. 지나가는 사람들에게 "물 좋은 생선, 코코넛 캔디, 100퍼센트 인모 가발 있어요." 하고 외쳤다. 어떤 사람들은 머리에 물건을 담은 그릇을 지고 우리와 같이 걸었다.

"우리 어디 가는 거예요?" 내가 미즈 티아에게 이렇게 외치는데 난데없이 어떤 남자가 내 손을 미즈 티아에게서 낚아채더니 내 귀에 대고 소리쳤다. "예쁜 아가씨, 따라와. 금색 레깅스, 오리지널로 사게 해줄게." 내가 손을 확 빼냈다. 그러자 구멍 난 분홍색 러닝셔츠 차림에 짙은 선글라스를 걸친 남자가 내 가슴 쪽으로 자그마한 흰색 선풍기를 들이밀었다. "신선한 바람 사세요. 근심 걱정을 날려버릴 오리지널 바람. 5분에 100나이라 어때?" 나는 고개를 저으며 미즈 티아에게 더 찰싹 달라붙었다. 이모든 광경에 혼이 쏙 빠질 듯해 사람들을 볼 때마다 심장이 쿵쾅댔다.

가죽 신발, 고무 신발 등 온갖 신발을 파는 가게를 지나 위로, 위로 올라갈 때였다. 음료수를 잔뜩 넣은 작은 바구니를 머리에 인 여자가 다짜고짜 내 뺨에 얼음처럼 차가운 병을 들이대 화들짝 놀랐다. 여자는 "찬물이에요. 아주 꽝꽝 언 생수."라고 했다. 바구니에서 콜라를 꺼내더니 또 내쪽으로 들이밀었다. "아니면 콜라 마실래? 미란다, 세븐업도 있어요. 어떤 거 살래?"

양쪽으로 건물도 있지만 창문에 주렁주렁 걸린 물건들로 모조리 뒤덮여 있었다. 바지, 셔츠, 양복이 줄줄이 걸려 있고 머리 위로는 회색 전화선이 건물과 건물을 가로질러 교회니 사원이니 허브 약국이니 할 거 없이모든 가게 간판과 한데 뒤섞여 있었다.

미즈 티아가 내 손을 잡고 계속 걸으며 소리를 질렀다. "저기 생선 가게에서 좌회전할 거야. 여기 정신이 하나도 없다!"

걷기는 하는데 조금도 앞으로 나가는 거 같지 않았다.

사람들이 한 덩이로 움직이는 기계처럼 둥둥 흘러가는 거 같았다. 드디어 왼쪽으로 돌자 사람이 그다지 많지 않았다. 이쪽 골목은 빵과 앙카라 천을 주로 파는 곳이었다. 미즈 티아에게 여기가 맞느냐고 물으려는 찰나, 'PRANDA'라고 쓰인 검은 티셔츠를 입은 남자가 웃으며 다가와 자기 목에 걸린 커다란 빨간색 구슬 목걸이를 잡고 물었다. "마담, 찾으시는 거 다 있는데, 어떤 걸로 사실래요?"

"아유, 세상에!" 미즈 티아가 이마를 훔쳤다. "천 좀 사려고요."

"우리 디자이너 티셔츠도 있어요." 남자는 발치에 둔 바구니로 허리를 굽히더니 흰색 티셔츠를 들었다. "진짜 오리지널. 신상." 그가 셔츠를 펼쳐 보이자 미즈 티아가 글자를 쳐다보았다. 'Guccshi'. 미즈 티아는 고개도 젓지 않고 곧장 지나쳤다.

"난 진품 앙카라를 찾고 있어요. 그것만 살 거예요."

"우리 가게 안에 샤넬 백도 있는데." 그가 땀에 전 질척한 손으로 내 손을 잡아끌었다.

"우리 빅 마담 가게에 가면 안 돼요?" 남자에게서 손을 빼내며 내가 물었다. "저는 태어나서 이런 데는 처음 와봤어요. 여기가 라고스예요?"

이카티 시장은 여기의 4분의 1 정도밖에 안 되는 거 같았다. 시장은 조용했고 서로 다 알고 소리 지르지 않아도 되는데.

"여기가 라고스야." 미즈 티아가 피곤한 듯 웃었다. "플로렌스의 옷 가게는 엄청 비싸. 이쪽이야."

지독한 냄새를 풍기는 수로를 건넜다. 시커먼 물에선 아귀 같이 생긴 작은 빨간씬벵이가 담배와 휴지, 신문지가 떠다니는 수로를 헤엄치고 있었다. 길 반대편으로 천을 파는 가게들이 즐비하게 늘어서 있었다.

"드디어 왔다." 화장실 크기만 한 가게였다. 천장부터 바닥까지 화려한 색채의 앙카라가 접힌 채 켜켜이 쌓여 있었다. 동그란 북처럼 생긴 여자가 가게 앞에서 요루바어로 노래를 부르며 옷감을 개다가 우리를 보자 천이 쌓인 벽을 가리켰다.

"언니들, 어서 오세요. 우딘, ABC 왁스, 뉴 새틴, 말만 해. 다 있어요. 전부 다 오리지널이라고. 빨아도 빨아도 변하지 않아요. 이거 보세요. 최신상." 여자는 노랑과 초록 패턴이 있는 앙카라를 꺼내 미즈 티아의 손에 들이밀었다.

"예쁘네요." 미즈 티아가 특유의 깨끗하고 정확한 영어로 말했다. "아유, 부드러워. 아주 정교해. 이런 거 세 개 살 수 있을까요? 5.5미터씩? 게스트 룸용 시트랑 베개 만들 거예요."

"런던 언니구나." 여자가 미즈 티아를 슬쩍 쳐다봤다. "언니한테는 5.5미터면 6천 나이라. 세 개 필요하다고요? 세 개 있지요. 앉아요. 앉아. 언니한테는 런던 가방에 싸줄 테니까."

천을 보는 미즈 티아의 눈이 반짝이는 걸 보고 있으려니 오랜만에 친구 에니탄이 생각났다. 시장에서 새로운 색의 아이 펜슬이나 립스틱을 보면 늘 눈을 반짝였는데. 다만 에니탄은 돈이 없어서 보기만 하고 웃으며 지나쳤지. 미즈 티아는 돈이 많으니까 딱히 필요 없는 물건도 살 수 있구나. 오늘 같은 날 에니탄과 미즈 티아를 생각하자, 둘이 얼마나 다른지 새삼스레 느껴졌다. 미즈 티아는 에니탄과 비슷한 점이라고는 하나도 없는

데 어쩌다가 나와 친구가 된 건지 신기했다.

"아두니!" 미즈 티아가 윙크를 했다. 나는 고개를 끄덕이며 엄마가 가르쳐준 이카타 시장 여자들과 값을 흥정하는 법을 모조리 떠올렸다.

"절대 안 되죠." 내가 요루바어로 말했다. "5.5미터에 6천 나이라요? 하나님이 펄쩍 뛰실 걸요. 너무 비싸요. 3천 나이라에 파세요."

"4천 5백. 더는 안 돼." 여자가 언짢은 듯 미즈 티아의 손에서 천을 낚아챘다. "이건 오리지널이라고. 신상이에요."

나는 웃으며 "언니, 내가 언니 딸뻘인데. 3천에 팔면 다음 주에 저 언니 또 여기로 데려올게요. 앞으로 많이 살게요. 이렇게 더운데 멀리서 왔다니까. 3천만 받아요. 제발."

여자가 한숨을 쉬었다. "돈이나 내요."

내가 미즈 티아를 돌아보았다. "3천 나이라로 해준데요. 돈 내세요."

미즈 티아가 미소를 지었다. "아두니, 이래서 내가 널 데려온 거야."

두 시간 후. 두 다리가 퉁퉁 부었다.

머리가 활활 타오르는 축구공이 된 듯했다. 목이 탔고 혀는 바싹 말라 반으로 쪼그라든 느낌이었다. 미즈 티아는 무슨 저주에 걸린 양 쇼핑을 해댔다. 요것조것 물건을 사면서 더는 입이 말라 말이 나오지 않을 때까지 값을 깎아달라고 했다. 미즈 티아는 내가 물건 값을 깎을 때마다, 상인과 대화가 끝날 때마다, 신나게 손뼉을 쳤다. "너 정말 타고났구나! 우리 또 쇼핑하자!"

해가 져서 하늘이 오렌지 빛으로 물들기 시작한 뒤에야 우리는 느릿느릿한 걸음으로 시장을 나왔다. 미즈 티아는 쇼핑한 물건들로 가득한 비닐봉지를 질질 끌었다(나더러 아무것도 들지 말라고 했다. 두 손이 멀쩡하다나). 드디어 아까 마이클이 이른 오후에 내려줬던 프랭키스 패스트푸드점 앞에 도착했다.

"뭐 좀 먹을래?"

"네, 무지, 무지 배고파요." 내가 입술을 핥았다.

"아두니, 굶주렸어요. 이럴 때 starving이란 단어를 쓰는 거야. STAR-VING."

아니 이렇게 더운 날에 이렇게 오래 걸은 판에, 어떻게 내 영어를 고쳐줄 생각이 들지?

시원한 에어컨이 나오는 가게로 들어섰다. 내가 문가에서 세 번째 자리를 골라 빨간 가죽 쿠션이 깔린 의자로 미끄러져 들어갔다. 부자들이 쓰는 의자 같았다. 가운데 높은 나무 식탁이 있고 거대한 고기 파이와 소시지 롤, 삶은 달걀을 잘라 놓은 사진이 왼쪽 벽에 붙어 있었다.

"음식 주문해 올게." 미즈 티아가 쇼핑백을 두고 걸어갔다.

잠시 후 미트 파이, 소시지 롤, 조그만 노란 케이크, 오렌지 주스가 잔뜩 담긴 접시를 들고 왔다.

"진짜 재미있었어." 미즈 티아가 내 옆으로 미끄러지듯 들어왔다. "우리 또 쇼핑하자. 목욕한 다음에 한 번 더. 켄에게 플로렌스한테 말해놓으라고 할게. 자, 얼른 먹어."

음식을 보자 침이 꿀떡 넘어갔다. 태어나서 한 번도 먹어본 적이 없는 음식이었다. 카유스와 에니탄이 같이 있었으면. 다 같이 음식을 잔뜩 먹고 웃고 떠들었으면. 퍼뜩 이런 생각이 들자 좀 기운이 빠졌다.

"음식이 아주 많네요." 기운을 내려고 억지로 웃어보았다. "아주 많아요."

"그래, 너 굶주렸잖아. 얼른 먹어."

미트 파이를 먹어보았다. 이 사이로 파이가 으스러지자 걸쭉하고 따듯한 고기의 육즙과 빵에서 나온 감자가 혀에서 녹아 눈이 절로 스르르 감겼다.

눈을 뜨자 미즈 티아가 나를 보고 웃고 있었다.

"너 오늘 진짜 대단했어. 시장 아줌마들을 상대로 그렇게 자신 있게 흥정하고."

나는 어깨를 으쓱인 다음 소시지 롤을 집어 들었다.

"엄마 상태가 또 나빠지셨어." 미즈 티아가 포크와 나이프를 들어 케이크를 작은 사각형으로 자르기 시작했다. 그리고 하나를 포크로 찔러 먹었다. "다음 주에 포트하커트에 가야 해. 크리스마스랑 새해를 거기서 보낼 거 같아. 응시 원서는 다 썼고, 내가 너 추천서 써넣어. 보증인 신청 서류도 프린트했고. 이제 에세이만 쓰면 돼. 아두니, 이제 곧 써야 하거든. 내일부터 이틀 동안 써서 우리 집으로 갖고 올 수 있겠어?"

"해볼게요." 사실은 펜을 들고 에세이를 쓰기 시작할 적당한 때를 살피는 중이었다. 뭐라고 쓸지, 어떻게 하면 최고로 잘 쓸 수 있을지, 막막한 심정에 차일피일 미루면서.

"글씨 꼭 깔끔하게 써야 해. 이제 펜도 좋은 거 있으니까. 다 썼으면 접어서 우리 집 문 앞에 밀어 넣어. 포트하커트로 출발하기 전에 내가 직접 오션 오일 사무실로 가서 확실하게 제출할 거야. 이틀 후에 가져올 수 있 겠어?"

내가 대답이 없자 미즈 티아가 내 손을 꼭 쥐었다. "무섭니?"

"조금요." 입에 묻은 부스러기를 훔쳤다. "뭐라고 써야 할지 걱정돼 요."

"네 마음을 다해 써. 진실을 쓰면 돼. 네가…." 미즈 티아가 갑자기 내 손을 툭 떨어뜨리더니 말을 멈췄다. 눈동자가 가게 문이 열리는 걸 보더 니 놀란 듯했다. 나도 그녀의 시선을 따라가보았다. WRWA 미팅에서 봤 던 깡마른 여자였다. 영국풍의 검은색 정장과 치마 차림이었다. 재킷 색 깔이 하늘로 솟구칠 듯했다.

"젠장." 미즈 티아가 속삭였다. "티티 벤슨이야. 이쪽으로 오잖아. 아 두니 숙여(duck)*. 지금 숙여."

"오리요?" 나는 주변을 돌아봤다. "레스토랑 안에요?"

"테이블 아래로 들어가." 미즈 티아가 이 사이로 말했다. "빨리."

그래서 얼른 테이블 아래로 기어 들어가 쇼핑백 뒤에 숨었다. 심장이 벌떡벌떡 뛰었다.

다리가 실같이 얇은 여자가 우리 쪽 테이블로 걸어왔다. 저렇게 높은 하이힐을 신고 저렇게 빠르게 걷는데 어떻게 다리가 두 동강이 나지 않는 지 이해가 가지 않았다.

---

* duck : 명사로는 '오리'라는 뜻이지만 '숨기다, 피하다'라는 동사로도 쓰인다.

"티아 다다." 그녀가 우리 테이블 앞에서 걸음을 멈췄다. 그녀의 값비싼 향수 냄새가 내가 먹은 미트 파이와 소시지 롤 냄새를 삼켜버렸다.

"발로군 시장에서 뭐 하고 있어요? 내가 맞춰볼까요? 이 지역의 오염 문제에 대한 리포트를 쓰시나?"

"티티." 미즈 티아는 목에 케이크가 걸린 것 같았다. "반가워요. 잘 지냈어요?"

"잘 지냈죠. 음식을 많이 시켰네요. 누구 기다려요?"

"네." 미즈 티아가 억지로 웃었다. "아, 아니요. 다 제가 먹을 거예요. 배고파 죽을 지경이에요. 어이가 없을 정도로 그러네요."

"오호라, 아사 직전 같다." 티티가 갑자기 노래를 부르듯 말했다. "이 거 무슨 숨은 뜻이 있는 말 같은데? 배 안에 뭐가 들었나? 배 속에서 빵을 굽나? 얼마나…"

"가방 참 예쁘네요." 미즈 티아가 말을 막았다. "아주 시크해요."

"그렇죠?" 티티가 파란색 상자 모양의 가방을 쓰다듬었다. 어깨에 두 꺼운 금색 체인이 걸려 있었다. 가방 앞에는 금색의 C 글자가 서로 등을 대고 붙어 있었다. 그녀가 신은 검은 신발처럼 아주 비싸 보였다.

"이 가방 산 지 3년 된 거 알았어요?" 티티의 목소리에 웃음이 배어 있었다. 가방이 아들이라도 되는 양 뿌듯해했다. "최고급 카프스킨이에요. 티아 가방도 예쁘네요. 이탈리아제?"

미즈 티아의 가방은 삼각형 비슷한 모양으로 검은색과 분홍색 가죽에 금색 핀이 버튼처럼 붙어 있었다. "제 가방은 나이지리아 제품이에요. 전 거의 나이지리아 것만 써요."

"뭐, 샤넬은 실패가 없으니까. 어쨌든, 브로드 거리에 있는 퍼스트 뱅크 이사회에 가야 하는데 늦었네요. 하지만 프랭키스의 미트 파이를 보고 그냥 지나칠 수가 있어야지. 이사회 회의 때 은행 CEO가 주문하는 같잖은 샐러드보다 이게 훨씬 나으니까. 아유, 우울해. 늦었어요. 케네스한테 안부 전해줘요. 각별히 몸조심하며 지내고 배 속도 좀 잘 관리하고요! 그럼!"

여자는 또각또각 소리를 내며 사라졌다.

나는 6, 7분을 더 기다렸다가 미즈 티아가 테이블 아래로 손을 넣어 나오라고 하자 나왔다.

"저 왜 숨으라고 한 거예요?" 내가 올라와 등을 펴며 물었다. "빅 마담이 제가 시장에 온 거 알잖아요. 그리고 저 여자는 오븐에서 빵을 굽고 있는 건 왜 물어요? 맨날 먹을 거 생각밖에 안 하나 봐요!"

"플로렌스가 우리가 시장에 간 건 알지." 미즈 티아가 피곤한 목소리로 말했다. "하지만 내가 너를 데리고 레스토랑에 온 건 모르잖아. 빅 마담은 우리가 얼마나 친한지 몰라. 내가 너를 도와주고 있다는 것도 모르고. 티티가 여기서, 네가 내 옆에서 뭘 먹고 있는 걸 봤다면 분명 물어볼 거야. 너를 위해서, 우리가 얼마나 친한지 아무도 알아선 안 돼. 아직은. 알았니?"

"알겠어요." 미트 파이를 집어 들고 깡마른 여자에게 속으로 욕을 퍼부었다. 에잇, 내 미트 파이가 다 식어서 딱딱해졌잖아.

그날 저녁, 집에 들어가니 빅 마담은 아직 가게에서 돌아오지 않았다. 나는 집안일을 후딱 끝내고 방으로 기어들었다. 온몸이 나른하고 눈이 감겼지만 종이와 펜을 들고 에세이를 쓰기로 마음먹었다.

처음은 어떻게 시작은 했다. 이름이 뭐고 엄마가 나를 어디서 낳았고 아빠와 형제들이 이카티에 살고 있다는 이야기. 돈은 없지만 아주 행복했다는, 그런 식의 이야기를 머리에 떠오르는 대로 그럴듯하게 대충 꾸며내 적었다. 하지만 다 쓰고 읽어보니, 속이 뒤집혔다. 완전 거짓말투성이였다. 종이가 부풀어 팡 터질 거 같았다.

미즈 티아가 그랬지. 네 마음을 다해 써. 너의 진실을.

종이를 찢어 바닥에 던졌다. 그리고 내 마음속 깊은 강바닥으로 내려가 녹이 잔뜩 슨 열쇠를 찾았다. 침대 옆에 무릎을 꿇고 눈을 감았다. 마치 내가 컵이 된 것처럼 내 속을 줄줄 쏟아내기 시작했다.

모루푸 이야기를 썼다. 그가 파이어 크래커를 마시고 나한테 무슨 짓을 했는지. 카디자 이야기를 적었다. 그녀가 어떻게 죽었고 나는 어떻게 도망쳤는지. 아빠에 대해, 엄마, 카유스와 장남에 대해 그리고 장학금이 내 생명 줄이라는 것도 썼다. 살려면 필요하다고. 귀한 사람이 되려면 필요하다고. 나는 변화를 일으켜야 한다고. 나 같은 소녀들을 도와야 한다고 적었다. 마지막에는 비록 나는 이 나라에 살면서 고생을 많이 했지만 나이지리아를 깊이 사랑한다고 적었다. 그리고 그동안 읽은 <나이지리아에 관한 사실들> 중에서 제일 흥미로운 사실 세 가지도 추가했다. 다 쓰고 나자 기운이 쭉 빠졌다. 몸을 반쪽만 써서 드넓은 바다를 헤엄쳐 나온 기분이었다. 손 하나, 다리 한쪽, 콧구멍 하나로.

에세이에 어울릴 만한 좋은 제목이 뭘까 생각해보았다. 눈길을 확 사로잡을 만한 것. 하지만 머릿속에 아무런 단어도 떠오르지 않았다. 뇌가 더는 돌아가지 않아 그냥 제일 처음 떠오르는 걸 썼다.

나에 대한 진실한 이야기. 커다란 목소리를 가진 소녀, 아두니 씀.

아침이 되자마자 혹시 마음이 바뀌어 에세이를 다시 써야겠다는 생각이 들까 봐 두려웠다. 그래서 누가 일어나기 전에 제일 먼저 일어나 미즈 티아의 집으로 달려갔다. 그리고 사각형으로 접은 에세이를 문 아래로 밀어 넣었다.

42장

☑ 팩트: 무하마두 부하리는 1983년부터 1985년까지 나이지리아의 국가원수였다. 1984년 권력 남용과 언론 탄압을 잊지 않기 위해 무질서에 대항한 전쟁 War Against Indiscipline*을 제정했다.

강하지만 조용한 바람처럼 크리스마스가 왔다 사라졌다.

빅 마담과 빅 대디는 새해까지 매일 외출했다. 사람들을 만나고 다니느라 피곤하고 술에 취한 채, 졸로프 라이스와 볶은 고기, 술 냄새를 풍기며 밤늦게 집으로 돌아왔다. 코피 아저씨는 가족과 함께 크리스마스를 보내기 위해 가나로 갔다. 나는 집에 남아 청소와 빨래를 하고 짬이 나며 서

---

* WAI라고도 한다.

재에서 책을 읽었다. 이카티에서 보냈던 크리스마스를 떠올리면 내 안에 슬픔이 휘몰아쳤다. 마을 광장에 다 같이 모여 불꽃놀이를 하고 조보와 초콜릿을 나눠 먹으며 밤늦게까지 재밌게 놀았는데.

오늘은 2015년 들어 처음으로 일하는 날, 빅 마담이 가게에 따라오라고 했다. 가게에서 일하는 여자애가 고향 마을로 가서 내가 도와야 한다고 했다. 그래서 지금 차를 타고 가는 중이다. 나는 앞에 앉아 있었다. 아부 아저씨는 복잡한 교통 체증을 뚫고 이동하는 동안 작게 틀어놓은 하우사어로 나오는 뉴스를 들으며 고개를 연신 끄덕였다.

뒤에 앉은 빅 마담은 친구 캐럴라인과 통화 중이었다. "끔찍하겠죠. 부하리가 선거에서 이긴다면 나이지리아 사람들은 자기가 뭐에 맞았는지도 모를 거예요. 진짜 생각이 없다니까! 그 인간은 아주 악랄한 꿍꿍이가 있는 사람이야. 우리가 1980년대에 어땠는지 기억하잖아요? WAI 때문에 얼마나 많은 사람이 생업을 잃었어요? 1984년에 한번은 오발렌데에서 버스를 기다리다가 악마 같은 군인들한테 매질까지 당했다니까. 이번에 그 인간이 또 이기면 무슨 일이 일어날지 누가 알겠어요? 내 손님 중에 적어도 세 명은 자진 망명을 해서라도 이 땅을 떠나겠다고 했어요. 왜 처참한 결과가 눈앞에서 펑 터지길 기다리겠어요? 악몽이죠. 끔찍할 거예요. 라고스의 직물 판매상 협회에다 회의를 열어달라고 전화해야지. 우리 동네에 사는 여자들이 그 인간한테 투표하지 않도록 확실히 해둬야 하니까요."

내가 빅 마담 쪽으로 고개를 돌렸다. 새로운 걸 알고 싶어서 빅 마담이 부하리에 대해 떠드는 말을 주워들으려는 거였다. 빅 마담이 고개를 연신 끄덕이면서 통화를 계속했다. "캐럴라인, 그럼요, 그럼요. 하지만 이게 우리한테 어떻게 좋은 상황이 될 수 있을지 모르겠네요. 그 인간이 내 사업에 악영향을 끼치는 법을 제정할 수 있단 말이에요. 내 수입의 90퍼센트가 결혼식, 장례식, 약혼식 같은 행사에서 입는 드레스 만드는 옷감 파는 데서 나오는데. 하이고, 사람들이 옷감에 돈을 덜 쓰기 시작하면 완전히 망하는데. 말 그대로 쫄딱 망하는 건데." 빅 마담이 내 시선을 느끼고는 다급히 말했다. "잠시만요. 기다려보세요."

내가 얼른 고개를 돌리기도 전에 빅 마담의 손이 날아왔다. 금붙이가 박힌 반지를 낀 손가락으로 내 옆머리를 강타했다. 아, 뇌 한가운데까지 저릿하게 아팠다.

"너 앞에 안 볼래! 전화 통화 엿듣지 말고. 머저리 같은 것."

빅 마담이 가방에서 댕그랑거리는 열쇠 꾸러미 같은 걸 집어 드는 소리가 들렸다. 그러고는 앞 좌석 쪽으로 냅다 던졌다. 열쇠 꾸러미는 내게 맞지 않고 아부 아저씨의 발 옆으로, 페달이 있는 쪽으로 떨어졌다. 아부 아저씨가 나를 곁눈으로 흘깃 보고는 아무 일도 일어나지 않았다는 듯 정면만 보고 운전을 계속했다.

빅 마담이 다시 떠들기 시작했다. "미안해요, 캐럴라인. 아두니가 내 전화를 엿듣고 있잖아. 어떻게 저렇게 재수 없는(godforsaken) 머저리일 수가 있어요! 아니요. 지금 가게에 데려가요. 글로리가 크리스마스라고 고향에 내려가더니 돌아오지 않겠다잖아요. 직원 새로 뽑을 때까지 아두니가 도와야죠. 음, 맞다. 자기가 좋아할 만한 크루즈 패키지가 있던데. 치프가 늘 그러듯 거기에 보내주겠다네요. 제 남편이지만 참 대단해요.

아니요. 로열 캐리비언 말고. 나중에 얘기해요. 지금 어디에 있어요? 좋아요. 멀지 않네. 아월로워 거리에는 차가 별로 없군요. 곧 보겠네. 그래요."

머리를 문지르자 뜨거운 눈물이 핑 돌았다. forsake의 의미는 나도 알고 있다. 그건 누군가 당신을 혼자 남겨둔 채 가버렸다는, 저버렸다는 의미다. 그 누구에게도 쓸모없는 사람. 아무짝에도 쓸모없는 쓰레기.

하지만 나는 쓰레기가 아니다. 나는 아두니다. 나는 중요한 사람이다. 내일은 오늘보다 더 나아질 테니까. 나는 혼자 중얼거렸다. 미즈 티아가 이 말을 가르쳐준 다음 날부터, 매일 그 말을 되뇌고 있다. 아부 아저씨가 빅 마담의 가게 문으로 차를 몰았다.

가게로 올라가는 계단이 흰 대리석으로 되어 있었다. 계단 안쪽마다 전구를 설치했는지 발이 닿는 곳마다 번쩍번쩍했다.

제일 위층은 거실만 한 방이었는데 어찌나 화려하고 밝은지 눈이 휘둥그레졌다. 에어컨 바람 때문에 공기가 차가웠고 향수와 돈 냄새 같은 게 났다.

여기서는 자동차나 시장 여자들의 소리가 들리지 않았다. 사람들 냄새도 나지 않았다. 바닥부터 천장까지 일렬로 늘어선 유리 선반이 방을 빙 둘러 벽처럼 세워져 있었다. 유리 안에는 동그랗고 밝은 전구가 비쳤고 그 아래 작은 사다리가 놓여 있었다. 태어나서 본 옷감 중 제일 예쁜 옷감들이 사다리 발 받침마다 곱게 접혀 있었다. 꽃무늬 원단이 잔뜩 있었다. 어림잡아도 백 가지는 넘어 보이는 것이 마치 빅 마담이 정원을 통째로 뽑아다가 그걸 옷감처럼 접어놓은 거 같았다. 어떤 원단에는 보석이 박혀 있었다. 보라, 분홍, 빨강, 파랑, 하양, 검정 등등 어떤 건 이름도 모를 화려한 색으로 반짝반짝 빛났다. 커튼 천처럼 망사인데 묵직해 보이는 원단도 있고, 스펀지처럼 두껍고 풍성한 원단도 보였다. 천장에 깊숙이 달린 전구를 세어보니 열여섯 개였다. 눈알처럼 동그란 게 은색 금속 상자에 담겨 있었다.

예전에 콜라 씨가 이 가게를 알려줬을 때 봤던 인형 두 개가 둘 다 옷을 입지 않은 채 창문 뒤에 여전히 서 있었다. 발에는 흰 레이스천이 물결을 이루고 있고, 각 인형 옆에는 대바구니 형태의 화병에 말린 노란 꽃이 한아름 담겨 있었다.

가게 중앙에는 다리가 금색인 보라색 의자가 하나 있었는데 쿠션 등받이가 약간 뒤로 굽은 모양이었다. 의자 옆에 놓인 유리 테이블에는 온갖 잡지가 부채처럼 쫙 펼쳐져 있었다. 제일 위에 놓인 잡지 제목이 눈길을 끌었다. <제너비브> 매거진. 돈 많고 즐거워 보이는 날리우드 여배우 셋이 표지를 장식하고 있었다.

"내 가방은 거기 계산대 위에 둬라." 빅 마담이 내 왼쪽에 있던 유리 선반을 가리켰다. 선반에는 작은 컴퓨터가 놓였고, 옆으로 펜과 종이 패드가 있었다. 좌석이 동그란 길쭉한 의자가 선반 뒤로 보였다. 벽에 빅 마담의 집에 있는 것처럼 납작한 텔레비전이 걸려 있었다.

나는 가방을 내려놓고 할 일을 기다렸다.

"문 뒤에 창고가 있다." 빅 마담이 보라색 소파에 앉아 보라색 신발을 벗어 던졌다. "잠겨 있지 않을 거야. 열어봐. 바닥에 천이 잔뜩 들어 있는 가방이 있을 거다. 그거 가져와."

"네, 알겠습니다." 문으로 가보았다. 금색 손잡이를 돌리자 방이 어둑해 눈을 깜빡였다. 말도 못 하게 어두워 보이는 게 거의 없었지만 수많은 사다리가 늘어서 있고 레이스천이 셀 수 없을 만큼 많고 끝이 보이지 않을 정도로 길다는 건 알 수 있었다. 문 뒤에 있던 나일론 가방을 들고 문을 닫았다.

가게로 돌아가니 캐럴라인이 와 있었다. 꽉 끼어 보이는 청바지에 배꼽까지 오는 금색 티셔츠 차림이었다. 발에는 분홍색 뾰족한 하이힐을 신고 있었다. 오늘은 눈동자가 초록색이 아니라 벌꿀 같은 황금 갈색이었다. 어떻게 눈알 색을 계속 바꾸지? 눈알 안쪽에 특별한 안경이라도 쓰는 건가?

캐럴라인이 나를 보자 붉은 스카프를 두른 머리를 까닥이며 짧은 미소를 지었다. 커다란 귀걸이가 양쪽 귀에서 달랑거리며 춤을 췄.

"이거 기퓌르 레이스 맞죠?" 캐럴라인이 내 손에서 가방을 낚아채 들여다보았다. "플로렌스, 제일 좋은 거 맞죠? 특별한 그이한테 잘 보여야 하니까, 허리를 확 드러내는 드레스를 만들 거란 말이에요."

빅 마담이 말처럼 히힝 소리를 내며 웃었다. "그 특별한 사람이 누군데요? 네? 아이고, 이 사람. 그러다가 남편한테 들켜도 내가 가서 캐럴라인을 제발 내쫓지 말라고 사정해주지 않을 거예요."

"남편이 만날 출장 가서 없는 게 내 잘못은 아니잖아요." 캐럴라인이 천을 꺼내 펼쳐 보였다. 레이스가 거대한 붉은 물결처럼 바닥에 넘실대고 옷감에 달린 보석이 조명 빛을 받아 반짝였다. "남편이 오늘은 사우디아라비아에 있고 내일은 쿠웨이트에 간다 그러고, 그런 식으로 늘 돈만 쫓아다니니까. 여자는 자고로 침대를 덥혀줄 남자가 필요하잖아요."

"그럼요." 빅 마담이 수긍했다. "드레스는 누가 만들어요?"

"하우스 오브 펑키요. 플로렌스, 와, 정말이지. 이 기퓌르 레이스 환상적이네요. 버건디 컬러가 강렬해! 가장자리의 패턴 좀 보세요. 세상에나. 얼마예요?"

"150만 나이라요." 빅 마담이 테이블에 있던 잡지를 들어 부채질을 했다. "캐럴라인이나 누구에게나 가격은 똑같아요. 그 4.5미터가 다 필요해요?"

"미디 드레스를 만들까 생각 중인데." 캐럴라인이 옷감을 보며 말했다. "그러면 2.7미터면 되겠어요. 마술사 같은 펑키가 네크라인을 어떻게 작업할지 무척 기대되네. 눈이 멀 정도로 번쩍번쩍해야 하니까 보석을 더 달아야 할지도 모르겠군요!"

"이번 새 애인이 아주 특별한가 보네." 빅 마담이 입을 크게 벌리며 말했다. "입이 아주 귀에 걸렸네요."

"플로렌스, 150은 너무 비싸요. 50만 깎아줘요. 제발요. 차에 가서 아두니 보고 지금 돈 가지고 오라고 할게요."

"얼마를 깎아달라고요?" 빅 마담이 잡지를 툭 내려놓고 벌떡 일어났다. "이거 스위스 레이스라고요. 아가씨. 새 남자가 그만한 가치가 없다는 거예요? 실은 방금 들어온 브로케이드도 있어요. 수가 놓인 건데 얼마나 화려한지 몰라. 그거 마음에 들 거예요. 점프슈트 만들기에 딱 좋으니까. 새 남자랑 또 데이트할 테니까 그때 입으면 되죠. 사랑스러운 샴페인 골드 컬러예요. 그거랑 어울리는 완벽한 벨벳 터번도 있어요. 주지사 부인과 방금 전화했는데 US 대사관에 특별 점심 정찬 때 입을 거라며 2.7미터가 필요하다고 하더라고요. 그거 가져올까요?"

나는 어리둥절한 채 빅 마담을 쳐다보았다. 왜 갑자기 저렇게 정색을 하고 주지사 부인을 들먹이는 거지.

"플로렌스!" 캐럴라인이 고개를 흔들며 크게 웃었다. "그러다가 저 쫄딱 망해요. 1.8미터, 2.7미터는 얼마씩이에요? 가게에 터번도 있어요?" 그 여자가 나를 쳐다보았다. "아두니, 아래층에 가봐. 내 차가 주차장에 있거든. 가정부가 앞자리에 앉아 있을 거야. 이름이 치솜이다. 걔한테서 내 핸드백 좀 가져다줘."

내가 돌아서 나가려는데 빅 마담이 말했다. "참, 내가 잊어버리기 전에, 청록색 튈도 있는데. 그것도 자기 마음에 쏙…."

캐럴라인의 검은색 지프는 문 네 개가 전부 활짝 열려 있었다.

여자애가 앞자리에 앉아 있었다. 귀와 어깨 사이에 휴대전화를 낀 채 통화하는 중이었다. 그 애는 실실 웃으며 고개를 까딱이면서 무릎에 그릇을 놓고 졸로프 라이스를 먹고 있었다.

운전사는 얼굴에 검은색 모자를 올려놓고 쿨쿨 자고 있었다. 의자 등받이를 끝까지 내리고 두 다리를 운전대와 열린 차 문 사이에 걸쳐놓았다. 어찌나 깊이 자는지 내가 가까이 가도 꿈쩍하지 않았다.

"안녕." 나는 꼬르륵 소리가 나는 배를 손으로 가리며 여자애를 쳐다보았다. "네가 캐럴라인 아줌마의 가정부니?"

그 애는 전혀 가정부 같지 않아 보였다. 머리카락은 두툼하고 얌전하게 등으로 땋았다. 나무에 앉은 새가 그려진 노랑과 분홍이 섞인 옷은 내 옷과 완전히 딴판이었다. 발은 보이지 않았지만 수저를 들고 있는 손톱에 드레스와 같은 분홍색이 칠해져 있었다.

"내가 다시 걸게."

"아니면, 딸이니?" 어쩌면 캐럴라인의 딸인지도 몰라. 그래, 딸처럼 보였다. 옷도 딸처럼 입고 있었고 말도 딸인 것처럼 했다.

"안녕."

"치솜이란 애를 찾고 있는데. 캐럴라인 아줌마의 가정부야. 캐럴라인이 가방을 가게로 가져오래."

"내가 치솜이야." 그러고는 나를 위아래로 훑어보았다. "넌 빅 마담의 가정부니?"

"응. 가방 가져오래."

"그래." 치솜이 뒷좌석으로 몸을 틀어 L과 V라는 글자가 커다랗게 사방에 찍힌 검은색 가죽 가방을 집어 들었다. "넌 이름이 뭐야?"

"아두니." 그 애를 보며 나도 모르게 침을 꼴깍 삼켰다. 치솜이 볶은 고기와 졸로프 라이스가 들어 있는 그릇에 플라스틱 뚜껑을 덮었다.

"저런, 아두니. 너 왜 이렇게 말랐니?" 그리고 잠시 나와 그릇을 번갈아 보더니 웃음을 터트렸다. "저기 남은 라이스 먹을래?"

얼른 그릇에서 시선을 거뒀다. 빅 마담한테 맞을 게 뻔하니 라이스를 먹을 순 없다. 하지만 구석에 가서 빨리 먹는다면?

"레베카도 맨날 배가 고프다고 했어." 치솜이 뚜껑을 탁 쳐서 꽉 닫은 다음 내 얼굴에 그릇을 내밀었다. "가져가. 나는 안주인이 다시 사주실 거야."

"레베카를 알아?" 눈이 번쩍 뜨였다. 배고픈 것도 라이스도 까맣게 잊었다. "어떻게? 그 애한테 무슨 일이 일어난 건지 아니? 그 애, 아간 마을 출신이야?"

치솜이 어깨를 으쓱였다. "아간 마을 얘기를 하긴 했지. 그렇게 친하진 않았어. 그래서 거기 출신인지는 몰라. 하지만 여기서 그 애를 볼 때마다 내가 먹을 걸 줬어. 그런데 어느 날부턴가 안 보이더라."

"그 애가 언제부터 가게에 오지 않았어?"

치솜이 잠시 고민했다. "아마 살이 찌기 시작하면서 그랬던 거 같네. 전에는 말랐었거든. 너처럼."

"살이 쪘다고?" 베개 밑의 구슬 허리끈이 떠올라 심장이 빠르게 뛰기 시작했다. 몸이 커지면서 떼버린 건가? 하지만 허리끈 안에는 고무줄이 들어 있어서 많이, 많이 늘어나니까 벗을 필요가 없는데. 한숨이 나왔다. "치솜, 걔가…."

"아두니!" 빅 마담이 위층에서 고함을 질렀다. "캐럴라인의 가방이 사우디아라비아에 있다니? 가방 가져오는데 비자 신청해야 하니, 어? 내가 아래층으로 내려가리? 내가 아주 그냥…."

"지금 갈게요." 빅 마담이 말을 끝내기도 전에 내가 소리를 질렀다.

재빨리 돌아 계단으로 뛰어가면서 거의 넘어질 뻔했다. 계단을 막 오르던 찰나 뒤를 돌아보니 치솜이 나를 보고 고개를 저으며 웃고 있었다.

"가게가 아주 멋있더라고요." 가게에서 출발해 아부 아저씨가 짧은 다리 방향으로 차를 몰 때였다.

"아주 크고 아름다워요." 배가 너무 고프고 오랫동안 말을 안 하고 있었더니 입에서 지독한 냄새가 났다. 그래서 뒷자리에 앉은 빅 마담이 크게 숨을 쉬며 대꾸도 안 했지만 그래도 입을 열었다.

"천국 같았어요. 그 조명들이랑, 모든 게 아름답게 반짝이고, 냄새도 향수 냄새 같은 게 나고, 옷감은 아주 비싸 보이고, 참 멋져요."

아부 아저씨가 쟤 머리가 잘못됐나 하는 눈길로 나를 쳐다봤다. 하지만 나는 입을 다물지 않았다. "가게에 왔던 사람들, 전화했던 사람들, 전부 유명한 나이지리아 사람들이잖아요. 자녀분들이 엄마를 아주 자랑스러워하겠어요." 그러고는 입을 닫았다.

아부 아저씨가 집으로 가는 방향으로 들어서자 빅 마담이 말했다. "그렇게 생각하니?"

처음에는 나한테 하는 말인지 어쩐지 확실하지 않아 속삭이듯 답했다. "그렇게 생각합니다."

빅 마담이 미소를 지었다. 진짜 행복해 보이는 미소였다. 내가 뒤에 앉은 빅 마담을 돌아보았다. 아직도 웃고 있었다. 나를 보고. 나랑 같이.

"사람들한테 물건 파는 것도 진짜 잘하시더라고요." 배고픔도 치솜도, 걱정하던 모든 게 다 잊혔다. "오늘 가게에 들어온 사람들한테 전부 물건을 팔았잖아요. 돈도 많이 벌고요. 비즈니스를 아주 쉽게 하시는 것처럼 보여요. 정말이지 제가 옷을 판다면요, 마담처럼 팔고 싶어요."

"나처럼? 하하하" 빅 마담이 금반지를 잔뜩 낀 손가락으로 가슴을 누르며 웃음을 터트렸다. 피곤해서 붉게 충혈되었던 눈동자가 이제는 차 안을 환히 밝힐 듯 반짝였다. "아두니, 난 빈털터리로 사업을 시작했다." 빅마담이 허리를 세워 몸을 앞으로 기울였다. "15년 전, 트렁크에다가 싸구려 물건을 넣어 다니며 팔았지. 손님을 찾으러 여기저기 다니면서. 난 부잣집에 태어난 게 아니야. 성공하기 위해 엄청나게 열심히 일했지. 열심히 싸웠어. 쉽지 않았어. 특히 남편 치프가 직업이 없었으니까. 아두니, 나처럼 사업을 하고 싶다면 아주 열심히 일해야 해. 살면서 어떤 위기가 닥친다고 해도 굴하지 말아야지. 그리고 절대로, 무슨 일이 있어도 꿈을 포기하면 안 돼. 내 말 이해하겠니?"

내가 고개를 끄덕였다. 빅 마담을 똑바로 바라보았다. 그 순간, 나와 그녀가 함께 무언가를 나눈 기분이 들었다. 따뜻하고 걸쭉한 무언가가 느껴졌고 오랫동안 알고 지낸 친구와 꼭 안은 것 같았다.

그때 아부 아저씨가 경적을 울렸다. 빅 마담이 눈을 깜빡이며 둘러보았다. "어? 벌써 집이니? 아두니, 왜 나를 쳐다보냐? 모가지가 날아가기 전에 얼른 내려서 집에 들어가지 못해? 머저리 같은 것!"

나는 허겁지겁 차에서 내리며 우리가 방금 나눴던 게 뭐든 홀라당 던져버렸다. 다정한 시선. 잠깐 스친 미소. 나한테 친절하게 대할 수도 있겠다고 생각했던 희망 같은 것들. 그리고 잽싸게 집으로 들어갔다.

43장

☑ 팩트: 나이지리아는 아프리카에서 기독교인이 가장 많은 국가다. 한 교회에서 예배를 드릴 때 20만 명의 신자가 모이기도 한다.

부하리가 당선됐다.

코피 아저씨는 마치 자신의 부모와 부하리의 부모가 똑같은 사람이라도 되는 양 신나게 춤을 췄다. "변화가 왔도다." 지난주에 텔레비전에서 결과가 발표되자 아저씨는 머리에 썼던 흰 모자를 공중으로 던지고 받으며 와하하 웃음을 터트렸다. "변화의 시대가 왔도다! 나이지리아가 번성하겠구나! 이게 바로 우리가 손꼽아 기다려온 거지!"

아빠도 늘 선거 방송을 챙겨 봤는데. 지금 이 뉴스를 보고 춤을 췄을까. 아빠가 아직도 나를 생각할까. 이런 생각이 들자 울적해졌다.

하지만 빅 마담은 화가 머리끝까지 났다. 부하리 욕을 어찌나 심하게 하고 저주를 퍼부어대던지 그 남자가 당장이라도 나가떨어져 죽을까 봐 걱정될 정도였다. 빅 마담은 부하리가 주술사라고 했다. 영어도 못한다고. 그러니까 이런 생각도 들었다. 영어도 못하는데 대통령으로 뽑히다니. 그렇다면 나도 언젠가는 대통령이 될 수도 있는 거 아냐?

오늘은 4월의 첫 일요일이었다. 빅 마담이 다니는 교회에서 여성 사업가를 위한 특별 추수감사절 예배가 있다고 했다. 그런데 같은 그룹에 있는 여자들에게 선물할 옷감이 든 가방을 옮길 사람이 필요하니 나보고 따라오라고 했다. 라고스에 온 후로 교회에 한 번도 가보지 못했던 터라 차에 타서 아부 아저씨 옆자리에 앉으니 어느새 마음이 들떴다.

빅 마담과 빅 대디는 뒷자리에 앉았다. 빅 마담이 부부를 입고 있었는데 금으로 만들었는지 무척 무거워서 차에 오를 때 내가 끝자락을 잡고 올려줘야 했다. 어깨와 소매에 빛나는 흰색 보석이 달리고, 목 주변은 은색 레이스로 넓게 장식되어 있었다. 머리 가운데에 작은 배를 올려놓은 듯한 금색 겔레를 썼고 붉은 구슬 다섯 개가 알알이 달린 귀걸이가 어깨까지 내려왔다.

나는 아직도 레베카가 신던 신발을 신고 있다. 신발 끝이 닳아서 어제 바늘로 꿰맸다. 신발은 마음에 들지만 이걸 내내 신고 다니려니, 마치 레베카를 전부터 알았던 거 같고, 내 발이 가는 곳마다 같이 다니는 거 같고, 서로 비밀을 공유하고 있는 것 같은 기분이 들었다. 무슨 일이 일어난 건지 왜 말도 없이 사라졌는지 이 집에선 왜 아무도 그 애 이야기를 하기 싫어하는지, 곧 알게 될 것 같은 느낌도 들었다.

미즈 티아는 아직도 포트하커트에 있다. 오늘 아침에 문자메시지를 보내왔다. 어머니가 새해 들어 다시 병원에 입원했지만 '드디어 모든 일이 정리됐어. 제일 빠른 비행기로 라고스로 돌아갈 거야.' 라고 썼다. 남편 얘기도 했는데 '다정한 사람이야. 금요일마다 나랑 있어주려고 포트하커트로 왔거든.'이라고 보냈다.

나는 이 문자를 세 번 읽고 이렇게 답장했다. "OKAY. SEE U SOON."

"현금 낼 돈 있어요?" 빅 마담이 빅 대디에게 물었다. 이제 자동차는 가느다란 손가락 같기도 하고 실 같기도 한 얇은 기둥이 양쪽을 붙잡고 있는 다리에 오르고 있었다. 미즈 티아가 아침마다 달린다는 레키-이코이 다리 같았다.

"플로렌스, 무슨 그런 말도 안 되는 질문을 하는 거야? 당신이 나한테 현금 할 돈 줬어?"

빅 마담이 앓는 소리를 냈다. 그리고 깃털이 달린 핸드백을 열어 갈색 고무줄로 묶인 돈뭉치를 꺼냈다. "이거 5만 나이라예요." 그러더니 뚱뚱한 뭉치에서 돈을 좀 빼냈다. "1만 나이라는 헌금하고, 4만 나이라는 다음 주에 열릴 굿맨 컨퍼런스에 기부해요. 치프, 제발 부탁인데 이번에는 꼭 기부해요. 내가 지난번에 50세 이상 남성을 위한 모임에 기부하라고 준 20만 나이라는 교회 간사가 그러는데 받은 적이 없다더군요."

빅 대디가 돈을 홱 낚아채 초록색 아그바다 주머니 깊숙이 넣었다. "교회에 도착할 때까지 기다리지 그래? 그래서 마이크에다 대고 사람들한테 당신 남편이, 이 집안의 수장이, 집을 책임지는 남자가, 모임에 쓸 돈 20만 나이라를 다 써버렸다고 동네방네 떠들지 그래? 한심한 여자 같으니.”

빅 마담이 고개를 떨구자 턱이 씰룩거렸다. 울음을 참으려고 하는 거 같아 딱한 마음이 들었다. 빅 마담이 창문으로 고개를 돌리고 코를 훌쩍였다. 아부 아저씨가 라디오 볼륨을 올리자 <뉴스 온 선데이>가 차 안에 울렸다.

우리는 그렇게 갔다. 라디오 말고 입을 여는 사람은 아무도 없는 채로. 자동차가 다리를 내려와 로터리에서 왼쪽으로 틀었다.

아부 아저씨가 차를 세우자 빅 마담은 내렸지만 빅 대디는 내리지 않았다. 나중에 가겠다며 먼저 담배를 한 대 태워 천국에서 들려오는 소리에 마음을 열 수 있도록 준비하겠다고 했다.

교회는 동그란 모자 같은 형태의 건물이었다. 지붕 끝에 묵직해 보이는 금빛 십자가가 달려 있었다. 창문은 세어보니 50개였고 비둘기와 천사들이 화려하게 새겨져 있었다. 마당에는 온통 빅 마담의 지프 같은 커다란 차들로 가득했다. 사람들은 모조리 생일 파티나 결혼식에 참석하는 것처럼 하이힐에 색색의 겔레, 비싼 보이는 레이스와 짙은 화장으로 한껏 꾸민 모습이었다.

이카티 마을의 교회는 지붕만 덜렁 있었다. 지붕 아래로 의자와 북이 있고 사람들은 장례식에 가는 것처럼 입었으며 찬송가도 그렇게 불렀다. 그런데 이 교회는 밖에서부터 춤을 추고 싶게 만드는 신나는 음악이 들려왔다.

문 앞에 문지기 같은 여자가 한 명 서 있었다. 검은색 치마가 너무 작은지 숨 쉬는 데 문제가 있어 보였다. 위에 입은 붉은색 셔츠도 무슨 두 살짜리 어린애 사이즈처럼 꽉 끼어서 가슴이 목까지 올라와 있었다. 덕지덕지 바른 화장 아래로 여드름이 잔뜩 나 있어 아직 다 낫지 않은 홍역 환자 같았다.

"안녕하세요. 셀리브레이션 아레나에 오신 걸 환영합니다." 그 여자가 빅 마담을 보며 입술을 쭉 늘려 미소를 지었다. 그러자 입 주변에 있던 여드름이 한 방향으로 옹기종기 모였다.

"이 애가 가정부군요?" 여자가 내가 입은 옷을 뚫어져라 쳐다봤다.

내가 무릎을 굽혀 인사했다. "안녕하세요."

"아두니, 가서 내 핸드백 가져와라. 네, 이 애가 내 가정부예요. 가정부는 교회 예배당에 들어갈 수 없지요? 얘가 예배 후에 차에서 옷감을 가져와야 하는데."

여자가 고개를 저었다. "들어올 수 없습니다. 뒤쪽에 가정부들이 모여서 예배드리는 장소로 가야 해요. 제가 데리고 갔다가 나중에 데려오겠습니다. 부인, 어서 들어가세요. 하나님이 축복하시길."

나는 멍하니 서 있었다. 빅 마담이 유리문을 열자 차가운 공기가 확 새어 나왔고 찬송하는 소리가 빠져나왔다.

"저는 마담을 따라 교회 안으로 못 들어가는 건가요?" 빅 마담이 사라지고 나자 내가 여자에게 물었다. "예배가 끝나면 마담을 어디서 찾죠? 저는 라고스 잘 모르는데요. 길 잃어버리면 안 되는데."

여자의 얼굴에 미소가 짧게 ㅏ타났다 사라졌다. "걱정할 필요 없다.

괜찮으니까. 따라오렴. 이쪽이다."

우리는 교회 뒤쪽으로 멀리, 멀리 걸어갔다. 그 여자는 땅바닥이 무슨 곡예사들이 타는 줄이라도 되는 양 빨간색 하이힐을 신고 일자로 또각또각 걸었다. 양쪽으로 관목이 우거진 길은 짧은 머리카락을 양쪽으로 쫙 갈라 납작한 머리통이 드러난 듯했다. 드디어 집이 한 채 나타났다. 이카티의 회색 집과 똑같이 생긴 집을 라고스에서 본 건 처음이었다. 문이나 창문에는 페이트가 칠해져 있지 않았다. 옆에 작은 집이 하나 있었는데 역시 문이 없었다. 부러진 하얀 변기와 깨진 갈색 타일을 보기도 전에 오줌 냄새가 먼저 났다. 정면에 멋들어진 교회를 짓는데 돈을 다 쓴 다음, 교회 뒤에다 이 집을 아무렇게나 지어 던져둔 것 같았다.

"여기가 가정부들이 예배드리는 데다." 여자가 손으로 코를 쥔 채 말했다. 빨갛게 칠한 뾰족한 손톱이 뺨을 눌렀다. "화장실 물 내려가는 데 문제가 있지만 곧 수리할 계획이야. 다음 주 일요일 전에는 고쳤으면 좋겠는데. 어쨌든 가서 앉아라. 목사님이 곧 오실 거다. 예배가 끝나면 우리가 데리러 오마. 알았지?"

안으로 들어가보니 여자애 대여섯 명이 고개를 푹 숙인 채 바닥에 앉아 있었다. 모두 열네댓 살, 내 또래였다. 하나같이 지저분한 앙카라 드레스를 입었거나 물에 젖은 두루마리 휴지 같은 초라한 옷에 찢어진 신발을 신고 있었다. 머리카락은 너저분하거나 바싹 잘라 짧거나 둘 중 하나였다. 심각하게 목욕 좀 해야겠다는 생각이 들 정도로 땀 냄새가 지독히 났고, 모두 우울하고 슬퍼 보였다. 한마디로 나 같은 모습이었다.

"얘들아, 안녕." 말을 걸어서 누구 하나라도 친구를 사귈까 하고 웃어보았다.

하지만 아무도 대답하지 않았다.

"안녕". 다시 용기를 내보았다. "내 이름은 아두니야."

여자애 중 하나가 나를 쳐다보았다. 눈동자에 온기라고는 없었다. 텅 빈 눈동자. 두려움만 가득했다. 차가운 두려움. 아무 말도 하지 않았지만 눈으로 이렇게 말하고 있는 것 같았다. 너는 나구나. 나는 너고. 우리는 모두 안주인이 다르지만, 안주인들은 다 똑같아.

그런데 둘러보니 오른쪽 구석에서 치솜이 휴대전화를 만지작거리고 있는 게 아닌가. 나머지 아이들은 까맣게 잊고 얼른 치솜에게 다가갔다. 치솜은 귀에 흰색 전선을 꽂은 채 음악을 들으며 고개를 까닥이고 껌을 질겅질겅 씹고 있었다. 파란색 교회 드레스에 검은색 신발, 깨끗한 흰 양말 차림에 편안한 표정이었다. 나는 허리를 굽혀 치솜을 관찰하며 이 애가 과연 여기에 있는 애들처럼 가정부가 맞나, 궁금했다. 아니면 그냥 단순히 캐럴라인이 가정부를 다르게 대하는 걸까.

"치솜."

치솜이 껌으로 풍선을 불더니 혀로 터트렸다. 그러고는 옆에 앉으라고 바닥을 탁 치며 귀에서 전화를 뗐다. "말라깽이! 잘 지냈어?"

"내 이름은 아두니야. 어쨌든 그래. 잘 지냈어. 고마워. 너도 이 교회 다니니?"

"아니, 우리 안주인은 다른 교회 다녀. 여성 사업가 프로그램 때문에 오늘만 온 거야. 그런데 왜 우리만 여기에 앉아 있는 거야? 맨바닥에? 여드름이 잔뜩 난 안내원한테 물어봤더니 '프로토콜이에요.'라는 말만 하더

라. 안주인도 나보고 안내원을 따라가라고 하고. 예배 후에 말이 나올까봐 그런가. 그런데 프로토콜이 뭐니?"

"나도 몰라."

나도 다른 여자애들처럼 무릎을 세우고 앉았다. "네 안주인은 너한테 굉장히 잘해주네. 왜 그런 거야?"

"좋은 사람이니까. 그리고 나랑 안주인은 서로 이해하거든. 나는 안주인을 지켜주고 마담은 나를 돌보고."

"어떻게?" 치솜이 하는 대로 나도 해볼 수 있을 것이다. 그렇게 빅 마담을 지켜주면 나한테도 좀 다정하게 대하지 않을까.

"난 안주인에 관한 비밀을 알고 있어. 아무도 모르는 사실들. 그녀의 모든 비밀과 모든 것. 안주인을 위해 입을 다물어주는 거지. 우리는 단순히 안주인과 가정부 사이가 아니야. 그보다는 자매 같지. 하지만 나랑 여기 있는 여자애들? 너희가 무슨 짓을 해도 안주인들은 너희에게 잘해주지 않을 거야. 무슨 짓을 한다고 해도. 어쨌든 안주인들은 대부분 못됐으니까." 치솜은 전선을 다시 귀에 꽂고 손가락을 퉁기며 고개를 흔들기 시작했다.

나는 가만히 있다가 치솜을 팔꿈치로 밀었다. "치솜?"

치솜이 짜증 난다는 듯 전선을 뺐다. "뭔데?"

"그날 가게에서 말이야." 내가 살살 달래는 투로 말했다. "레베카가 말랐다가 뚱뚱해졌다고 했잖아. 뚱뚱해진 다음에 무슨 일이 일어났는지 아니? 왜 살이 찐 거야? 도망간 거니?"

"나도 몰라. 별로 얘기한 적 없어. 어느 날 갑자기 덩치가 커졌더라. 그때 보고 두 번째 본 날은 더 커져 있더라고. 그다음엔 이해가 갔지 뭐."

"치솜, 그게 무슨 말이야." 그때 어떤 남자가 방으로 들어왔다. 노동자처럼 보이는 정장을 입고 커다란 검은색 성경책을 팔에 끼고 있었다. 그 남자가 "모두 안녕하세요." 우리를 한 명씩 쳐다보며 미소 지었다. "나는 크리스 목사입니다. 오늘은 우리가…."

"뭐가 이해가 갔다는 거야?" 심장박동이 빨라져 목사님 말은 하나도 귀에 들어오지 않았다. "말해줘. 뭘 이해했다는 거야?"

"레베카가 결혼한다고 그러더라." 치솜이 속삭였다. "무척 행복해했어. 그런데 되게 불안해 보이기도 하더라. 나중에는 어느 날인가, 오후에 걔가 시장에 갔다가 집으로 돌아오지 않았다는 거야. 하지만…."

"모두 일어나자고 말했는데요?" 목사님이 손뼉을 치며 말했다. "뒤에 두 명. 그만 떠들어요. 일어나세요!"

"잠깐만." 나는 목사님의 얼굴은 쳐다보지도 않고 물었다. "레베카가 누구랑 결혼한다는 거야?"

"나도 몰라. 하지만 내 생각엔…." 치솜이 손으로 입을 가렸다. "쉬쉬, 목사님이 이쪽으로 오신다."

그 이후 치솜과 다시 얘기할 순 없었다.

예배 중간에 갑자기 캐럴라인이 와서 앞에 있는 커다란 교회로 치솜을 데리고 갔다. 예배가 끝나자 교회 문 옆에 서서 치솜을 찾아보았다. 눈을 부릅뜨고 화려한 옷을 입고 미트 파이를 먹으며 예배가 어쩌고저쩌고 웃고 떠드는 사람들을 모조리 둘러봤지만 치솜도 캐럴라인도 보이지 않았다. 교회 건물 안으로 들어가 치솜을 찾아야겠다고 생각한 순간, 빅 마담이 내 머리끄덩이를 잡고 차 안으로 끌고 갔다.

이제 집으로 가는 조용한 차 안에 있다.

빅 대디는 코를 드르렁드르렁 골았고, 빅 마담은 누군가와 결혼식 하객 200명을 위해 오간자 천을 준비하는 일에 관해 통화하고 있었다.

집에 도착하자 빅 마담과 빅 대디가 차에서 내렸지만 나는 내리지 않았다. 집으로 들어가기가 싫었다. 차 안에 있고 싶었다. 영원히 숨어 있고 싶었다.

치솜이 레베카에 대해 말해준 건 앞뒤가 하나도 맞지 않았다. 레베카가 누군가와 결혼하는 거였다면 왜 코피 아저씨는 몰랐던 걸까? 왜 아무도 몰랐지? 한숨이 절로 나왔다. 기운이 쭉 빠졌다. 배도 고프고 머리가 복잡했다. 나 자신에게 화도 났다. 레베카에게 나쁜 일이 일어났을 거라고 짐작하다니. 행복하게 결혼을 한다는데. 빅 마담이 결혼하는 걸 싫어해서 도망갔을 수도 있는데.

빅 마담이 내가 학교에 가는 걸 막는다면 나라도 그러겠다.

그런데 결혼한다는 이유로 구슬 허리끈을 빼다니?

또 한숨이 나왔다.

빅 마담이 아까 교회에서 잡아끌었던 머리카락이 머릿속부터 아려왔다. 이제 내 몸에는 지도가 그려져 있는 거 같다. 빅 마담에게 하도 얻어맞아 상처 자국이 여기저기 생겼기 때문이다. 등에 난 상처는 빅 마담이 구두 굽으로 찍어 두 번이나 벌어졌다. 그래서 한 일주일간 냄새가 심하게 나더니 이제 거의 말랐다. 귀 뒤에도 상처가 있고 이마 왼쪽에도 상처가 있다.

어떻게 하면 이 집에서 나갈 수 있을까? 4월 말은 고작 몇 주 뒤였지만, 너무나도 멀게 느껴졌다. 그때가 되어도 내가 장학금을 탈 수 있을지, 타게 되더라도 빅 마담이 나를 보내줄지 확실하지 않았다. 이카티와 예전의 삶이 너무나도 그리웠다. 심장이 뒤틀리는 듯하더니 눈물이 뚝뚝 떨어지기 시작했다.

"아두니." 아부 아저씨였다. 아저씨가 차 안에 있는 것도 잊고 있었다. "왜 우는 거니?"

얼굴을 닦았다. "아부 아저씨, 그냥 전부 다요. 내 인생, 레베카, 모든 게 다요. 그냥 몹시 힘들어요."

그리고 내리려고 차 문을 열었다.

"잠깐만. 왜 레베카 때문에 우는 거니? 걔는 이제 여기 없는데."

"없죠." 아저씨에게 구슬 허리끈과 치솔이 한 말을 전해주었다.

아부 아저씨는 내가 말하는 동안 가만히 고개만 끄덕였다. 내가 말을 마치자 한숨을 뱉더니 "알라가 그 애와 함께하시길."이라고 했다.

"아멘. 그냥 레베카한테 무슨 문제가 있었다는 느낌이 들어요. 그리고 그 애한테 일어난 일이 저한테도 일어날 거 같아요. 왠지 정도 가고요. 제가 살던 마을에서 멀지 않은 아간 마을이란 데서 왔대요. 그런데 지금 레베카는 괜찮은 거 같아요. 그냥 결혼하려고 도망친 거니까 걱정할 게 없었어요."

"아두니." 아부 아저씨가 멀리 보이는 집을 살피며 말했다. "보여줄 게 있다. 내가 차 안에서 찾은 건데…. 레베카가 사라지고 나서 말이다.”

“뭔데요? 뭘 찾았는데요?”

“지금은 안 돼.” 그리고 또 어깨 뒤를 돌아보았다. “내 방에 있어. 빅 대디가 밤에 잘 때나 집에 없을 때 가져다주마. 알겠지?” 아저씨 얼굴이 무척 심각해 보였고 눈동자에 두려움이 가득 차 있어 덩달아 내 심장도 콩닥거렸다.

“알겠어요. 제 방에 오면 문을 세 번 두드리세요. 그럼 아저씨인 줄 알 수 있으니까요. 밤에는 아무에게도 문을 열어주지 않으려고요.”

“아.” 아저씨가 고개를 끄덕였다. “세 번 두드리고 방 밖에서 기다리마.”

“알겠습니다.” 내 휴대전화가 가슴 안에서 진동해서 얼른 차에서 내렸다. 아부 아저씨와 멀어지자 화분 뒤에 숨어서 휴대전화를 꺼냈다.

미즈 티아가 보낸 문자메시지였다.

지금 라고스행 비행기 타려고. 내일 오후에 만나서 목욕하는 데 가자.

네 안주인이 나랑 '시장'에 가도 된다고 허락했어.

답장할 필요 없음. XX

나는 XX가 무슨 뜻일까 생각하며 가만히 미소를 지었다. 그리고 휴대전화를 브래지어 안에 넣고 오후 집안일을 하러 후다닥 달려갔다.

44장

☑️ 팩트: 요루바속은 쌍둥이를 매우 큰 축복이자 초자연적인 일로 여긴다. 또 쌍둥이가 태어난 가정에 막대한 부와 신의 가호를 가져다준다고 믿는다.

"안녕." 월요일 오후, 미즈 티아와 마당에서 만났다.

미즈 티아는 야자나무 아래 앉아 있다가 나를 보자 일어나 엉덩이의 먼지를 털었다. "아이고, 너 왜 이러니? 왜 이렇게 말랐어. 너를 본 게 거의 넉 달 전인가?"

"네. 크리스마스 전이니까요."

미즈 티아가 나를 살짝 안아주었다. "크리스마스부터 지금까지 라고스에 몇 번 왔었는데 회사에만 잠깐 들렀어. 너랑 만날 수 있었으면 좋았을 텐데, 그러지 못했네. 내 문자메시지 받았지?"

"네. 어머니는 어떠세요? 좀 나아지셨나요? 좀 가까워진 것 같으세요?"

바깥문의 자물쇠를 당겨 열고 밖으로 나갔다. 미즈 티아의 집으로 걷기 시작했다. 검은색의 깨끗한 길이 우리 앞에 쭉 뻗어 있었다. 거리는 뜨거운 태양의 열기 아래 석유로 번들거리는 거 같았고, 도로 위로 물결이 일렁이는 것처럼 보였다.

미즈 티아가 고개를 끄덕였다. "흉부에 전염돼서 거의 돌아가실 뻔했어. 그런데 간신히 이겨내셨지. 엄마랑 좀 편해졌어…. 걱정해줘서 고마워. 크리스마스랑 새해는 잘 보냈니? 빅 마담은 어때? 이젠 안 때리니? 너 살이 더 빠졌어."

미즈 티아는 만날 이제는 때리지 않느냐고 물었지만 내 대답은 늘 똑같았다. "어제도 맞았어요. 교회 끝나고 집에 와서 내 머리에 물을 부었어요. 누군가 아래층 화장실을 쓰고 물을 안 내려서요. 안에 똥이 들어 있었는데. 내가 그렇게 했다면서. 나보고 사악한 애라고, 뚱뚱하고 못된 거짓말쟁이라면서 때렸어요. 먹을 걸 살이 찔 만큼 주지도 않으면서 왜 저러러 뚱뚱하다고 하는 걸까요? 나보고 변기에 손을 넣어서 똥을 하나씩 꺼내라고 했어요. 그다음에 우리 직원 화장실로 가져가게 했어요."

미즈 티아가 토할 거 같은 표정을 지었다. "그거 참…." 고개를 젓더니 차가 주차되어 있는 문에 도착할 때까지 아무런 말도 하지 않았다.

미즈 티아의 걸음이 느려졌다. "저게 시어머니의 차야." 낮은 목소리였다. "너도 같이 간다고 말해뒀어. 켄이 네가 같이 가야 한다고 설득했지. 나도 내가 이걸 왜 하겠다고 했는지 모르겠지만, 혹시 아니? 목욕이 통할지. 이렇게 하면…. 시어머니가 주는 스트레스, 사람들한테 받는 스트레스가 전부 없어질지." 고개를 흔들며 나직이 혼잣말을 했다. "지난해부터 필도 안 먹고. 제대로 다 하고 있는데. 아직도 안 되네. 정말이지 힘들어."

필은 태블릿이란 뜻이다. 태블릿은 약이다. 모루푸의 집에서 카디자가 알려줬던 임신이 안 되게 하는 약 같은 거. 만약 미즈 티아가 그 약을 더는 안 먹고 있다면, 그리고 여러 달을 시도했다면. 왜 아기가 생기지 않는 거지?

나는 미즈 티아의 어깨에 손을 올리고 괜찮을 거라고, 그녀가 늘 내게 하던 대로 위로해주었다.

미즈 티아가 젖은 눈으로 나를 보고 웃으며 내 손을 잡아끌었다. "자, 가자. 이거 그냥 얼른 해버리자."

미즈 티아의 시어머니는 마른 체격에 코가 찻주전자처럼 생긴 여자였다.

한마디로 턱에 수염이 없는 닥터 켄이었다. 머리에는 짧은 검은색 가발을 쓰고 있었다. 비싸 보이는 보석이 박힌 빨간색 레이스 드레스를 입고 있었다. 내가 인사를 드리자 주전자 코를 킁킁거렸다.

미즈 티아가 차에 올라 그 여자 옆에 앉았다. 나는 운전기사 옆에 앉았다.

"모스코우." 의사 선생님 엄마가 운전기사에게 말했다. "이케자에 있는 미러클 센터로 갑시다. 슈라이트 로터리에 있는 거, 알죠?"

모스코우는 독특하게도 머리통이 마른 시멘트로 된 것처럼 몹시 무거워 보였다. 어딘지 안다며 차를 출발했다. 라디오를 틀고 에어컨을 켜자 몸이 으슬으슬했다. 라디오에서는 미국인인 듯한 여자가 새로 당선된 부하리 대통령으로 인해 나이지리아가 어떻게 나아질 거라는 이야기를 하고 있었다.

미즈 티아와 의사 선생님 엄마는 한마디도 하지 않았다. 자동차 안에 들리는 소리라고는 라디오에서 미국 여자가 떠드는 소리밖에 없었다. 말이 엄청 빨랐는데 차를 타고 가는 한 시간 내내 오바마 얘기밖에 안 했다.

차는 아주아주 느리게 움직였다. 길 위의 다른 차들이 미친 사람처럼 경적을 누르고 욕을 퍼부었다. 약 세 시간 후, 우리 차가 어떤 문으로 들어가더니 드디어 멈춰 섰다.

의사 선생님 엄마가 미즈 티아에게 말했다. "다 왔다. 이 스카프로 머리를 가려라. 여긴 신성한 땅이니까. 이 신문지는 앞에 앉은 애한테 주고. 걔도 머리를 가려야 하니까. 왜 외부인을, 그것도 옆집 가정부를 이런 신성하고 개인적인 일에 데려오는 거니? 도무지 모르겠네. 도저히 이해가 안 돼."

"같이 와야 했어요. 그러기로 했잖아요. 같이 못 들어간다면 전 그냥 갈 거예요. 이 스카프는 저 아이가 쓸 거고요. 제가 신문지 쓸게요."

"그러면 꼴이 어떻겠니? 네가 극빈자니? 제발, 티아. 행동 좀 똑바로 해라." 미즈 티아와 미즈 티아의 행동에 진력이 난다는 듯한 말투였다.

"이 아이는 제가 초대했어요. 오고 싶어서 온 것도 아니고 제가 불러서 왔는데 신문지를 쓰게 하는 건 옳지 않죠."

"너 신문지 뒤집어쓰고 못 들어가."

"네, 안 들어갈 거예요." 미즈 티아가 팔짱을 끼고 화가 난 아이처럼 입술을 내밀었다. "아두니가 스카프를 쓰지 않는다면 한 발짝도 움직이지 않을 겁니다."

의사 선생님 엄마가 요루바어로 중얼거렸다. 미즈 티아는 이해하지 못했겠지만 나는 의사 선생님 엄마가 미즈 티아의 뇌에 문제가 있다고, 도대체 의사는 어디에서 저런 미친 포트하커트 여자를 찾았는지 모르겠다며 중얼거리는 말을 들었다.

나 때문에 둘이 싸우는 게 싫어서 뒷좌석으로 얼굴을 돌렸다. "제가 신문지 써도 됩니다. 드레스처럼 신문지를 입을 수도 있어요. 어디 있어요?"

내가 제발 신문지를 달라는 눈길로 미즈 티아를 쳐다보았다.

미즈 티아가 고개를 끄덕이며 좌석에서 신문지를 건네주었다. 나는 머리에 신문지를 두르고 여기저기를 접었다. 여러 곳이 찢어지기도 했지만 드디어 망사 모자 같은 모양이 완성되었다.

"됐죠? 아주 멋있잖아요." 이를 다 드러내며 활짝 웃어 보였다.

의사 선생님 엄마가 씩씩대더니 차 문을 열고 내렸다. "안으로 들어와." 그러고는 문을 쾅 닫고 걸어갔다.

나와 미즈 티아는 서로 눈을 마주치자 와하하 웃음을 터트렸다.

미러클 센터의 주술사는 짧은 다리가 알파벳 C자처럼 휜 땅딸막한 남자였다. 그래서 걷는 게 아니라 통통 튀어 다니는 듯했다.

졸려 보이는 눈이라 눈을 뜨고 있는데도 툭툭 건드려 깨우고 싶었다. 긴 붉은색 옷에 배 위로 흰 벨트를 매고 있었다. 하얀 모자에는 보라색 십자가가 삐딱하게 달려 있고 손에는 작은 금색 종이 들려 있었다. 미즈 티아와 내가 교회로 들어가자 통통 뛰며 종을 흔들어 인사했다. "신성한 땅에 오신 걸 환영합니다. 앉으십시오."

이카티의 학교처럼 나무 의자가 30여 개 있었다. 의사 선생님 엄마가 구석 의자에 앉아 있어서 나와 미즈 티아도 같은 의자에 슬그머니 앉았다. 앞쪽에 기다란 갈색 십자가를 가운데 새긴 나무 제단이 있었다. 그 뒤로 교회 정면에 한 남자의 사진이 걸려 있었다. 그 남자는 예수님인 것 같았는데 어쩐지 배가 고프고 화가 난 듯한 표정이었다. 긴 갈색 머리의 런던 사람 케이티 같아 보이기도 했다.

왜 예수님이 해외에서 온 사람처럼 생겼지? 예수님도 외국 사람인가?

공기 중에 어떤 냄새가 진동했다. 냄새가 어디서 나나 둘러보니 바닥에서 피어오르는 회색 연기 주변으로 초록 모기 세 마리가 빙빙 돌고 있었다. 제단 주변에 세운 빨간색 초를 세어보니 15개였다.

"알라피아." 주술사가 입을 뗐다.

"평화가 있길 바란다는 말이에요." 내가 미즈 티아에게 속삭였다. "알라피아는 요루바어로 평화라는 뜻이거든요."

미즈 티아도 "알라피아"라고 주술사에게 말했다.

나는 "안녕하세요." 하고 인사했다.

"알리파아." 그가 내게도 인사하고 종을 한 번 울렸다.

의사 선생님 엄마가 주술사에게 유창한 요루바어로 말하기 시작했다. 며느리가 자기 아들과 결혼한 지 1년이 넘었는데 아기가 없다. 아기를 갖게 해달라고 기도하고 애원하는 일에 진절머리가 날 지경이다. 미즈 티아에게 아기를 삼켜버리는 악령이 깃든 것 같다. 결혼해서 우리 집안에 들어올 때 악령을 데려온 거 같으니 그 악령을 다시 해외로 쫓아내야 한다. 의사 선생님 엄마는 이런 말을 하면서 내가 요루바어를 이해하는 걸 알고 나를 째려봤다.

나는 주술사의 발을 쳐다보고 있었다. 신발을 신지 않았는데 발톱이 탄 것처럼 보였다.

"그러니까 강력한 목욕 의식을 하려고 온 거군요." 주술사가 영어로 말했다. "이 땅이 해법이고 말고요. 아멘. 여기가 기적의 땅이지요. 24시간 기적이 일어납니다." 그가 기침을 했다. "갈아입을 옷을 갖고 왔나요? 지금 입고 온 옷은 버릴 건데요. 슬픔과 불임의 옷을 입고 왔지만 쌍둥이의 옷을 입고 돌아갈 겁니다. 아멘."

"아기는 하나면 되는데." 내가 속삭였다.

"쌍둥이죠." 의사 선생님 엄마가 나를 노려봤다. "아멘. 아들 쌍둥이요."

"트렁크에 청바지랑 티셔츠가 있어요." 미즈 티아가 말했다.

"잘됐군요. 젊은 여성분 여기 무릎을 꿇어요. 내가 먼저 기도하겠습니다."

미즈 티아가 벤치에서 슬그머니 일어나 무릎을 꿇었다. 나와 의사 선생님 엄마도 무릎을 꿇었다. 주술사가 통통 뛰며 미즈 티아 주변을 돌기 시작했다. 종을 한 번 울리며 한 바퀴 돌자 그가 입은 옷이 독수리 날개처럼 활짝 펴졌다. 그는 두 번을 더 돌고 종도 두 번 울렸다. 그렇게 일곱 번을 하더니 어지러워하는 거 같았다. 그가 종을 울리지 않아도 한 2분은 머리에서 계속 종이 울리는 거 같았다.

주술사가 손뼉을 치며 팔짝팔짝 뛰면서 "엘리… 야… 아기…" 하고 중얼거리자 의사 선생님 엄마도 고개를 끄덕이며 네, 네, 네 하며 "남자아이, 남자아이" 했다.

미즈 티아가 눈을 살짝 떴는데 웃음을 참는 듯하더니 곧 다시 감았다.

우리는 계속 무릎을 꿇고 있었다. 주술사가 뛰는 걸 끝내더니 이제 아기 만드는 목욕을 할 시간이 되었다고 선언했다.

45장

우리 앞에서 방방 뛰던 주술사가 붉은 모래가 깔린 길로 안내하기 시작했다.

사람 손가락이 부러진 것처럼 생긴 가지에 가시가 잔뜩 난 초록 식물이 길 양쪽 화분에 심겨 있었다. 길 끝에는 주술사와 똑같은 옷을 입은 한 여자가 이상하게 비웃는 듯한 웃음으로 우리를 맞았다. 생긴 게 약간 파리랑 닮은 듯했다. 까만 몸이 가느다랬고 팔에 털이 잔뜩 난 데다 커다란

* 약 1,674억 7,500만 원

눈동자 사이가 약간 멀었다. 길고 얇은 보라색 옷은 호리호리한 날개처럼 보였다. 주술사와 똑같은 모자를 쓰고 있었는데 모자가 좀 더 커 보였다. 모자 아래로 빨간색 가발을 쓰고 있어 차를 타고 가다가 사고를 여러 번 당한 거 같았다.

여자가 주술사 앞에 무릎을 꿇었다. "알라피아."

주술사가 고개를 끄덕이고 손을 그 여자의 모자에 올렸다. "예루살렘의 어머니여, 당신에게도 평화가 있기를."

주술사가 우리를 향해 돌아섰다. "예루살렘의 어머니, 티누입니다. 임신을 담당하는 사람 중 여성 대표지요. 아기를 갖는 기적 선교에 아주 뛰어난 분입니다. 마더 티누라고 부르시면 됩니다. 이제 마더 티누가 자매님들과 이분을 강으로 데려갈 겁니다. 남자는 들어갈 수 없으니 저는 여기서 기다리겠습니다."

미즈 티아가 누가 꼬집은 것처럼 앓는 소리를 냈다. "지금이요? 나중에… 하면 안 될까요? 생각할 시간이 필요한데. 생각을 좀 해봐야겠어요."

"종을 들고 일곱 번 돌았나요?" 마더 티누가 주술사에게 물었다. "일단 그 의식을 했으면 반드시 목욕을 해야 합니다. 되돌릴 순 없어요." 그 여자가 미소를 지었다. "금방 끝납니다."

"아두니가 같이 가도 될까요?"

"헛소리! 헛소리한다, 정말." 의사 선생님 엄마가 신경질을 냈다.

"아두니, 같이 가도 좋습니다. 하지만 의식 내내 눈을 꼭 감고 있어야 합니다. 여긴 영화관이 아니에요." 마더 티누가 말했다.

"네, 알겠습니다." 내가 대답했다.

"가보세요. 목욕을 마치고 교회에서 만납시다. 몸에 바를 특별한 크림을 받아 가셔야 하니까요."

"크림까지요? 왜 리츠 칼튼에서 재워주고 리무진으로 집까지 태워주지 그래요? 그냥 목욕만 하는 거라면서요." 미즈 티아가 말했다.

"그건 나중에 얘기하자." 의사 선생님 엄마가 이를 갈았다. "지금은 제발 그냥 하자는 대로 좀 하자."

"따라오십시오." 마더 티누가 앞장섰다.

우리는 그 여자를 따라 왼쪽으로 틀어 계속 걸어갔다. 발밑에 깔린 붉은 모래가 축축했고 신발에 돌부리가 걸렸다.

눈앞에 사람이 들어갈 만한 구멍이 뻥 뚫린 커다란 갈색 바위가 나타났다. 멀리서 여자들이 노래 부르는 소리가 들렸는데 신음하는 듯한 슬픈 곡조였다.

미즈 티아가 내 손을 꽉 쥐었다. 손톱이 내 살갗을 눌러 피가 날 지경이었다.

"이게 대체 뭐람(What the hell)*!" 미즈 티아가 내 귓가에 이렇게 속삭였다.

"여긴 지옥이 아니에요. 신성한 땅이에요." 나도 자그맣게 속삭였다. 미즈 티아를 좋아하긴 하지만 가끔 말도 안 되는 말을 할 때가 있다.

"영이 충만한 여성들이 준비하고 있습니다." 마더 티누가 설명했다. "이 동굴 너머에 목욕 의식을 치르는 신성한 강이 흐르고 있습니다. 갈아

---

* 아두니가 관용어(What the hell)에 쓰인 hell을 지옥으로 해석한 것

입을 옷을 가져오셨나요?"

"아까 그 남자분에게 차 안에 있다고 이미 말했는데요." 미즈 티아가 대답했다.

"돈은 지불하셨죠?" 마더 티누가 미즈 티아와 의사 선생님 엄마를 번갈아 쳐다보았다. "저희 규칙이 엄격해서요. 결제를 안 하셨으면 목욕 의식은 불가능합니다."

"돈이요? 이거 하려면 돈을 내야 해요?" 미즈 티아가 깜짝 놀랐다.

"내가 처리했다." 의사 선생님 엄마가 딱딱하게 대답했다.

"그렇다면 이제 가시죠." 마더 티누가 나를 쳐다보았다. "아두니, 목욕이 끝나면 차로 달려가서 옷을 가져오세요."

"이쪽으로 오시죠." 마더 티누가 미즈 티아를 보고 말했다. "고개를 숙이고 들어와야 합니다. 안에 바위가 있어요. 머리 부딪히지 않게 조심하세요. 문제를 해결하러 왔지 머리 아프러 온 게 아니니까요." 그녀가 혼자 웃었다.

우리는 모두 노인처럼 허리를 숙이고 동굴로 들어갔다. 공간이 좁아서 한 줄로 가야 했다. 제일 앞에 마더 티누가 서고, 나, 미즈 티아, 의사 선생님 엄마가 마지막에 섰다. 동굴은 어둡고 천장이 낮았다. 머리 위로 바위가 계속 이어졌다. 머리가 바위에 쿵 부딪히는 바람에 허리를 더 숙여거의 기다시피 했다. 얼마 후 겨우 허리를 펼 수 있었다. 우리 앞에는 강바닥의 진흙에 머리를 조아리기라도 하듯 가지를 낮게 드리운 나무가 서 있는 강이 펼쳐져 있었다. 강물은 짙은 초록색이고 강가의 회색 바위 주변을 혀처럼 감싸 돌아 바위 사이 황금빛 갈색 나뭇잎을 빨아들였다. 이 장소를 보니 저절로 멀고 먼 과거로 돌아간 기분이 들었다. 카디자가 영혼을 두고 하나님과 전쟁을 벌이던 그때, 나는 하늘을 보고 있었지. 해가 숨고 비가 내리자 오렌지 빛이던 하늘이 온통 잿빛으로 뒤덮였지. 지금 여기도 곧 비가 쏟아질 것처럼 어두웠지만 이번에 하늘을 뒤덮고 있는 건 나뭇잎들이었다.

강 앞에 여자 네 명이 무릎을 꿇고 있었다. 가슴에 흰 천을, 머리에는 흰 스카프를 두르고 목에는 소라고둥 목걸이를 걸었다. 여자들은 무릎을 꿇은 채 바람에 흔들리듯, 늘어진 가지가 부드럽고 슬픈 노래를 속삭이듯 몸을 이리저리 흔들고 있었다.

"오오오." 계속해서 "오오오." 하고 소리를 했다.

"뭔가 마음에 들지 않아." 미즈 티아가 내 손을 더 꽉 쥐었다. "정말로 마음에 안 들어."

"저도 마음에 들지 않아요." 내가 말했다.

"좀 미룰 수 있나?" 미즈 티아가 여전히 내 손을 아프게 잡은 채 속삭였다.

"조용!" 마더 티누가 앞에서 빽 소리를 지르자 미즈 티아가 화들짝 놀랐다.

"아기를 만드는 사람들 옆에서 말하면 안 됩니다." 마더 티누가 말했다. "저기서 기다리세요. 한 발자국도 움직이지 마세요. 성스러운 옷과 빗자루를 가져오겠습니다."

마더 티누가 걸어가자 미즈 티아가 "빗자루? 그건 뭐 하러?" 하고 물었다.

이카티에서도 빗자루로 목욕을 한다는 사람은 보지 못했다. 스펀지랑 검은색 비누는 아는데. 하지만 빗자루는 처음이고 교회 안에서 그런다는 말은 더더욱 들어본 적이 없다. 빗자루 얘기를 듣자 뭔지 모르게 불안해졌다. "모르겠어요. 먼저 바닥을 쓰나?"

"아두니, 저 여자 말 들었지." 의사 선생님 엄마가 말했다. "입 닫아라."

마더 티누가 돌아왔다. 그 여자는 곱게 접은 흰색 천과 기다란 빗자루 뭉치처럼 보이는 걸 들고 있었다. 가까이 다가오자 빗자루 네 개를 든 게 보였다. 빗자루는 전부 기다랗고 아주 얇은, 수많은 잔가지를 빨간 실로 한데 엮은 거였다. 이카티에서는 이런 빗자루로 바닥을 쓸었는데, 여기선 뭐에 쓰려고 이러나?

"이거 받으세요." 마더 티누가 미즈 티아에게 천을 건넸다. "옷을 벗어 바닥에 놓으세요. 이 흰 천을 몸에 묶으세요. 작은 건 머리에 묶고요."

미즈 티아가 천을 받아들고 천천히 청바지와 티셔츠를 벗었다. 분홍 브래지어와 분홍 레이스 팬티를 입고 있었다. 배는 바닥처럼 납작했고 피부는 부드러웠다. 배꼽 왼쪽에 자국이 하나 있었다. 피부색보다 어두웠는데 아프리카 지도를 거꾸로 해놓은 거 같았다. 미즈 티아는 사각으로 접은 천을 가슴에 꾹 누르고 아무런 말도 하지 않았다. 단 한 마디도 하지 않았다. 입술이 부들부들 떨리고 있었다. 화를 터트릴 거 같았지만 무언가가 그녀를 잡아매고 있었다.

"티아, 자." 의사 선생님 엄마가 말했다. "얼른 해야지. 천으로 묶어라. 브래지어랑 팬티도 벗고. 그것도 벗어야 해. 마더 티누, 그렇죠?"

"네. 입고 온 건 다 벗어야 합니다. 서둘러주세요."

"천천히 하게 두세요." 내 말투가 날카롭게 나왔다.

"그 더러운 입 다물어." 의사 선생님 엄마가 쏘아댔다.

미즈 티아가 천을 가슴과 머리에 둘렀다. 그런 다음 속옷을 벗고 가슴에서 브래지어를 빼내 바닥에 떨어뜨렸다.

"자, 두 분은 뒤로 좀 가실래요?" 마더 티누가 우리에게 말했다. 나와 의사 선생님 엄마는 마치 서로 전쟁 중인 적군처럼 두 걸음 물러섰다.

나는 마더 티누가 미즈 티아를 강 끝으로 데려가는 광경을 보았다.

여자들이 노래를 멈추고 동시에 일어나 마더 티누가 건넨 빗자루를 동시에 받아 드는 광경을 보았다. 몇 주 동안 연습한 듯한 움직임이었다.

나는 한 여자가 미즈 티아가 매고 있던 천을 끌러 알몸을 드러내는 광경을 보았다. 그리고 빗자루로 미즈 티아를 때리기 시작하는 광경을 보았다. 처음에 미즈 티아는 충격을 받은 것처럼 보였다. 소문자 o처럼 입을 조그맣게 벌리고 서 있었다. 여자들이 매질을 시작하자 그제야 상황을 이해한 듯했다. 목욕 의식이라는 것이 물과 비누로 씻는 게 아니라 매질을 하는 행위란 걸 알아채자 미즈 티아는 싸우기 시작했다. 다리로 차고 비명을 지르며 '왓 더 포크', '왓 더 헬' 하며 소리를 질렀지만 다른 여자 세 명이 미즈 티아의 손과 다리를 잡고 입을 막았다. 여자들의 얼굴에는 아무런 표정이 없었다. 찡그리지도 않고 웃지도 않았다. 텅 빈 얼굴. 그들은 미즈 티아를 축축한 진흙 바닥으로 끙끙대며 끌고 갔다. 미즈 티아의 머리 쪽에 서 있던 여자 하나가 미처 보지 못한 두꺼운 갈색 밧줄을 꺼내 미즈 티아의 두 손을 비틀어 등 뒤로 묶었다. 그리고 다른 여자는 미즈 티아의 다리를 단단히 묶었다.

이제 뒤로 물러나 빗자루를 들고 본격적으로 매질을 시작했다.

나는 뛰어들어 목숨을 내놓고 싸우고 싶었다. 나의 미즈 티아를 그들에게서 떼어내고 싶었다. 하지만 웬일인지 발은 바닥에 들러붙고, 손은 몸 옆에 딱 붙어 꼼짝할 수가 없었다.

그래서 나는 미즈 티아가 바닥을 구르며 비명을 지르는 장면을, 그들이 때리고, 때리고, 때리는 장면을 지켜보았다. 미즈 티아의 고운 피부에 모래가 박혀 구멍이 날 때까지. 온몸이 붉은 흙투성이가 될 때까지.

46장

　여자들이 매질을 끝낼 때쯤 미즈 티아는 소리치지도 비명을 지르지
도 않았다.

　피를 흘리며 등에 난 무수한 상처를 드러낸 채 가만히 누워 있었다.
마더 티누가 다른 여자들에게서 빗자루를 건네받아 강에 던지고 머리를
치켜들고 외쳤다. "불임의 악령이 쫓겨났도다. 살아 계신 그분을 찬양하
라!" 다른 여자들이 손뼉을 치며 외쳤다. "엘리, 야!"

　그들은 미즈 티아를 일으켜 세운 다음, 강 끝에서 물을 떠다가 미즈
티아의 몸에 아주 살살 부었다. 마치 때려서 미안하다고, 정말 미안하다
고 말하는 거 같았다.

　미즈 티아가 이쪽으로 돌아보자 얼굴이 보였다. 내 다리가 고무처럼
흐물거렸다. 뼈가 모두 없어진 듯했다. 나는 무너져 내렸다. 배 속 깊은 데

서 으아악 하는 울부짖음을 토해냈다. 미즈 티아의 얼굴이 빗자루 자국 투성이였다. 거실에 걸린 그림처럼. 눈도 없고 입도 없는 진흙 머리처럼. 다만 이건 미즈 티아였다. 그녀는 눈도 있고 입도 있고 귀도 있어 끔찍한 고통을 고스란히 느끼고 있었다. 미즈 티아의 눈동자. 그 눈동자에 표정이 떠올랐다. 야생동물의 표정이기도 하고, 죽이고 싶어 하는 사냥꾼의 표정이기도 했다.

속에서부터 울부짖음이 끓어올라 터지려 할 때, 어깨에 따뜻한 손이 올라왔다. 의사 선생님 엄마였다.

"나도 몰랐다." 나직한 목소리였다. 눈에 눈물이 글썽했다. 목소리가 떨렸고 내 어깨를 잡은 손가락도 떨렸다. "이렇게 할 줄 몰랐다. 이렇게 잔인하고 이렇게 심할 줄. 그냥 목욕한다고 했는데. 평범한, 해가 되지 않는 목욕이라고. 내가 알았더라면 이렇게… 하지 않았어. 멈췄어야 했는데. 내 아들이 알면…" 그러더니 한숨을 쉬며 내 어깨에서 손을 뗐다. "차에 가서 옷 좀 가져와 다오."

일어나 겨우 걸음을 떼어 나왔다. 배가 뒤틀리고 어젯밤 먹은 콩이 목구멍으로 올라오려고 했다. 잠시 걸음을 멈추고 관목 옆에서 허리를 숙였다. 기침을 하고 배를 눌러보았지만 아무것도 나오지 않았다. 옷으로 입을 닦고 계속 걸었다.

교회 뒤에 열린 창문에서 한 여자가 무릎을 꿇은 채 손에 붉은 초를 들고 "아멘." 하는 게 보였다. 주술사가 주변을 방방 뛰며 "엘리…엘리." 하고 외쳤다.

그림 속 예수님은 더는 화난 표정이 아니었다.

그저, 피곤해 보였다. 그리고 슬퍼 보일 뿐이었다.

47장

우리는 관에 들어가 있는 시체들처럼 집으로 왔다.

아무도 말을 하지 않았다. 움직이지도 않았다. 자동차가 관처럼 좁게 느껴졌고 에어컨에서 나오는 차가운 바람으로 건조해져 입술이 생선비늘처럼 됐다. 우리는 그저 숨만 쉬었다. 강하고 빠른 숨. 느리고 무거운 숨. 숨소리로 많은 걸 말했다. 그저 실제로 말을 하지 않았을 뿐이다. 단한 마디도.

하지만 머릿속엔 하고 싶은 말이 가득했다. 목욕하러 가게 해서 미안하다고 말하고 싶었다. 왜 의사 선생님은 같이 오지 않았어요? 왜 같이 안와서 아내가 이렇게 맞게 해요? 아기는 두 사람이 만드는 건데 왜 한 사람만, 여자만 아기가 생기지 않는다고 고통을 겪어야 해요? 여자가 가슴이있고 아기가 들어가는 배가 있기 때문에 그런 거예요? 아니면 뭣 때문이에요? 나는 묻고 싶었다. 소리 지르고 싶었다. 왜 나이지리아 여성들은 모든 면에서 남자보다 더 고생하며 살아야 해요?

하지만 머리에 떠오르는 질문들이 입 밖으로 나오지 않아 그만두었다. 질문들이 계속 머릿속을 헤집어 머리가 지끈거렸다.

의사 선생님 엄마가 미즈 티아에게 말을 걸어보려고 했다. "진짜야. 너한테 이런 일이 일어날 줄 꿈에도 몰랐어. 이 정도로 할 줄은 몰랐어. 말리려고 했는데 내가 그렇게 여러 명의 여자들을 어떻게 이기겠니? 네 기적을, 아기를 생각해봐. 저기, 이 일을 우리끼리만 알면 안될까? 켄한테는 따로 말하고, 내가 이런 끔찍한 일을… 벌인 걸 알면 안 되는데. 티아, 9개월 후에 일어날 수 있는 일을 생각해보면…"

미즈 티아는 창밖만 바라보았다. 어떤 대답도 하지 않았다. 그 누구에게도 한 마디도 하지 않았다. 가만히 앉아서 숨을 빠르고 세게 내쉬면서 무릎 위에 올린 손가락을 살갗이 터질 정도로 꽉 쥐고 있을 뿐이었다.

15분 정도 가자 차가 막히면서 속도가 느려졌다. 상인 하나가 아이스크림을 들고 코를 창문으로 들이밀었다. "아이스크림 사세요!" 닫힌 창문으로 넘어오는 목소리가 마치 천을 입에 물고 말하고 있는 것처럼 웅얼거리게 들렸다.

하지만 미즈 티아의 상처투성이 얼굴을 보고 놀란 표정을 짓더니 오랫동안, 한참을 걱정스러운 눈길로 들여다보았다. 그러다 운전사가 빵 경적을 울리자 화들짝 놀라 물러섰다.

집 안은 고요했다.

빅 마담의 자동차가 마당에 없었다. 어디 간 거지? 저녁 8시, 늦었는데. 이때쯤에는 거실에서 오렌지 주스를 마시며 스카이 TV를 보거나 CNN 뉴스를 보면서 나이지리아를 신나게 욕할 시간인데. 나는 종종걸음으로 마른 잔디를 밟아 부엌 뒤로 갔다. 창문으로 보니 코피 아저씨의 엉덩이가 보였다. 몸 위쪽이 오븐 안으로 들어가 있었다. 내가 창문을 두드리자 아저씨가 오븐에서 나와 들어오라는 손짓을 했다.

들어가서 아저씨에게 인사를 했다. 부엌이 달콤한 케이크 냄새로 가득했다. 냄새를 맡자 배가 뒤틀리며 어디 구석으로 기어가 텅 빈 속을 토해내고 싶었다.

"어디 갔다 왔니?" 코피 아저씨가 앞치마에 손을 훔쳤다.

"미즈 티아랑요. 빅 마담이 절 찾았나요?"

"나갔어. 동생, 케미한테 사고가 났단다. 가게에서 바로 병원으로 갔지. 금방 돌아올 거 같진 않은데. 빅 대디가 거실에서 뉴스를 보고 있다. 아무짝에도 쓸모없는 인간이지, 저 인간이. 자기 처제가 병원에 있다는데 커피랑 같이 먹을 컵케이크를 구워 오라니." 아저씨가 손을 비볐다. "아, 너한테 내 쿠마시 프로젝트가 어떻게 돼가고 있는지 최근 사진을 보여줘야겠다. 지붕 공사가 거의 끝났단다. 바닥 타일을 배로 실어 보내야지. 찰레, 너 얼굴이 왜 그러니? 무슨 일 있었니? 설마, 장학생 떨어진 거냐? 결과가 나왔어?"

"아직 나오지 않았어요. 저 오늘 밤에 할 일 있나요?" 나는 몹시 피곤했지만 몸을 깨끗이 벅벅 밀고 싶었다. 오후에 있었던 일을 마음속에서 밀어낼 수 있을 때까지 표백제를 들이부어 싹 다 지워버리고 싶었다. 내 마음을 하얗게, 텅 비게 하고 싶었다.

"위층에 다림질할 옷이 좀 있다만, 몸이 좋지 않아 보이는구나. 가서 쉬어라. 누가 물으면 핑계를 잘 대보마."

"감사합니다."

"아두니" 내가 돌아서는데 코피 아저씨가 불렀다.

걸음을 멈추고 아저씨를 쳐다보았다.

"너 배고프니? 컵케이크 몇 개 줄 수 있는데. 너 이거 좋아하잖아?"

"아니에요. 감사합니다. 안녕히 주무세요."

코피 아저씨가 내 얼굴을 한참 쳐다보더니 한숨을 쉬었다. "언젠가는 너도 이해하게 될 거다. 그때는 형편이 좀 나아지겠지."

"저도 알아요." 나는 피곤에 찌든 나지막한 소리로 말했다. "내일은 오늘보다 더 나을 거예요."

"아부가 널 찾던데. 네 방으로 가라고 할까?"

"오늘은 아니요." 아부 아저씨가 레베카에 대해 해줄 말이 뭔지 궁금했지만 오늘 밤은 알고 싶지 않았다. 오늘 밤은 그냥 침대로 기어가 눈을 감고 아무것도, 아무도 생각하기가 싫었다.

"알았다. 가서 자거라."

48장

잠이 오지 않았다.

아무리 애를 써도 잠이 오지 않았다. 눈꺼풀에 젖은 모래가 잔뜩 낀 거 같았다. 눈동자 안에 돌이 들어가 눈을 뜨거나 감을 때마다 긁히는 느낌이었다. 가슴도 아팠다. 오늘 본 장면들이 계속 떠올라 견딜 수 없이 엄마가 보고 싶어서 가슴이 아려왔다. 엄마가 너무 그리웠다. 단 1분이라도 볼 수 있다면. 그래서 미즈 티아에 대해, 오늘 있었던 일에 대해, 그 여자들이 교회에서 한 사악한 짓에 대해, 하나님과 나와 미즈 티아를 슬프게 하는 것들에 대해 말해주고 싶었다.

급작스러운 소리가 들려 생각이 끊겼다. 나무에서 올빼미가 부엉부엉 하고 짧게 두 번 울었다. 일어나 창문 틈으로 내다보았다. 하늘의 둥근 달이 비추자 잔디가 푸른빛 작은 전구로 가득한 것처럼 보였다. 빅 마담의 거대한 집을 끝도 없이 둘러싸고 있는 금속 펜스도 비추고 있었다. 내가 여기서 나갈 수 있을까. 정말 형편이 나아질 수 있을까 생각해보았다.

다시 침대에 누웠지만 여전히 잠이 오지 않았다. 내 인생, 미즈 티아, 빅 마담과 사고를 당했다는 동생, 아내를 돌본 적이 없는 빅 대디, 부자들이 가진 돈, 돈이 사람들의 문제를 해결할 순 없다는 것, 그런 것들을 생각했다. 밤이 총총 사라지고 아침 해가 솟았다.

동이 트자마자 얼른 씻고 유니폼으로 갈아입은 다음 부엌에서 코피 아저씨를 찾았다.

"아두니, 잘 잤니?" 아저씨가 유리그릇 가장자리에다 달걀을 콕 쳐서 깼다. "오늘은 기분이 좀 어떠니?"

"빅 마담 왔어요?"

코피 아저씨가 고개를 저으며 하품을 했다. "아직도 동생 때문에 병원에 있다. 저 식충이 먹으려고 아침 만든다." 아저씨가 달걀을 포크로 저었다. "컵케이크 때문에 자정까지 잠도 못 잤는데 새벽 4시에 스크램블드에그 가져오라고 문자메시지를 보내지 뭐니. 근데, 빅 마담은 왜 찾니? 할 일이 뭔지 알잖니. 빗자루 갖다가…."

"저 나가요." 부엌을 나가며 말했다. "빅 마담이 와서 찾으면 적당히 아무 말이나 해주세요."

"아두니, 이렇게 이른 시간에…. 들어와." 미즈 티아가 말했다.

영 좋아 보이지 않았다. 머리카락을 검은색 스카프로 가리고 있었다.

눈은 빨갛게 부어올랐고 얼굴은 빗자루로 맞은 게 아니라 불에 넣고 구워 버린 것처럼 보였다. 자국들이 다 시꺼메졌고 갈색으로 변해 흉측했지만 나를 떨게 한 건 다름 아닌 눈동자였다. 벌겋게 충혈되어 성이 난 눈.

"울었어요?" 내가 미즈 티아의 얼굴을 만졌지만 미즈 티아는 얼굴을 빼내고 입고 있던 로브의 허리끈을 단단히 쥐었다. "고마워. 어제, 같이 가자고 해서 미안하다. 너한테 참 끔찍했을 거야…." 미즈 티아가 가만히 두 손가락을 눈에 댔다.

"구해주지 못해서 미안해요. 가서 막고 싶었는데 내 다리가, 다리가, 움직이지 않았어요."

미즈 티아가 슬픈 미소를 지으며 내 왼쪽 뺨을 쓸어내렸다. "네가 할 수 있는 일은 아무것도 없었어. 네 잘못이 아니야. 알았니?"

"네. 의사 선생님 엄마가 여자들이 때릴 줄은 몰랐다고 했어요. 그렇게 아주 많이 나쁜 여자는 아닌 거 같아요."

미즈 티아가 고개를 아주 천천히 끄덕였다. "상관없어." 미즈 티아가 뒤로 돌아 마당 깊숙이 걸어갔다. 부엌 뒷문에 닿을 때까지 따라 걸어갔다. 미즈 티아가 안으로 들어가지 않고 서 있기에 나도 같이 서 있었다. 이른 아침 잔디가 발아래서 얼음으로 된 카펫처럼 느껴졌다.

"너 신발도 안 신었구나. 추운데." 미즈 티아가 말했다.

"얼굴, 아파요?"

"나아질 거야."

"매일 야자 오일로 얼굴을 문질러요. 금방, 사라질 거예요. 피부가 다시 아기 피부 같아질 거예요."

미즈 티아가 갑자기 나를 확 당겨 안아 깜짝 놀랐다. "고마워. 넌 참 용감한 아이야."

"의사 선생님이 뭐래요?" 내가 속삭였다. "얼굴을 보고 뭐라고 했어요?"

미즈 티아가 손을 뺨에 대더니 위아래로 문질렀다. 기억의 자국을 없애려는 듯. "그이랑 어머니랑 아주 크게 싸웠어. 그이는 어머니가 나를 아프게 했다고 하고. 어머니는 그저 도와주려고 했을 뿐이라고 하고. 남편이 어머니가 도와줄 수 있는 건 없다고 우리 집에서 나가라고 했어. 어머니가 가고 나니까, 남편이 목욕은 쓸데없는 짓이었다고 하더라. 자기가…" 미즈 티아가 숨을 크게 들이쉬자 가슴이 부풀었다. 그러고는 말을 빠르게 쏟아내는 통에 단어가 마구 엉켜 제대로 알아들을 수가 없었다.

"자기는 임신시킬 수가 없대. 어머니는 모른다네. 아무한테도 말하지 않았대. 켄은 불임이야. 그게 안 되니까… 그래서 전처, 몰라라가 그를 떠난 거야. 그래서 켄은 다른 가족을 돕기 시작한 거지. 그 사람들이 어떤 일을 겪어야 하는지 잘 아니까. 예전에 우리가 아이를 갖지 말자고 잠깐 얘기한 적이 있긴 해. 그래서 자기는 나한테 말할 필요가 없다고 생각했대. 자기가… 젠장. 젠장!" 미즈 티아가 문을 발로 차며 소리를 지르자 벽이 울렸다. "젠장(shit)!" 그리고 눈물을 흘리기 시작하자 나는 미즈 티아가 화장실에 가고 싶어서 한 말이 아니라는 걸 깨달았다.*

미즈 티아가 울음을 그치고 손가락으로 다시 눈을 꾹 눌렀다. 내가 조

---

* 아두니는 shit이 대변이란 명사 외에도 욕으로 쓰인다는 걸 몰랐기 때문이다.

용히 물어보았다. "결혼하기 전에 의사 선생님이 말해주지 않았어요?"

"난 전혀 몰랐어." 미즈 티아의 목소리가 모래를 믹서에 간 것처럼 거칠었다. "미리 알았더라면 시작했을 때 다른 방법을 찾아서 했을 거야. 처음에는 내가 알 필요가 없기 때문에 말하지 않았대. 그런데 임신 얘기가 나오니까, 자기가 사실대로 말하면 내가 떠나버릴까 봐 두려웠대. 정말 어떻게 생각해야 할지, 도통 모르겠다. 이 정도로 끔찍하게 하루를 보낸 것도 부족했는지 자정에 전화가 왔어. 엄마가 다시 감염됐다고. 며칠 가봐야 해. 내일 아침에 출발할 거야." 미즈 티아가 한숨을 쉬었다. "어쩌면 그게 나을지도 몰라. 생각을 정리할 수 있으니까."

"내일은 오늘보다 더 나을 거예요." 내가 부드러운 미소를 지으며 말했다. "그렇죠?"

미즈 티아가 마른 웃음을 뱉었다. "그 여자들 신고하고 싶은데. 그런 야만적인 행위는 정지 처분을 받아야지. 불싯(bullshit)이야."

"진짜 불싯(bullshit)이죠." 나는 소똥과 염소똥밖에 몰랐지만 그래도 일단 맞장구를 쳤다.＊

미즈 티아가 또 웃었다. 손을 주머니에 넣고 티슈를 꺼내 코를 뽑아버릴 듯 팽 풀었다. 그러더니 휴지를 구겨 내 뒤쪽의 하얀 쓰레기통에 던졌다. "돌아오는 길에 바로 오션 오일 사무실에 들를 거야. 합격자 명단 확인하러. 결과가 나왔는지 봐야지."

그 말이 미즈 티아의 입에서 나오자마자 내 머릿속이 구름으로 둘러

＊ bullshit은 헛소리라는 뜻으로 쓰이지만 아두니는 황소(bull)의 똥(shit)으로 알아들었다.

싸인 듯 뿌예졌다. 그리고 내 영혼을 끌고 어딘가로 멀리 데려가 꿈을 꾸는 듯 아득해졌다. "만약 합격하면 어떡하지." 내가 중얼거렸다. "어떻게, 빅 마담한테 뭐라고 말하죠?"

미즈 티아가 나를 뚫어져라 쳐다봤다. "내가 말해줄게. 네가 장학금을 받았으니 너를 보내줘야 한다고."

"하지만 만약에." 말도 하기 무서웠지만 그래도 해보았다. "만약에 합격하지 못하면 어떡하죠?"

"아두니?"

"네, 미즈 티아?"

"어제 나는 네 일상을 잠깐 맛본 거야." 미즈 티아가 내 손을 잡았다.

"내 일상이요? 어떻게 맛을 봤어요?"

"아두니, 네 에세이 읽어봤어. 너는 아주 많은 일을, 젠장. 그렇게 많은 일을 겪었는데도 아직도 미소를 잃지 않았잖아. 요 녀석, 이렇게 늘 웃으면서 지내다니! 내가 어제 교회에서 맞았을 때 나는 그저 일부를⋯." 미즈 티아가 내 손을 놓더니 숨을 크게 쉬고 다시 손을 잡았다. "네가 여러 달 동안 견뎌야 했던 일을 나는 일부만 겪은 거야. 아두니, 내가 네 일상을 잠깐 겪은 거라고 생각해. 정말이지 너는 세상에서 제일 용감한 소녀야. 이런 말도 안 되는 뭣 같은 일이 나한테 일어났지만, 그래도 이건 네가 겪은 일에 비하면 아무것도 아니야. 아무것도."

내 목구멍이 돌로, 물로 그리고 알 수 없는 무언가로 꽉 막혔다.

"거지 같은 내 결혼 생활 문제는 일단 접어두고, 우선은 일주일 내로 돌아올 거야. 내가 가서 네가 합격했는지 알아볼게. 네가 합격했다면 내가 등록시켜줄 거야. 그리고 가게에 가서 네가 편안히 지내는 데 필요한 물건을 하나도 빠짐없이 다 살 거야. 네가 학교에 들어가야 하는 때가 되면 내가 기회 있을 때마다 너를 보러 갈 거야. 네 옆에 서서 내가 할 수 있는 모든 방법으로 너를 도와줄 거야. 네 안주인에게 허락을 받아내는 건 아주 힘들겠지. 하지만 내가 가진 모든 것, 모든 자원을 동원해서라도 네 안주인과 싸울 거야. 그래야 한다면 젠장, 경찰도 부를 거야. 이건 네 기회야. 네가 열심히 노력해서 얻은 거야. 아무도 빼앗을 수 없어. 그리고 네 물음에 대답하자면. 만약에." 미즈 티아가 내 손을 꼭 쥐었다. "만약에, 하나님 제발, 네가 선택되지 못했다면 내가 방법을 찾아낼 거야. 플로렌스랑 이렇게 지낼 수는 없어. 절대 안 돼. 방법을 찾을 때까지 시간이 좀 필요해. 하지만 우선은 신청한 결과를 기다려보자. 알았지?"

내가 고개를 끄덕였다. 고맙다고 말하고 싶었는데 눈물만 하염없이 흘러내렸다. 손으로 닦으려고 했지만 미즈 티아가 내 손을 꼭 쥐고 있어 눈물이 볼을 타고 목으로, 옷 안으로 데구루루 흘러 들어갔다.

49장

☑ 팩트: 2003년 나이지리아 정부가 인신매매 관련 범죄를 막기 위해 인신매매금
지법을 제정했지만 2006년 유니세프 보고서에 따르면 14세 이하 어린이 중 약
1,500만 명(대부분 여자아이)이 나이지리아 전역에 걸쳐 일하고 있다.

빅 마담의 집으로 돌아와보니 코피 아저씨가 뒷마당에서 낮잠을 자
고 있었다.

벤치에 누워 이른 아침 햇살을 가리려고 셰프 모자를 접어 눈 위에 놓
고 두 손을 가슴에 포개놓은 채 누워 있었다. 마치 영안실에 들어가길 기
다리는 시체 같았다.

"코피 아저씨?" 내가 손뼉을 두 번 쳤다. "주무세요?"

"아니다. 수영하는 중이다. 바다에서."

아저씨가 모자를 벤치에 탁 치며 일어났다. "아부가 너를 찾더라. 급해 보이던데. 뭐 너를 만나야 할 일이 있다고. 그게 뭐냐? 그리고 너 어딜 그리 급히 간 거니?"

"아부 아저씨에게 나중에 제 방으로 와달라고 해주세요. 미즈 티아에게 갔었어요. 너무 걱정돼서요. 하지만 이제는 다 해결됐어요. 제 생각에는요."

"뭐가 그렇게 걱정이 됐는데?"

나는 어깨를 으쓱이고 고개를 저었다. 코피 아저씨한테 털어놓고 싶었지만 미즈 티아에 관한 그런 깊은 이야기는 절대 말할 수 없었다.

"그러다 빅 마담이 집에 오면 어쩌려고? 이 마당 더러운 꼴 좀 봐라! 티아 때문에 네가 여기서 나갈 계획을 세우기도 전에 쫓겨난다면, 찰레, 장담하는데 내가 도와줄 수 있는 건 네 눈물을 닦을 휴지를 건네는 것뿐이다."

"동생은 어떻대요? 상태가 나쁘대요?"

"지금 수술실에 있다. 네가 오기 몇 분 전에 빅 마담이 전화했어. 생선 스튜를 끓여서 저 남편이라는 작자한테 들려보내라고 하더라. 며칠은 안 올 거 같던데. 왜 그리 싱글벙글하니?"

누가 간지럼을 태우는 것도 아닌데 웃음이 터져 나왔다. 순간 무언가 내 발을 건드려 춤을 추고 싶어졌다. 그래서 나는 폴짝폴짝 뛰며 미즈 티아의 집을 나왔을 때부터 머리에 맴돌던 노래를 부르기 시작했다.

에니 로조 아요 미

로조 아요 미

오늘은 내가 기쁜 날
나만의 기쁜 날

빙글빙글 돌며 빗자루를 돌리는 나를 보고 코피 아저씨가 가만히 미소를 지었다.

"콜라 씨가 드디어 월급을 가져왔니?" 내가 춤을 멈추자 아저씨가 다시 물었다. "아니면, 잠깐! 내가 맞혀볼까? 장학금 소식을 들었구나? 결과가 이번 주, 아니 다음 주에 나온다고 했잖아, 그렇지? 그래서 이렇게 신난 거냐?"

"장학금 소식은 아직 못 들었어요." 내가 빗자루 끝을 툭툭 건드리며 마른 나뭇잎을 쓸기 시작했다. "그리고 콜라 씨란 남자가 나를 이 집에 떨어뜨려놓은 후로 그런 말도 안 되는 일은 일어나지 않을 거 같아요. 콜라 씨는 노예 상인이에요. 그 사람이랑 빅 마담은 나 같은 노예를 거래하는 사람들이죠. 다른 점이라고는 제 목에 쇠사슬이 걸려 있지 않다는 거뿐이고요. 쇠사슬만 걸리지 않았지 노예 맞죠."

"학교 입학 준비를 하더니 많이 유식해졌구나." 코피 아저씨가 모자를 내려 썼다. "그래, 유식을 좀 뽐내보렴. 노예 거래에 대해서 뭘 알게 됐는지 말해볼래?"

"노예제도폐지법은 1833년에 승인되었어요." 내가 아저씨 발 주변을 빗자루로 쓸며 설명했다. "하지만 폐지에 응하는 사람은 한 명도 없었죠.

전부터 나이지리아 왕들은 사람들을 노예로 팔았거든요. 지금은 노예한테 쇠사슬을 채워서 해외로 보내진 않지만 노예 거래는 여전히 벌어지고 있어요. 사람들이 법을 어기고 있는 거죠. 저는 그걸 못하게 하는 일을 하고 싶어요. 사람들이 타인에게 더 올바르게 행동할 수 있게, 몸뿐 아니라 마음을 노예로 만드는 일을 그만두게 하고 싶어요."

"찰레, 네가 그 일을 해낸다면." 코피 아저씨가 슬쩍 웃었다. "너의 성공을 축하해주마. 누가 아냐. 언젠가는 누군가 너에 대해서도 이야기하게 될지. 역사(history)의 일부처럼 말이다."

내가 빗자루질을 멈췄다. 그리고 아저씨의 키에 맞춰 서서 눈을 똑바로 쳐다봤다.

"his-story 아니에요. 내 이야기는 her-story라고 할 거예요. 아두니의 스토리라고요."

50장

자정이었다.

쏟아지는 비가 지붕을 세게 때려 마치 총이 탕탕 발사되는 것처럼 들렸다. 흙냄새가 스멀스멀 나면서 왠지 내가 독립할 수 있는 희망의 냄새도 나는 거 같았다. 나는 침대에 누워 엄마와 얘기하는 중이었다. 미즈 티아에 대해, 의사 선생님이 감춰왔던 사실에 대해, 곧 알게 될 내 장학금 결과에 대해. 그때 방문을 두드리는 소리가 들렸다.

똑, 똑, 똑

세 번. 아부 아저씨다.

침대에서 일어나 문으로 달려갔다. 뒤에 있는 작은 찬장에서 열쇠를 꺼냈다. "아부 아저씨, 제가 어제 시간이 없어서 죄송했어요. 저를 찾으셨죠?"

"잘 잤니?" 아저씨가 고개를 까딱하며 인사했다. 하지만 아저씨는 방으로 들어오려고 하지 않았고 나도 들어오라고 하지 않았다. 아저씨는 밖에 서서 어두운 복도의 좌우를 재빨리 확인하더니 주머니에 손을 넣어 접힌 종이를 꺼냈다. 아저씨 얼굴에 공포의 그림자가 드리웠다. 잘라비야는 비에 젖어 가슴에 달라붙어 있었다. "병원에 빅 마담을 두고 왔다. 이거 너에게 주려고. 아두니, 바로 이게 네게 주려던 거야. 이거 나한테서 받았다고 말하면 안 된다. 나한테서 받은 거 아니다. 신께 맹세컨대, 내가 줬다고 말하면 난 네가 거짓말하는 거라고 할 거야!"

"이게 뭔데요?"

"내가 차 안에서 찾은 거다. 레베카가 사라지기 일주일 전에. 빅 대디가 늘 외출할 때 타는 벤츠 350 안에 있었어. 내가 너무 오랫동안 갖고 있었어. 이제는 버겁다. 기도하기가 힘들어. 제발 아두니, 부탁이다. 이걸 가져가렴! 받아라."

아부 아저씨는 종이에 무슨 저주라도 걸려 있다는 듯, 자신이 차마 갖고 있을 수 없다는 듯 내 손에 쥐여주고는 손가락을 눌렀다. "아두니, 잘 들어라. 오늘 이후로는 다시는 이 일을 입에 올리지 않을 거다. 봐라. 레베카가 사라진 다음 날 빅 대디가 세차하라고 해서 벤츠 350을 끌고 갔어. 바깥을 닦고 안을 청소하려는데…" 아저씨가 숨을 골랐다. "앞 좌석이 젖어 있었어. 누군가 물을 끼얹은 것처럼. 그래서 세차를 멈추고 빅 대디에게 가서 누가 앞자리를 적셨느냐고 물었다. 모른다고 하더라. 빅 마담에게 물었지. 가게 직원인 글로리가 그랬을 거라고 하더구나. 실수로 물을 쏟은 게 아니냐고. 글로리에게 물어봤더니 물을 쏟은 적이 없다고 하는 거야. 레베카가 사라지고 일주일 후, 바로 그날 내가 이 편지를 발견했다. 읽어봤지. 그랬더니 왜 의자가 젖어 있었는지 알겠더라. 그 후로 이 편지를 계속 갖고 있었어. 엄청 무거운 짐처럼."

"의자가 젖어 있었다는 이야기를 왜 하는 거예요?" 혼란스러웠다.

"편지가…." 생각만 해도 머리가 아프다는 듯, 내가 마치 질문한 게 아닌 것마냥, 아저씨가 고개를 흔들었다. "안전벨트 버클 안에 깊숙이 들어가 있었어. 안에. 내가 안전벨트를 빼내서 닦으려고 하니까 버클이 풀리지 않는 거야. 그제야 봤지. 편지를 잘 읽어봐라. 그럼 내가 한 말이 무슨 뜻인지 다 이해가 갈 테니까. 난 이제 병원에 있는 빅 마담에게 돌아간다. 내일 봐. 잘 자라."

내가 대답도 하기 전에 아부 아저씨가 고개를 까딱하더니 어둠 속으로 사라졌다.

떨리는 손으로 편지를 펼쳤다. 쓰다만 짧은 편지였다. 검은 볼펜으로 쓴 작고 단정한 글씨였다. 글자 크기와 너비가 모조리 일정했고 단어 사이 간격도 일정했다. 하지만 편지 마지막 부분에는 글씨가 거칠게 바뀌었다. 서둘러서 쓴 것처럼. 그리고 이 자국은 뭐지?

편지를 들어 전구 가까이 댔다. 모서리가 거칠었다. 정신 나간 사람이 이로 물어뜯은 것처럼. 아니면 코피 아저씨의 빵칼처럼. 끝부분에 피 묻은 손가락 지문이 두 개 찍혀 있었다. 더 자세히 살펴보았다. 적갈색. 마른 핏자국. 아무리 봐도 지문 같은데. 심장이 공포의 사다리를 타고 오르기 시작했다. 이 편지를 쓴 사람은 피를 흘리고 있었던 것이다.

쿵쾅거리는 심장을 좀 진정시키려고 하자 방이 빙글빙글 도는 거 같았다. 자리를 잡고 편지를 읽기 시작했다.

내 이름은 레베카. 나는 치프와 플로렌스 아데오티, 우리가 빅 마담과 빅 대디라고 부르는 사람들의 가정부다. 나는 빅 대디의 아이를 가졌다. 처음에 빅 대디가 강제로 날 범하더니 늘 잠자리를 같이해주면 나와 결혼하겠다고 약속했다. 가끔 빅 마담이 집에 있을 때 빅 대디가 밤에 빅 마담의 주스 컵에 수면제를 탔다. 그래서 빅 마담이 잠들면 그가 내 방으로 왔다.

내가 임신한 걸 알았을 때 빅 대디는 한없이 행복해했다. 나와 결혼하겠다고, 나와 빅 마담이 그의 두 아내가 될 거라고, 이 집에서 같이 살자고 했다. 그가 그 말을 해서 나는 무척 기뻤다.

오늘 아침, 빅 대디가 병원에 가서 의사를 만나자고 했다. 하지만 빅 대디가 사다 준 음식을 먹은 다음부터 이상하게 배가 아파서 이 편지를 써야 한다. 그리고 왠지 두렵다. 빅 마담이 화가 날 거

왜지, 레베카? 왜 편지를 끝까지 쓰지 않았지? 무슨 일이 일어났기에 편지를 다 못 쓰고 안전벨트 버클에 숨겨야 했지?

나는 편지를 접고 접어, 더는 접을 수 없을 때까지 접었다. 그래서 작고 딱딱한 사각형 총알 모양으로 만들었다. 온몸이 덜덜 떨렸다. 코피 아저씨와 치솜이 말한 남자 친구가 빅 대디였다니. 그런데 왜 구슬 허리끈을 벗어버렸지? 왜 편지에 피가 묻어 있지? 빅 대디가 죽였나? 아니면 어디다 가둬놨나?

편지를 손에 꼭 쥐었다. 가슴에 녹이 슨 것처럼 쓰라린 맛이 났다. 침대로 올라가 한 시간 가까이 누워 있었다. 레베카를 생각하며, 무슨 일이 일어난 건지 두려움에 떨며. 그러다가 내 방문 손잡이가 돌아가는 소리도 듣지 못했다.

다시 끼익 소리가 들리자 허리를 일으켰다. 처음에는 빗소리인 줄 알았다. 마당에 나뭇가지가 부러져서 떨어졌나. 하지만 문에 받쳐둔 찬장이 삐거덕거리며 움직이기 시작하자 벌떡 일어났다.

"아부 아저씨?" 선 채로 아저씨를 불렀다. 아저씨가 가고 나서 문을 잠그진 않았지만 천장을 밀어 방문을 조금 막아놨었다. 아부 아저씨가 빅마담한테 안 가고 돌아왔나? 레베카에 대해서 더 말해줄 게 있어서? "아부 아저씨?"

아부 아저씨 목소리가 들리지 않았다. 방문이 계속해서 열려 천장이 점점 더 뒤로 밀리면서 바닥을 긁었다.

"누구야?" 두려움에 몸이 움직이지 않아 여전히 침대 옆에서 자그마한 소리로 물었다. "거기 누구예요? 누구야?"

빅 대디였다. 그인 줄 알았다. 내가 서 있는 데서부터 술 냄새가 진동했고 방이 그의 사악한 기운으로 채워지는 게 느껴졌다.

달려가 문을 닫고 싶었지만 힘으로는 상대가 안 될 것이다. 그래서 몸을 숙이고 침대 밑으로 들어가 눈을 꼭 감았다.

그가 방에 들어오자 나는 몸이 통나무가 된 것처럼, 시체가 된 것처럼 꼼짝도 하지 않았다. 서걱서걱 옷이 스치는 소리와 함께 발소리가 점점 더 가까이 다가왔다. 내 두 손이 천으로 만든 공처럼 느껴졌다. 마지 그게 빅 대디로부터 나를 구해주기라도 할 것처럼 꽉 움켜쥐었다.

"아두니?" 빅 대디가 술에 취한 목소리로 소리 죽여 불렀다. 침대 앞에서 걸음을 멈췄다. 발이 아주 가까이에, 내 입 바로 앞에 있었다. 그의 커다란 엄지발가락이 구부러진 화살처럼 흉측했고 시꺼먼 발톱은 길게 아래로 휘어 있었다. 순간 이로 피가 날 때까지 깨물어 발톱을 빼버릴까 생각했다.

"너 여기 있는 거 안다." 그가 속삭였다.

매트리스가 내 얼굴 쪽으로 눌리면서 쉭 소리를 냈다. 안에 든 스프링이 끼익하며 내 얼굴을 눌렀고 어깨를, 가슴을 눌렀다. 마치 드릴로 뼈와 살에 구멍을 뚫는 거 같았다. 침대에 누운 그의 몸이 내 가슴을 밑으로, 밑으로 깔아뭉개자 눈물이 흘렀다. 속으로 조그맣게 울었는데도 그는 그 소리를 놓치지 않았다.

"아하!" 그의 얼굴이 나를 보고 있다. 얼굴이 눈알투성이였다. 악마의 눈이었다.

"아하!" 그가 또 내뱉더니 내 발을 잡아채 침대 밑에서 먼지 덩이와 함께 끌어냈다. 그가 내 위로 떨어졌다. 3년 치 땀이 밴 듯 몸에서 끔찍하게 역겨운 냄새가 났다.

싸워.

미즈 티아인가, 엄마인가?

아두니, 싸워. 소리 질러.

내가 소리를 질렀다. 목소리가 갈라질 때까지, 내 귀에도 들리지 않을 때까지, 내 비명이 빗소리에 들어가 천둥으로 되돌아올 때까지. 그가 손바닥으로 내 입을 가리려고 해서 내가 무릎으로 배를 팍 쳤다. 푹 소리가 나면서 그가 신음을 내더니 내 얼굴을 후려쳤다. 잠시 어지러웠다.

"가만히 있어." 그가 으르렁댔다. "가만히!"

그가 두 손으로, 몸으로 나를 꼼짝못하게 짓누르자 그의 뺨을 물어뜯었다. 피의 비릿한 맛, 살에서 술 냄새가 나는 걸 그의 얼굴에 퉤 뱉었다.

바지 지퍼를 내리는 소리가 들렸다. 나를 바닥에 짓누르며 끙 소리를 냈다. 입에서 썩은 이 냄새, 코피 아저씨가 컵케이크에 넣는 바닐라 냄새 같은 달짝지근한 냄새가 났다.

싸워.

내 손은 묶였다. 다리는 눌렸다. 어떻게 싸우지? 나는 머리를 좌우로 계속 비틀며 안 돼, 안 돼, 안 돼를 외쳤다. 하지만 그의 축축하고 뜨거운 손바닥이 내 입을 눌러 그 소리가 묻혔고 코도 함께 눌렸다.

엄마. 속으로 울부짖었다. 엄마 구해주세요.

그때 갑자기 밖에서 한 줄기 빛이 들어왔다. 모루푸와 있었던 날, 그때와 똑같은 빛이었다. 하지만 이번에는 엄청나게 크게 우르릉거리는 천둥소리와 함께 비쳤다. 엄마가 여기 있구나. 엄마가 나를 위해 싸우고 있구나. 싸워, 아두니. 싸워.

나는 있는 힘을 모조리 긁어모아 그의 손을 악물고 살을 파고들 때까지 뜯었다. 그가 비명을 지르자 얼른 몸을 비틀고 나왔다. 침대에 있던 엄마의 성경책을 낚아채 머리를 내리쳤다. 그러자 그의 주머니에서 번호를 반짝이며 울리던 휴대전화가 튕겨 나가 바닥으로 떨어져 선풍기처럼 빙글빙글 돌며 계속해서 울렸다.

빅 대디가 짐승처럼 울부짖었다. "개 같은 년." 그리고 나를 향해 달려들었다.

바로 그때, 문이 벌컥 열리며 바닥이 흔들렸다. 빅 마담이 문가에 서 있었다. 빅 대디가 황급히 지퍼를 올리더니 빅 마담을 밀치고 방에서 달려 나갔다.

빅 마담이 멍하게 서 있다가 유령처럼 걸어가 바닥에서 울리던 빅 대디의 휴대전화를 집어 들었다. 그리고 계속, 계속 쳐다보았다. 빅 마담이 휴대전화에서 뭘 봤는지 알 수 없었다. 하지만 아주 나쁘고 아주 끔찍한 일이 일어났으며 방금 내게 일어났던 일보다 더 끔찍한 거 같았다. 빅 마담이 방바닥에 무릎을 털썩 꿇더니 손을 머리에 올리고 대성통곡하기 시작했다. "치프, 아! 캐럴라인! 사랑하는 자기? 이건 아니야!"

정말 보기 안타까울 정도였다. 나는 내 일도 잊고 레베카와 빅 대디도 잠깐 잊었다.

빅 마담에게 다가가 울음을 그치라고 달래주고 싶을 지경이었다. 하지만 빅 마담은 휴대전화에서 뭘 보는지 버튼을 계속 누르면서 입이 벌어지더니, 이제껏 처음 본 크기로 커졌고, 나이지리아에 있는 강 중 가장 넓다는 베누에 강보다 더 커졌다.

51장

그다음은 눈을 한 번 깜빡한 것처럼 순식간에 지나갔다.

빅 마담이 바닥에 주저앉아 엉엉 울기 시작했다. 그 모습이 하도 딱해서 참다못해 다가간 나를, 처음 본 사람인 양 멍하게 보더니 확 밀치고 본관까지 달려 나갔다.

나는 방에 홀로 있었지만 아직도 그 인간의 냄새를 맡을 수 있었다.

땀내. 썩은 이 냄새. 술 냄새. 공포의 냄새도 풍겼다. 손의 털이 바짝 곤두섰다. 두려운 마음에 괜찮습니다, 주인님. 괜찮습니다, 마담 하며 바짝 긴장한 듯했다.

이제 비가 좀 잦아들고 천둥소리도 온데간데없이 사라져 사방이 고요했다. 그런데 멀리서 곧 아기를 낳을 듯한 여자의 희미한 신음이, 깊은 우물 안에 갇힌 여자의 우는 듯한 소리가 방에 묵직하게 울리기 시작했다. 두 눈으로 보이진 않았지만 어찌나 애절한지 본관으로 달려가보았다.

　　응접실에 들어가자마자 제일 먼저 눈에 들어온 건 빅 마담이 쓰던 가발이었다. 벽 거울에 축 늘어져 걸려 있는 모습이 죽은 쥐 같았다. 텔레비전과 스탠드형 선풍기, 소파 주변으로 온통 쿠션 천지였다. 빅 마담의 금빛 하이힐이 여기저기 나뒹굴었고 활짝 열린 털 달린 핸드백에서 쏟아진 돈, 립스틱, 아이섀도, 펜 같은 물건들이 바닥을 굴러다녔다.

　　빅 마담이 소파에 앉아 있었다. 내가 들어갔는데도 눈을 뜨지 않았다. 인기척을 느꼈는지 어떤지도 알 수 없었다. 그저 계속 눈을 감은 채 퉁퉁 부은 볼 위로 눈물만 흘리고 있었다. 그 모습을 보자 내 안에 있던 쓰라린 덩어리가 녹아들기 시작했다. 입 주변은 핏자국투성이였고 덜덜 떨리는 턱을 가만히 누르고 있었다. 계속해서 신음을 냈지만 아까처럼 크진 않고 입으로 숨 쉴 때마다 소리를 내는 거 같았다.

　　"빅 대디 어디 있어요?" 빗물과 분노로 흠뻑 젖은 내 몸에서 물이 뚝뚝 떨어졌고, 손안에 든 편지는 젖은 나뭇잎처럼 되었다. "어디 있어요?"

　　눈꺼풀이 한없이 무겁다는 듯 빅 마담이 천천히 눈을 떴다. 하지만 나를 보진 않았다. 슬픔과 고통의 술을 마셔 취한 사람 같았다.

　　"마담, 제가 편지를 가지고 있어요. 레베카가 쓴 거예요."

　　"레베카는 갔다." 늘어진 목소리였다. "갔다고."

　　"저도 알아요. 하지만 레베카가 쓴 게 있다고요. 이 편지예요."

내가 편지를 꺼내 들었다. 볼펜 잉크가 젖어서 색이 약간 변했고 글씨가 일부 흐릿해졌다. "제가 읽어드릴까요?"

빅 마담이 고개를 흔들며 손을 내밀자 내가 편지를 건넸다. 종이와 글자를 보긴 했지만 편지를 읽는 것 같진 않았다. 눈이 하도 부어서 앞이 잘 보이지 않는 듯했다. 빅 마담이 편지를 자기 가슴 위에 놓았다. 마치 편지가 갈갈이 찢긴 가슴을 묶을 수 있다는 듯, 싸서 봉해버릴 수 있다는 듯.

한참 후, 빅 마담이 입을 열었다. "치프가 나를 죽였다." 나한테 말하는 게 아니라 허공에 대고 중얼거렸다. "다른 애들은 이해할 수 있었어. 참을 수 있었어. 뒤처리까지 해주기도 했지. 하지만 이번에는 선을 넘었어. 치프 아데오티, 당신 선을 넘었다고!"

몸을 돌려 부엌으로 갔다. 코피 아저씨는 보이지 않았다. 우선 따뜻한 물을 그릇에 담고 천을 집었다. 응접실로 돌아가 물에 천을 적신 다음 꼭 짰다. 그리고 빅 마담 입에서 흐르는 피, 눈에서 흘러내리는 눈물 그리고 떨고 있는 손을 살살 닦아주었다. 처음에는 거부하는 듯했지만 내가 빅 마담의 두 손을 꼭 잡자, 이내 몸을 축 늘어트리고 눈을 감았고 제아무리 드센 사람이라도 연약해지는 순간이 있다는 사실을 받아들였다.

이카티에서 엄마에게 배운 노래를 불렀다. 라고스에 처음 왔을 때 불렀던 노래였다. 빅 마담을 쳐다보니 여전히 눈을 감고 있었다. 하지만 이번에는 조용히 코를 골기 시작했다. 그래서 나는 바닥에 떨어져 있던 편지를 집어 들고 방으로 돌아갔다.

52장

☑ 팩트: 나이지리아에서 정부에 등록된 회사의 30퍼센트는 여성이 소유하고 있다. 국가 경제를 지탱하는 데 지대한 영향을 끼치는 이런 회사들은 대부분 자금 유치에 제한을 받고 성차별을 겪는 등 어려움에 시달리고 있다.

"찰레, 지난밤에 이 집에 도대체 무슨 일이 있었던 거니?

코피 아저씨가 내 방문 앞에 서서 커다란 널빤지로 머리를 한 대 맞은 사람처럼 눈을 껌뻑였다. "이게 다 무슨 일이야?"

나는 한숨도 자지 못했다.

세탁기가 빙글빙글 돌아가는 것처럼 마음이 어지러웠다. 아침에 코피 아저씨가 문을 두드리자 뒤집히던 속이 좀 멈추는 거 같았다.

"아침에 갔더니 거실이 난장판이던데. 빅 대디는 집에 없고. 빅 마담은 화물차에 치인 거 같고. 이게 다 무슨 일이니?"

"아저씨 어디 갔었어요?" 한 손으로 문을 잡고 다른 손으로는 잠옷을 가리려고 하면서 물었다. 아저씨는 내게 이상하게 행동하는 사람이 아니었지만 어젯밤 사건을 겪고 나니, 나를 해코지할지도 모른다는 생각에 그 어떤 남자라도 말을 거는 게 무서웠다.

"빅 대디가 웬일로 나보고 외출하라고 하더라. 어젯밤에 바깥바람 좀 쐬라면서 밤에 나가라는 거야. 빅 마담도 동생 때문에 병원에 있으니까, 이참에 가나 고등법무관사무소에서 친구를 만나면 되겠다 싶었지. 솔직히 말해, 이 인간이 나보고 쉬라고 하다니 웬일이냐 싶었지만 빅 마담 때문에 만날 요리하느라 지칠 대로 지쳐 있었거든. 그래, 무슨 일이 있었느냐?"

"아무 일도 아닙니다."

"찰레, 말해봐라. 빅 대디가 네 방에 왔었니?" 아저씨가 울상을 지으며 손으로 자기 가슴을 부여잡았다. "빅 대디가 외출하라고 할 때 내가 알아챘어야 했는데. 아두니, 말해봐라. 왜 거기 멀뚱히 서서 그러고 있니? 그놈이 무슨 짓을 한 게냐?"

"아무 일도 없었어요. 왜 그러세요?"

"널 성폭행한 게야?" 아저씨의 목소리가 점점 커졌다. "그 골 빈 자식이 기어코 널 건드린 게야?"

성폭행이라는 단어에 마치 칼에 베인 듯, 찌르는 듯한 통증이 느껴졌다. 처음 듣는 단어였지만 의미를 찾기 위해 <콜린스>를 뒤적일 필요는 없었다.

"성폭행하지 않았어요." 내가 조용히 대답했다. 생각만 해도 아직도 몸이 덜덜 떨리고 심장이 가슴에서 요동쳤다. "일을 당하기 전에 빅 마담이 제 방으로 왔어요."

코피 아저씨가 바닥에 침을 뱉었다. "멍청한 놈 같으니. 신이 벌하시길."

"레베카가… 예전에 학교에 다녔나요? 영어 실력이 어땠어요? 머리가 좋은 편이었나요?"

"레베카? 영어는 꽤 잘했지만 나이에 비해 좀 어리숙한 편이었지. 이집에 오기 전에 일했던 집 주인이 학교에 보내줬나 보더라. 사립 초등학교와 중·고등학교에 다니게 해줬고 연휴에는 가족과 함께 보내라고 했다지. 주인이 죽고 나서 이 집에 와서 일하게 됐단다. 그런데 갑자기 그건 왜 묻니?"

"아니에요." 레베카가 똑 부러진 소녀였다면 빅 대디와 결혼하는 건 불가능하며 빅 마담과 같은 집에서 살지 못할 거라는 건 파악할 수 있었을 것이다. 빅 대디가 거짓말을 한다는 것도 알아챌 수 있었을 텐데. 그러고 보니 영어를 잘하는 게 똑똑하거나 지식이 많다는 잣대가 되는 건 아니었다. 영어는 요루바어나 이그보어, 하우사어처럼 그냥 하나의 언어일 뿐이다. 특별할 것도 하나 없고 배운다고 머리가 좋아지는 것도 아니었다. "혹시 레베카가 글씨 쓴 거 아무거나 갖고 계세요?" 빅 대디가 이 편지는 다른 사람이 쓴 거라고 우기지 못하도록 확실히 해두고 싶었다. 바미델레는 카디자 일로 벌을 받지 않았다. 빅 대디만이라도 레베카 일로 확실히 벌을 받아야 한다.

코피 아저씨가 고개를 젓더니 "아부가 갖고 있을지도 모르겠구나. 레베카가 늘 장 볼 물품 목록을 줬으니까. 내가 물어봐 줄 수도 있는데 아부가 어젯밤 이후로 보이질 않네. 오늘 아침에는 돌아오겠지."

내가 방문을 닫으려고 하니까 코피 아저씨가 손으로 문을 막았다. "빅 마담이 너를 찾는다. 방으로, 방 안으로 들어오라던데. 왜 방으로 부르는 거냐? 빅 마담은 한 번도 자기 방으로 누군가를 오라고 한 적이 없다. 더더군다나 너는 절대. 내가 모르는 무슨 일이 있었던 거니?"

"감사합니다." 나는 이렇게만 말하고 문을 닫았다.

"들어와라." 방에 다가가자 빅 마담이 말했다.

얼굴이 온통 상처로 뒤덮여 있었다. 방문이 활짝 열려 있었지만 나는 꼼짝도 하지 않고 서 있었다. 빅 마담은 붉은 실크로 된 날개로 온몸을 감싼 것 같은 아주 기다란 붉은 로브를 걸치고 있었다. 나보고 들어오라며 문손잡이를 잡았다.

"들어와." 빅 마담이 다시 이렇게 말하더니 몸을 뒤로 돌렸다. "문 닫아라. 의자에 앉아."

내가 발을 들여놓았다. 방 한가운데 둥그런 침대가 놓여 있고 깃털 달린 천으로 만든 베개가 좋이 열댓 개는 올려져 있었다. 저러면 침대 어디에서 잘까 의아했다. 내가 서 있는 쪽 벽에 아이들의 어릴 때 사진이 줄줄이 걸려 있었다. 놀이터에서 즐겁게 노는 사진과 빅 마담이 젊었을 때 찍은 사진도 하나 있었다. 사진 속 빅 마담은 날씬하고 피부도 고와 보였다.

나중에 빅 대디 때문에 마음고생을 해 얼굴이 퉁퉁 붓다니 안됐다고 하마터면 사진을 쓰다듬을 뻔했다.

묘한 냄새가 났다. 화장실 표백제와 더러운 발 냄새가 진하게 풍겼다. 왼쪽에 놓인 화장대 위에 커다란 로션 병과 색색의 파우더, 아이섀도, 펜슬과 립스틱이 든 나일론 메이크업 가방이 잔뜩 놓여 있었다. 병에 쓰인 이름을 읽어보았다. 인스타 화이트 플러스 스킨 밀크, 스킨 페이드, 브라이트 블리칭 믹스.

빅 마담이 왜 피부를 하얗게 만들고 싶어 하는 거지? 이 냄새 나는 로션으로? 벽에 걸린 예전 사진을 봐도 피부가 좋아 보이기만 한데. 그래서 매일 얼굴색이 다르고, 발목이랑 무릎은 갈색인데 다른 데는 누리끼리하거나 초록빛이 돌기도 하는 걸까?

나는 침대 맞은편에 있는 기다란 보라색 의자로 가서 앉은 다음, 무릎 위로 옷을 가지런히 정리했다. "코피 아저씨가 마담이 부르신다고 해서 왔습니다."

빅 마담이 손가락이 부었나 확인하려는지 손을 내려다보았다. "아두니, 이건 내가 물어봐야겠다. 어제, 치프가, 그 인간이…."

내가 고개를 저어 아니라고 했다. "성폭행하지 않았습니다."

빅 마담이 고개를 홱 쳐들며 눈을 가늘게 떴다. "성폭행이 뭔지는 알고 있니?"

"네. 압니다."

"닥터 켄 와이프, 티아 다다가 어제 나한테 전화를 했더구나. 네 미래에 대해 의논하고 싶다면서 우리 집에 온다는데. 무슨 놈의 미래? 자기가 누구라고 생각하는 거야? 네 월급에서 자기가 얼마를 낸다니? 아니면 네가 자기 환경 프로젝트 같은 거라고 생각하는 거야?" 그리고 한숨을 내쉬었다. "내가 그렇게 물으니까 전화를 탁 끊더구나. 내가, 진짜 농담 아니구, 눈에서 황불이 나더라. 머리가 부글부글 끓었단 말이다. 병원에서 동생이랑 있다가 기사에게 집으로 가자고 했지. 네 뇌가 개조될 때까지 두들겨 팬 다음에 길거리로 내쫓으려던 참이었다. 아두니, 넌 이 집에 온 후로 쉴 새 없이 문제를 일으켰어. 티아 다다는 내 친구가 아니야. 마흔도 안 된 여자가 어디서 전화를 그렇게 함부로 뚝뚝 끊어? 내가 너 먼저 작살낸 다음에 티아에게 갈 셈이었지. 그런데 그 대신 네 방에서 내가 뭘 봤겠니? 내 남편이지." 빅 마담은 말을 하면서도 계속해서 입술을 부들부들 떨었다.

"치프는 교회에 다니는 사람이야. 선한 남자들 모임의 회원이란 말이다. 교회를 그렇게 오래도록 다닌 사람이 어떻게 하나님을 영접하지 않을 수 있지?" 도저히 이해가 가지 않는다는 투였다.

"하나님은 교회에 있지 않으니까요." 내가 고개를 숙인 채 조용히 말했다.

빅 마담에게 하나님은 돌과 모래로 지은 시멘트 건물이 아니라고 말해주고 싶었다. 하나님이 건물 안에 있다고 생각하고 거기에 가둬두는 게 아니라고. 하나님을 만난 사람인지 아닌지 그리고 하나님을 마음에 둔 사람인지 아닌지를 확인하는 유일한 방법은 다른 사람을 어떻게 대하는지 보는 거라고 알려주고 싶었다. 다른 사람을 예수님 대하듯 대하는지. 사랑, 인내, 친절, 용서의 마음으로 대하는지. 하지만 심장이 펄떡거리며 빠르게 뛰었고 소변이 마려운 거 같아 유니폼에서 삐져나온 붉은 실을 손가락으로 동그랗게 말고 말아 작고 단단한 매듭을 만들었다.

빅 마담이 손으로 무릎을 꾹 누르면서 몸을 앞으로 내밀었다. "아두니, 티아가 전화로 한 말을 생각해봤는데, 티아 다다가 나와 의논하고 싶다는 게 뭔지, 넌 아니?"

"아니요. 전 모릅니다." 속삭이듯 대답했다.

빅 마담이 천천히 고개를 끄덕였다. "티아가 너를 이 집에서 데려간다면 따라나설 거냐?"

내가 고개를 끄덕였다.

"치프가 한 짓 때문에?"

뭐라고 대답을 해야 할지 망설여졌다. 할 말이 엄청 많았지만 빅 마담이 화를 버럭 낼까 무서워서 생각나는 것만 조금 말하기로 했다. "마담이 저랑 코피 아저씨를 늘 함부로 대하니까요. 저를 때려서 엄마 생각이 나울게 하니까요. 그리고 빅 대디 때문에요."

입술을 깨물고 더는 말하지 않았지만 속으로는 계속 말하고 있었다. 레베카가 마담의 딸 케일라였다면, 레베카를 찾을 때까지 단 하룻밤도 편안히 지낼 수 없었을 거잖아요. 마담이 나를 노예를 사 오듯 데려왔고요. 그리고 빅 대디가 마담을 노예처럼 취급하도록 그냥 놔뒀잖아요.

빅 마담이 등을 기대고 눈을 감았다. 다시 입을 열었을 때는 내가 이 방에 없다는 듯 혼잣소리로 중얼거렸다. "어떻게 치프가 나한테 이럴 수 있지? 우리한테? 내 옆에 치프가 없다면 난 앞으로 어떻게 살아가지? 사람들이 무슨 일이냐고 물으면 뭐라고 말하지?"

그 사람은 마담 옆에 있어준 적 없어요. 그렇지 않나요? 마담 얼굴을 때릴 때 빼고는요.

"그게 무슨 말이냐?" 빅 마담이 눈을 번쩍 뜨며 날카로운 목소리로 물었다.

어, 내가 머릿속으로 생각한 게 아니라, 입 밖으로 냈나? 고개를 저으며 뭐라고 둘러댈까 하는데 빅 마담이 "아두니! 그게. 무슨. 말이냐. 어? 너 갈아버리기 전에 얼른 정확히 설명해봐." 하고 소리 질렀다.

나는 치마 끝자락을 손가락으로 비비 꼬아 더는 피가 통하지 않을 때까지 꼬았다. "빅 대디요. 나쁜 사람이에요. 아주 악한 사람이에요."

그리고 고개를 쳐들자 어떤 꼭지가 확 터진 것처럼 내 입이 열리더니 말이, 쓰라리고 날카로운 진실의 말이 마구 쏟아져 나오기 시작했다.

"빅 대디가 마담을 때릴 때마다 마담 가슴에 엄청난 분노와 슬픔이 가득 쌓이잖아요. 그래서 나랑 코피 아저씨를 보면 그 분노를 다 우리한테, 대부분 저한테 쏟아내고요. 마담의 남편은 마담을 슬프게 하고…" 그리고 머리가 돌게 만들어요.

"죄송합니다. 마담." 빅 마담의 눈알이 거의 머리 꼭대기까지 치솟자 내가 얼른 사과했다. "무슨 말이냐고 물으셔서, 설명한 것 뿐이에요. 그게 답니다." 나는 공기가 완전히 빠져나가 다시는 부풀지 못할 풍선처럼 숨을 길게 내쉬었다. 차마 마담 얼굴을 쳐다볼 수가 없어서 바보처럼 아주 천천히 내 발을 그리고 방을 괜스레 두리번거렸다.

"발을 주물러드릴까요? 아니면 가기 전에 머리를 긁어드릴까요? 어제 제가 노래를 불렀더니 주무시던데. 노래를 불러드릴까요? 임마가 가르쳐…"

"나가." 마담이 촉촉이 젖은 화난 눈빛으로 문을 가리켰다. "내 눈앞에서 사라져!"

53장

밤에 누군가 게이트를 두드리며 미친 듯이 경적을 울리는 소리가 들렸다. 운전대에 앉은 사람이 주먹으로 핸들을 쾅쾅 내리치는 거 같았다. 소리가 3분 후에도 계속되자 침대에서 일어나 바깥을 흘끗 내다보았다.

"저 한심한 놈이 거의 30분째 빵빵거리네." 코피 아저씨가 복도에 서서 눈을 비비며 하품을 했다.

"어떤 한심한 놈이요?" 내가 방에서 나와 문을 닫으며 물었다. 아저씨 옆에 서서 밤이 두툼한 벽처럼 깔린 어둠을 바라보았다. 귀뚜라미와 경적 소리가 차례로 허공을 채우며 괴상한 노랫가락을 연주하고 있었다. 빵 – 귀뚤귀뚤 – 빵 – 귀뚤귀뚤.

"빅 대디. 아주 그냥 정신병자처럼 경적을 울려대는구나. 빅 마담이 아부와 나보고 문 열어주지 말라고 하더라. 참 기이한 일이지."

"왜 그게 참 기이한 일이에요?"

"이제껏 들여보내지 말라는 지시를 내린 적은 없었거든. 여자를 만나고 오는 게 뻔한데도 말이다."

"여자를 봤어요?"

"몇 명 있었는데 한 명은 나도 봤어. 숍라이트에서 꼬신 앤데, 삐쩍 말랐었지. 스무 살 정도 됐나. 돌풍이라도 불면 몸이 두 동강 나게 생겼더구먼. 뭐 내 알바는 아니지만." 코피 아저씨가 고개를 돌려 나를 쳐다봤다. "그래, 빅 마담이 너를 방으로 불러서 뭐라고 하든?"

"아무것도 아니에요." 또 경적 소리가 들렸다. "빅 마담이 왜 우리보고 문을 열지 말래요?"

아저씨가 어깨를 으쓱였다. "아까도 말했지만 이런 적이 없었다니까. 오히려 빅 대디가 아무리 늦게 오더라도 밥은 꼭 주라고 했지. 아두니, 그 말을 할 때 네가 빅 마담을 한번 봤어야 했는데. 내가 살면서 그런 눈빛은 처음 봤어. 어떤 이상한 기운이 가득한 게 어찌나 으스스하던지. 무슨 강철처럼. 결단에 찬, 그런 눈빛이었지."

"아부 아저씨에게 물어봤어요? 레베가가 쓴 장 볼 목록이요?"

"아, 그래." 코피 아저씨가 바지 주머니에서 종이를 꺼냈다. "여깄다. 레베카가 저기…. 그렇게 되기 전에 쓴 마지막 목록이지."

종이를 펼쳐보았다. 페어리 비누, 흰쌀, 랩, 티슈, 표백제가 적혀 있었다. 편지와 똑같은 글씨체였다.

한숨이 나왔다. "코피 아저씨, 레베카와 빅 대디가 같이 있는 걸 본 적이 있으세요?"

"몇 번 봤지." 아저씨가 인상을 찌푸리자 이마에 선명한 주름이 세 가닥 잡히며 살가죽이 접혔다. "레베카의 방에서 나가는 걸 몇 번 봤지. 특히 빅 마담이 없을 때, 좀 이상할 정도로 친하게 지내더구나. 그래서 레베카에게 말해줬지. 그 인간 조심하라고. 그랬더니 빙그레 웃으면서 나보고 질투한다고 그러더라. 내가 저 한심한 작자를 왜 질투하겠니? 저 인간은 이 집에서 일하는 가정부라면 모조리 관심을 보이더구먼. 그래서 네가 온 첫날, 내가 조심하라고 했던 거야. 이 집에 일하러 오는 가정부마다 그렇게 경고해준다고."

갑작스레 한기가 느껴지면서 털이 곤두섰다. "빅 마담이 레베카가 살던 마을로 갔었나요? 찾으러?"

코피 아저씨가 고개를 저었다. "레베카가 사라지고 한 일주일 뒤인가 콜라 씨한테 들었지. 내가 듣기론 빅 마담이 전혀 찾아보질 않는다고 하더라."

또 빵 소리가 들렸다. 그러자 빅 마담이 천둥이 다섯 번 울리는 듯한 크기로 본관에서 소리를 질렀다. "치프! 당신이 온 지옥으로 돌아가! 여기에 문 열어줄 사람 아무도 없어."

저 사람이 도대체 레베카에게 무슨 짓을 한 걸까? 나도 모르게 눈물이 솟구쳐 얼른 닦았다. "저 먼저 방으로 가볼게요."

"나도 갈 거다." 코피 아저씨가 또 하품을 했다. "저 멍청이는 차 안에서 모기랑 밤을 보낼 거 같구나. 하긴 그런 일을 저질렀으니 적어도 이 정도 취급은 받아야지."

빅 마담은 이틀 동안 꿈쩍도 하지 않았다. 가세도 가지 않고 교회도,

그 어디에도 나가지 않았다. 방에 틀어박혀 잠만 잤다. 아침에 코피 아저씨가 얌과 달걀, 빵과 삶은 달걀, 혹은 토스트와 티를 가지고 올라가도 한 입만 먹고 다시 내려보내 아저씨가 나보고 먹으라고 주었다. 밤이 찾아왔다. 빅 마담이 나를 찾더니 발을 마사지하라고 했다. 마사지를 받으면서도 눈물이 그렁한 눈으로 말 한 마디 없이 그냥 가만히 앉아만 있었다. 나는 다시 편지를 보여주고 싶었지만 빅 마담의 마음이 천근만근이라는 게 느껴졌다. 그래서 내가 하고 싶은 말을 지금 하기에는 빅 마담이 깊은, 너무나도 깊은 바닥에 있는 거 같아 망설여졌다.

빅 대디는 집 근처에 얼씬도 하지 않았다. 어떤 낌새도 없어서 우리도 묻지 않았다. 하지만 우리끼리 있을 때, 나와 코피 아저씨, 코피 아저씨와 아부 아저씨, 아니면 나 혼자서 소곤거리곤 했다. 빅 대디가 어디 있을까, 다시 집으로 오게 될까. 하지만 얘기해봤자 답을 할 수 있는 사람은 없으니 하나마나 한 말이었다.

빅 대디가 집에 오지 않은 지 사흘째 되는 날 저녁, 빅 마담이 나를 방으로 불렀다.

내가 들어가자 빅 마담이 이번에는 보라색 의자에 앉아 전화기에 귀를 대고 있었다. 내게 기다리라는 손짓을 하기에 한쪽 구석에 뒷짐을 지고 서 있었다. 빅 마담은 많이 나아진 거 같았다. 눈 밑에 빨갰던 상처는 지금 앉아 있는 의자처럼 보라색으로 변해 있었다.

"치프네 가족이 내일 온대." 빅 마담이 전화기에 대고 말했다. "아니,

올 필요 없어. 넌 회복하는 데 집중해야지. 다시 그 인간을 받아달라고 빌려는 수작이지. 어젯밤에 그 못돼먹은 여동생이 문자를 보내왔더라고. 치프가 돈을 달라고 했대. 메르세데스에 기름 넣을 돈도 없나봐. 하긴 내가 만날 기름을 넣어줬거든." 다 부질없다는 듯 웃으며 고개를 저었다. "아, 케미, 내가 어리석었지. 진짜 어리석었어."

그래요, 마담. 내가 눈빛으로 말했다. 정말 어리석은 헛똑똑이였어요.

"내가 손님들 모으러 다니느라 고생할 때 그 사람 가족들은 어디 있었니? 우리 애들 키울 때는? 공과금 낼 때는? 네가 내 진짜 가족이지." 빅 마담이 손가락으로 왼쪽 눈을 훔쳤다. "이 남자랑 어떻게 살았는지 네가 알잖니. 사업해서 우리 가족 먹여살리느라 내가 얼마나 고생했는지. 케미, 내가 너한테 이 말은 처음 하는데, 그동안 내가 돈 벌어다 치프에게 줬어. 그 인간은 내가 준 돈을 주머니에 넣고도 나한테 손찌검을 하고 연애질이나 하고 다녔지. 그래도 내가 옷도 사주고 이래저래 챙겨줬잖아. 창피한 짓을 벌여놔도 수습해주고. 말도 안 되는 황당한 짓거리에도 눈감아줬는데. 그런데 이건… WRWA 모임의 캐럴라인 번콜이라니! 그것도 바로 내 코앞에서. 아니, 진정하라는 말은 하지 말아줘. 아니, 상상한 거 아니야. 나도 그랬으면 좋겠다."

"그 여자랑 연락할 때 쓰던 휴대전화를 찾았다고 했잖아. 그놈이 캐럴라인 번호를 '사랑하는 자기'라고 저장해놨더라고. 사랑하는 자기? 치프가 그런 말을? 나한테는 한 번도 사랑이니 뭐니 그렇게 부른 적 없어! …. 케미, 왜 그런 말도 안 되는 걸 묻는 거야? '확실해?'라니, 무슨 말이야? 당연히 확실하지! 내가 가서 물어봤다니까! 캐럴라인이 악마의 잘못이라고 하더라. 악마? 그게 말이 되니? 이런 여자를 친구랍시고 가깝게 지냈다니! 친구라고."

빅 마담은 손으로 입을 가리고 흐느끼기 시작했다. 캐럴라인 번콜을 떠올리자 내 가슴이 움찔했다. 초록 눈에 씁쓸한 오렌지 냄새가 나던 고양이 같은 여자. 비밀을 지켜준 대가로 치숙에게 잘해주는 여자, 직원 숙소 뒤에서 몰래 전화하던 빅 대디의 통화 상대자.

그게 바로 빅 마담이 내 방에서 휴대전화를 발견한 날 읽은 문자메시지 내용일 것이다. 빅 대디를 이제껏 집에 못 들어오게 하는 이유, 고통과 수치심에 곧 죽을 사람처럼 보이는 이유였던 것이다. 그런데 나는, 방 안에 선 채, 빅 마담이 슬프고 화가 난 이유가 빅 대디가 나를 성폭행하려고 했기 때문일 거라고 생각하고 있었다.

빅 마담은 이제 가만히 고개를 끄덕이며 한숨을 쉬었다. 상대방 여자가 뭐라고 하는지 들리진 않았다. "케미, 지금은 뭐라고 기도를 해야 할지 모르겠다." 마침내 이렇게 말했다. "어서 쉬어. 너 쉬어야지."

빅 마담이 휴대전화를 침대에 던지고 나를 쳐다보았다. 눈빛을 보니 내 가슴에 구멍이 움푹 파일 거 같았다. 그리고 마담이 자신의 슬픔을 구멍에다 쏟아부은 다음 나와 함께 묻어버릴 거 같았다.

"발을 마사지해라." 두 다리를 쭉 뻗었다. "발목이 부었구나." 내가 고개를 끄덕이고 앉아 빅 마담의 발을 들어 무릎에 놓았다. 손가락으로 발목과 발가락을 천천히 문지르기 시작했다. 오랜 세월 빅 마담이 짊어졌던 그 모든 고통의 무게를 덜어주려는 듯 그리고 스스로 가둔 감옥에서 그녀를 풀어주려는 듯 꾹꾹 눌렀다.

우리는 잠시 그렇게 있었다. 빅 마담은 고통을 풀어내려 하고 나는 마담의 다리를 주물러 그 몸에서 고통을 빼내려고 하면서.

"그 인간, 내가 구속시켜버릴 거다." 빅 마담이 막 생각났다는 듯 난데없이 이렇게 말했다. "그래, 그렇고말고. 레베카가 행방불명이니까 분명 구속될 거야. 그 여자애를 찾아내지 않는 한, 감옥에서 확실히 썩게 해야지." 빅 마담이 고개를 젖히고 눈을 감았다. "아두니?"

"네?"

"그날… 빅 대디가 네 방에…. 그날 밤에 레베카가 쓴 편지가 있다고 했지?"

"네, 그렇습니다." 안에서 희망이 부풀었다. 빅 마담이 나한테 물어봐주기를, 레베카를 돕기 위해 나서주기를 기다리고 있던 차였다.

"편지를 읽어보고 싶구나. 제대로 읽어야지. 내일 아침에 곧장 가져와라. 지금은 좀 자야겠다. 눈이 아파. 노래를 불러다오."

"네, 마담."

노래를 부르기 시작했다. 엄마가 보라색 의자에 앉아 있다고 생각하면서. 전심으로 노래를 부르면 빅 마담이 나아질 거라고 생각하면서. 레베카를 찾을 수 있기를 그리고 미즈 티아의 남편이 미즈 티아를 임신시킬 수 있기를 바라면서. 그리고 내가 슬퍼하지 않으면 빅 마담도 슬퍼하지 않게 되길 바라면서 노래를 불렀다.

노래를 마치고 고개를 들자 빅 마담의 눈이 감겨 있었다. 벌린 입으로 가벼운 공기가 빠져나왔지만 턱이 잠깐씩 뒤틀렸다. 마치 그녀의 영혼 안에 그나마 남아 있는 평화를 이로 꽉 물어 붙들어두려는 거 같았다.

하지만 그 평화는 그렇게 만만한 상대가 아니었다. 그녀의 꽉 다문 이에서 슬금슬금 빠져나오더니, 우리 주위에서 쾅 하고 터지고 말았다.

54장

☑ 팩트: 2003년 65개 국가를 대상으로 조사한 결과에 따르면 세계에서 가장 행복하고 긍정적인 국민은 나이지리아인이다.

새벽 5시부터 눈이 뜨였다. 침대에 누워 저 멀리 이웃집에서 여우원숭이처럼 공작새가 시끄럽게 울어대는 소리, 창살 사이로 야자나무 잎이 부딪는 소리, 부엌에서 코피 아저씨가 냄비와 접시를 달그락거리는 소리를 들었다.

팔다리를 움직여 집안일을 하려면 기름칠이라도 해야 할 듯 온몸이 뻣뻣했다. 겨우 몸을 일으켜 베개 아래 뒀던 레베카의 편지를 꺼냈다. 네모반듯하게 접은 다음 브래지어 안에 넣었다. 유니폼을 입고 신발을 신었다. 신발이 찢어지면 곤란하니까 닳고 닳은 가죽 신발 끈을 버클 안으로 꼼꼼히 쑤셔 넣었다.

바깥 공기가 차가웠다. 축축하고 엷은 안개가 잔디를 적시고 있었다. 하늘은 무척 맑았고 희끗한 푸른빛이 끝도 없이 펼쳐져 있었다. 종종걸음을 걸어 부엌으로 가니 코피 아저씨가 빵칼로 빵을 썰고 있었다.

"안녕히 주무셨어요." 씩씩하게 인사를 하고 뒷마당의 수도꼭지 뒤에 있던 빗자루를 집어 들었다. 끝을 톡톡 치고 천천히 쓸기 시작했다. 마치 바닥이 내 친구의 기다란 머리카락이고 빗자루가 빗이라도 되는 것처럼.

"아두니, 네가 나오길 기다렸다. 이리 와봐. 얼른. 빗자루 버려두고."

아저씨의 말에 빗자루를 바닥에 두고 손을 닦은 다음 부엌으로 들어갔다. 가스레인지 앞에 서 있던 아저씨 앞으로 갔다. "왜 그러세요?"

"대사관에서 일하는 친구한테서 방금 전화가 왔다. 어제 결과가 나왔다고 하더라. 내가 아침 일을 마무리하고 사무실로 가서 네가 합격했는지 알아보마."

"감사합니다. 코피 아저씨. 미즈 티아도 확인해준다고 했어요. 빅 마담은 가게에 갔나요?"

"오늘은 아니야." 아저씨가 계속 작은 소리로 말했다. "응접실에 손님이 와 있다. 빅 대디의 여자 형제들이 와 있어. 그 한심한 놈도 있고. 몇 분 전에 도착했어. 빅 마담이 그 인간들을 거실로 데려가지 말라고 해서 응접실에 있는 거란다."

오늘 빅 대디가 나한테 나쁜 짓을 할 수 있을까? 사람들 모두 있는 데서?

"아두니." 조문객처럼 검은색 보보를 입은 빅 마담이 부엌으로 들어왔다. 눈빛이 어린 과부처럼 슬펐고 눈 주변의 보라색 멍 자국은 점점 엷어지고 있었다. "너 여기서 뭐 하니? 가서 먹을 거 찾아서 먹어라."

내가 가슴에 손을 올렸다. "저요? 먹을 거 찾아서 먹으라고요?"

"너 그… 편지 갖고 있니?"

"네, 지금 드릴까요?"

"내가 필요하면 부르마. 코피, 아두니 나오지 못하게 하고 먹을 것 좀 줘요. 경찰이 곧 올 겁니다. 치프와 시누이들은 응접실에만 있어야 해요. 먹겠다 하면 음식은 주세요. 하지만 아래층 화장실 말고 다른 방에 들어가게 하면 안 됩니다."

빅 마담이 나가자 코피 아저씨가 고개를 저었다. "경찰? 경찰은 왜? 빅 대디가 너 성폭행하지 않았다고 했잖아. 왜 거짓말했니? 그리고 편지는 무슨 말이야?"

"빅 대디가 성폭행하지 않은 거 맞아요."

나는 아저씨에게 레베카의 편지에 대해 말해주었다.

뒷마당에서 빗질을 하고 있는데 코피 아저씨가 불렀다.

"편지 가지고 오래요?" 내가 부엌으로 들어서며 물었다. 코피 아저씨가 응접실로 나가는 문 옆에 서서 귀를 대고 있었다. 코에 밀가루가 묻었고 매끈한 피부는 하얀색 가루투성이였다.

"조용히 해." 아저씨가 손가락으로 입술을 누르며 쉿! 했다. "얼른 와서 뭐라고 하는지 들어봐라."

아저씨 옆으로 걸어가자 심장이 발소리보다 더 크게 쾅쾅 울렸다. 유리문에 귀를 대보았다. 그림자가 어른거렸다. 지는 해를 등지고 앉은 거대한 산 같은 빅 마담의 그림자. 조그만 타조가 꾸벅꾸벅 졸고 있는 듯한 모양의 필라를 쓰고 있는 빅 대디의 그림자. 그리고 여자 두 명의 그림자도 보였다. 하나는 키가 컸고 하나는 좀 작았다. 둘 다 커다란 손처럼 생긴 겔레를 쓰고 있었다.

"경찰은 어디 있어요?" 내가 코피 아저씨에게 조용히 물었다.

"저 사람이다." 아저씨가 왼쪽 구석에 서 있는 그림자를 가리켰다. 빅 마담의 목소리가 제일 컸고, 화가 머리끝까지 치민 목소리였다. "캄손 경찰관, 제가 전화했을 때 말했듯이 이 사람, 내 남편을 데려가서 심문해주세요. 이 사람이 여기서 일하던 가정부가 행방불명된 일에 연루되었다는 근거가 있습니다. 그 애를 해친 거 같아요. 경찰서에 끌고 가서 구금하세요!"

"플로렌스 부인, 진술하신 내용에 단서가 될 만한 증거를 갖고 계신가요?" 캄손 경찰이 물었다.

편지! 내가 속으로 소리 질렀다. 코를 유리문에 너무 세게 들이밀어 문이 곧 쨍그랑 깨질 거 같았다. 경찰에게 레베카의 편지가 있다고 말해.

"이것 봐, 플로렌스. 이게 다 무슨 소리야. 내가 레베카한테 무슨 짓을 했다고 이러는 거야? 그 많은 사람 중에 레베카라니? 그리고 그 애가 행방불명됐다고? 그냥 달아난 거일 수도 있지!" 빅 대디가 경찰을 쳐다보았다. "캄손 경찰관, 내 말 좀 들어보세요. 내가 하나님에게 맹세하는데 그 여자애가 행방불명된 일에 관해 전 아무것도 모릅니다. 제가 그쪽에 좀 약하긴 하지만 여자애를 사라지게 했다고요? 내가 왜 그런 짓을 하겠습니까?"

"입 다물어!" 빅 마담이 날카롭게 외치자 모든 사람이, 나와 코피 아저씨까지 화들짝 놀랐다. 코피 아저씨는 심히 놀란 나머지 머리를 유리문에 박았는데, 미처 누군가 우리 쪽을 보기도 전에 빅 마담이 반격을 가하기 시작했다. "캄손 경찰관에게 내 친구였던 캐럴라인 번콜하고 벌인 외도 행각에 대해서도 한번 말해보지 그래요?"

소리 없는 천둥처럼, 갑작스러운 폭풍우처럼 침묵이 내려앉았다.

한참 동안 빅 마담이 내쉬는 숨소리만이 유일한 소음이었다. 시누이 중 하나가 소파에서 내려와 머리에 손을 올렸다. "하나님 맙소사. 이건 악마의 수작질이야."

"악마라니 염병할." 코피 아저씨가 중얼거렸다. "미친 헛소리하고 자빠졌네."

"플로렌스 부인." 캄손 경찰관이 발 자세를 바꿨다. "남편분에게 화가 나신 건 알겠습니다. 그럴 만하고요. 하지만 나이지리아 경찰을 부른 데는 이유가 있으시겠죠. 레베카가 행방불명된 일에 왜 남편이 연루돼 있을 거라고 생각하시죠? 가정부들은 늘 고용주를 옮겨 다니지 않나요? 제가 알기로는 실종 신고도 안 되어 있는 걸로 아는데요. 그리고…" 그가 목을 가다듬었다. "그 애가 사라지기 전에 남편분과 외도했다면, 마담, 두 분 모두 경찰서로 가는 게 옳습니다."

"저요?" 빅 마담이 황급히 손을 가슴에 올렸다. "경찰관님, 상관이 이 집에 보내기 전에 내가 누구라고 말해주지 않던가요? 내 남편을 데려다가 구금하라는데, 지금, 나를 심문하겠다는 거예요? 나를? 제정신이 아니구먼요!"

"플로렌스, 제발." 빅 대디가 입을 열자 모두의 시선이 그에게 쏠렸다. 그가 빅 마담 앞에 털썩 무릎을 꿇었다. "제발 캄손 경관에게 가라고 해. 그래야지 남편 대 아내로, 캐럴라인 일을 좀 얘기할 수 있지. 아주 끔찍한, 끔찍한 실수였어. 내가 다 설명할게."

빅 마담이 고개를 흔들며 보보 끝자락으로 얼굴을 닦았다.

"제발." 빅 대디의 시누이도 가담했다. "레베카가 없어진 얘기는 좀 그만두고 우리 오빠를 집으로 받아주세요. 이 사람 좀 봐요. 무릎까지 꿇었잖아! 지금 충분히 고통스러워하고 있어요. 지낼 데도 없다고. 제발, 플로렌스. 다시 받아줘요. 내일 우리가 다 모여서 이 문제를 두고 가족회의를 엽시다."

빅 마담이 크게 한숨을 내쉬었다. 보아하니 인생이 걸린 싸움에서 궁지에 몰린 거 같았다. 나는 당장 문을 열고 들어가 레베카의 편지를 보여주고 싶었다. 내게 일어났던 사건에 대해서도 말하고 싶었다. 하지만 코피 아저씨가 내가 발을 움찍거리며 흥분하는 걸 보더니, 제발 진정하라며 손을 꼭 잡았다.

"경관님, 가셔도 됩니다." 빅 마담이 축 처진 나직한 소리로 말했다. "제가… 필요하면 다시 연락하겠습니다. 오시게 해서 미안해요." 이번엔 빅 대디를 향해 말했다. "치프, 내 집에서 다신 보고 싶지 않아요. 아부가 짐 쌀 거예요. 게이트에서 받아요. 자동차 키 주는 거 잊지 말고."

두 번째로 닥친 삭막한 침묵은 캄손 경찰관의 기침 소리에 깨졌다.

"어흠, 저는 이만 가보겠습니다." 짧게 경례를 했다. "경찰은 시민을 위해 존재한다는 걸 기억해주십시오. 이 문제는 단순한 가정불화로 보이는데, 잘 해결되길 바랍니다. 조사할 게 있으면 전화 주십시오."

나는 저 경찰관이 편지를 보지도 않은 채, 레베카에게 무슨 일이 일어난 건지 알지도 못한 채 돌아가게 둘 순 없었다. 레베카를 찾을 수나 있을지 혹은 이미 죽었는지 어쩐지도 모른 채로 그냥 가게 할 수 없었다. 안 돼. 안 돼. 안 돼.

"안 돼." 속으로 말한 줄 알았는데, 실수로 내 목소리의 리모컨 버튼을 크게 누른 모양이었다. 속으로 외친 게 아니라 내 목소리가 밖으로 나와 부엌 전체에 울렸다. 그러자 응접실에 있던 모든 그림자들이 일제히 나와 코피 아저씨가 서 있는 유리문을 향했다. 내가 두 주먹으로 유리문을 마구 두드리기 시작하자 코피 아저씨가 손으로 내 입을 막고 문 뒤로 끌고 갔다.

이른 아침 햇살 아래, 나는 정원에 있는 돌 위에 앉아 있었다. 눈물이 계속 흘러 목구멍이 막혀 기침이 났다. 카디자를 위해 싸울 수 없어서 너무나도 원통했는데 이제 레베카를 위해서도 싸울 수 없게 되었다. 레베카의 편지라는 강력한 무기가 있었는데도, 빅 마담이 편지를 경찰관에게 건네지 않았으니 무기가 아무 소용없다는 허망함에 가슴이 무너졌다. 얼마나 오래 울었는지 어느새 코피 아저씨가 나와 있었다.

"찰레, 아직도 우니? 쿠마시에 내 집이 완공될 즈음에는 빅 대디가 다시 이 집으로 돌아올 거라는 데 내 돈을 걸겠다. 물론 그 인간이 수도 없이 빌어야 하겠지만 빅 마담은 결국 받아줄 거야. 빅 대디가 마담을 필요로 하는 것보다 마담이 빅 대디를 더 필요로 하니까. 참 서글프지 않니? 우리가 태어나 사는 이 세상은 여자가 아무리 크게 성공해도, 결혼한 게 아니라면 그 성공이 아무것도 아닌 걸로 취급받잖니? 어쨌든, 일어나라. 너 오란다."

"어디로요?" 하도 울어 퉁퉁 부어 아픈 눈으로 아저씨를 쳐다보았다.

"빅 마담이 오란다. 거실에 있다."

"왜 오라고 하는 거예요?" 코피 아저씨가 어깨를 으쓱였다. "대단히 저기압 상태다. 행운을 빈다."

나는 얼굴을 닦고 부엌으로 들어갔다. 휴대전화를 얼른 꺼내 문자메시지를 확인했다. 한 시간쯤 전에 미즈 티아에게서 문자가 와 있었다.

아두니, 너 합격했어!

장학금 탔다고!

이제 단 하루도 기다리지 않을 거야!

필요하다면 플로렌스와 싸우겠어.

지금 널 데리러 갈게!

가방 싸놔.

xx

나는 부엌 한가운데 멍하니 서 있었다. 뒤로는 코피 아저씨가 식기세

척기에 접시와 스푼을 넣으며 신나게 휘파람을 불고 있었다. 아두니와 모든 문제들은 다 잊어버린 양, 일하느라 정신이 없었다.

문자메시지를 다시 읽어보았다. 가슴 안에 목소리가 갇힌 것처럼, 컨테이너에 갇혀 속삭이는 것처럼 잘 나오지 않았다. 눈만 휘둥그렇게 떴다. 그리고 두 눈을 꼭 감았다. 어떤 단어가 불이 붙은 것처럼 휘황찬란하게 빛나기 시작했다. 희망이었다.

55장

응접실로 들어가자 빅 마담이 수족관 옆 소파에 앉아 바닥을 응시하고 있었다.

미즈 티아가 나를 보고 벌떡 일어섰다. 안도의 한숨을 내쉬자 미즈 티아의 코코넛 오일과 백합꽃 향기가 났다. 그러자 마음이 놓였다.

미즈 티아는 이제 훨씬 나아 보였다. 머리카락을 위로 둥글게 올려 빨간 고무줄로 묶고 있었다. 얼굴에 상처는 보이지 않았고 피부가 다시 매끈해져 있었다.

"얼굴이 좋아 보이네요."

"야자 오일이 효과가 그만이더라." 미즈 티아가 윙크를 했다. "그런데 너 괜찮니? 울고 있었던 거니?"

"이제 괜찮아요."

"아두니, 내 말 잘 들어. 네 안주인과 내가 네 미래에 대해서 의논했거든. 안주인도 장학금에 대해 알아. 오늘 나랑 같이 가도 된다고 했어. 하지만 너를 보내기 전에 꼭 할 말이 있다고 하더라."

빅 마담이 일어나더니 따라오라는 손짓을 했다. "이리 와라."

"플로렌스…" 미즈 티아의 목소리가 경고를 날리는 것처럼 심각했다.

"그냥 얘기만 할 겁니다. 따르요."

"그러면 제가 나가 있겠습니다." 미즈 티아가 나를 향해 고개를 끄덕이고 응접실을 나가 문을 조용히 닫았다.

빅 마담이 손을 내밀었다. "편지는?"

내가 고개를 저었다.

"당장 편지를 내놓지 않으면 너 나가는 게 아주 힘들어질 거다. 티아가 뭐라고 협박하든 난 신경 안 써. 일을 어렵게 만들면 결국 고생하는 건 너니까."

어쩔 수 없이 브래지어에서 편지를 꺼내 빅 마담에게 건네자 마음이 쇳덩이처럼 무거워졌다.

빅 마담이 편지를 낚아채더니 눈알을 굴리며 재빨리 읽기 시작했다. 표정에 아무런 변화가 없었다. 말라붙은 핏자국도 신경 쓰지 않는 눈치였다. 그러고는 천천히 편지를 조각조각 찢기 시작했다.

나는 예기치 못한 행동에 충격에 휩싸인 채 빅 마담의 손에서 종이가 조금씩 조금씩 바닥으로 흩날리는 걸 멍하니 바라봤다. 질문 하나, 질문 두 개가 머리를 쾅쾅 두드리며 솟구쳐 올라 숨을 쉬기 힘들 지경이었다.

빅 마담과 빅 대디가 합심해 레베카를 없애고 피를 흘리게 한 거면 어쩌지? 그래서 레베카가 빅 마담이 자기한테 나쁜 짓을 할까 봐 두렵다고 편지에 쓴 걸까? 빅 마담이 빅 대디를 경찰에 넘기지 않은 이유가 이것일까? 내가 지난밤에 레베카가 쓴 편지를 가지고 있다고 했을 때 꿈쩍도 하지 않던 빅 마담의 모습이 떠올랐다. 슬프고 지친 얼굴이었지만 놀란 표정은 아니었다. 심지어 편지를 읽지도 않았다! 빅 마담을 미쳐버리기 직전까지 몰고 간 건 캐럴라인 번콜 사건, 그거 하나뿐이었다.

상황을 파악해보려고 빅 마담의 얼굴을 살폈다. 하지만 슬픔과 우울, 고통의 감정 외에는 아무것도 찾을 수 없었다.

"편지에 핏자국이 있었습니다. 방금 찢어버린 편지에요."

"안다." 빅 마담이 나직이 말했다. "나도 봤어."

"왜 경찰에 가지 않나요? 빅 대디가 레베카를 죽였거나 다치게 했을 수도 있는데 왜 편지를 찢어버렸어요?" 내 목소리가 점점 커졌다. 손을 꽉 쥔 빅 마담의 얼굴에 공포가 서리기 시작했다. "아두니, 목소리 낮춰라."

"레베카한테 무슨 일이 일어났어요? 지금 말해주지 않으면 제가 계속, 계속 소리 질러서 사람들한테 모두 말할 거예요. 당신이 레베카를 죽였다고요."

빅 마담이 놀란 표정을 짓더니 씁쓸한 미소를 띠었다. "내가? 사람을 죽였다고? 나를 그 정도의 사람으로 보는 거냐?" 빅 마담의 입에서 한숨이 새어 나왔다. "아두니, 내가 너한테 설명해줄 필요는 없지만 이건 말해주마. 레베카는 죽지 않았다. 어디 다친 것도 아니야. 치프가 임신시킨 거나도 안다. 다 알고 있었어. 그 애가 우리 집을 떠난 날, 내가 직접 운전해 데려다줬으니까."

"피는 뭐예요? 편지에 묻은 거요. 왜 거기에 있어요?"

"편지를 어디서 찾았니?"

"침대 밑에서요." 아부 아저씨를 곤란하게 하고 싶지 않아 거짓말을 했다. 그러니 차 좌석이 젖어 있던 이유는 물어보지 못하게 되었다. 좌석에 피가 많이 묻어서 누군가 씻어버린 거일 수도 있는데. "왜 피를 흘린 거예요?"

"이건 너와 나만 알아야 한다." 빅 마담이 나를 빤히 쳐다보았다. 눈동자 안에서 입 백 개가 쩍 벌리고 경고의 비명을 질러대는 거 같았다. "레베카가 이 집을 떠난 날, 내가 몸이 좋지 않아 집에 있었다. 남편은 내가 가게에 안 나간 걸 몰랐어. 그 당시 우린 서로 말도 하지 않고 지냈거든. 거의 그렇지만. 어쨌든 코피가 외출 중이었기 때문에 레베카가 식사 준비를 해야 했는데 불러도 대답이 없어서 내가 방으로 찾으러 갔다. 가보니까 몹시 아파하고 있더라고. 배를 움켜쥐고 앓는 소리를 내면서 허리끈을 풀려고 하더라. 통증이 심각했고 상태가 좋지 않아 보였지. 뭘 마셨다고 하더구나. 남편이 준 걸 마셨다고. 통증이 시작되기 전에 네가 침대 밑에서 주웠다는 편지를 쓰고 있었던 거 같다. 내가 도움을 구하러 나가려다가 침대 위에서 편지를 언뜻 봤거든."

"저도 허리끈 봤어요. 창틀에서요."

배가 심하게 아파서 허리끈을 뺀 거였구나.

빅 마담이 어깨를 으쓱였다. "우리가 나갈 준비를 할 때 거기에 뒀나 보지. 집에 아무도 없어서 결국에는 내가 그 애를 끌고 와 차에 실었다. 아부는 영국에서 급하게 주문한 원단 때문에 배달 나가 있었거든. 치프는 어디 갔는지 모르고. 유산하는 약을 먹이고 피를 흘리게 한 다음, 어디 산책하러 나간 게 아닌가 싶어. 허, 자기 앤데."

빅 마담이 잠시 말을 멈추고 발을 흔들다 다시 꼿꼿이 말을 이어갔다. "내가 병원에 데려다줬다. 가는 길에 레베카가 차에서 피를 흘리기 시작했지. 알고 보니 임신 4개월이더라. 배가 불러오는 걸 내가 어떻게 몰랐나 몰라. 그리고 아기를 잃었지. 내 남편 아기라고 하더라. 그 나쁜 자식이 결혼을 약속했다고."

"의사가 바로 출혈을 막을 수 있었어. 내가 퇴원시킨 다음, 휴대전화를 뺏어다가 치프랑 주고받은 문자메시지를 싹 다 지웠다. 그리고 제일 가까운 버스 정류장에 내려줬지. 돈을 좀 주고 라고스를 떠나 다시는 오지 말라고 했다. 걔는 자기 마을로 돌아가진 않았어. 그랬다면 콜라가 찾아서 내게 알려줬을 테니까. 하지만 내 인생에서 사라지긴 했지. 그리고 나는 한심하게도 콜라한테 다음에는 훨씬 더 어린 여자애를 데려오라고 한 거다. 내가 짐승하고 결혼한 줄은 몰랐지. 짐승 새끼. 나이는 상관없으니까. 전혀. 그 무엇도 상관하지 않는 인간이다." 빅 마담이 한숨을 쉬었다. "아두니, 가서 네 짐 챙겨라."

나는 바닥에 흩어진 종잇조각만 쳐다보며 꼼짝도 하지 않았다. "마담이 거짓말하는 게 아니란 걸 어떻게 알죠?" 이렇게 묻긴 했지만 마담이 말한 게 사실이라고 느꼈다. 레베카가 편지를 갖고 차에 탔다가 거기에 숨긴 것도 어쩌면 실수로 그랬을 수 있고 혹은 누군가 발견하리라는 희망을 품고 거기에 숨겼을 거라고 짐작할 수 있었다.

"이제 할 말 다 했다. 가서 네 물건 가지고 내 집에서 나가라." 그리고 크게 외쳤다. "다다 부인, 이제 들어와도 됩니다. 아두니랑 대화 끝났어요."

미즈 티아가 안으로 들어와서 바닥에 흩어진 종이를 보더니 "이게 다 뭐야!" 하고 말했다.

"아두니랑 저는 이제 끝났어요." 빅 마담이 다시 말했다. "이제 짐 챙겨서 가도 된다."

방까지 내내 달렸다. 방에 들어가서 신발을 벗어 침대 아래에 가지런히 두고 유니폼도 벗어서 잘 접어 침대 위에 놓았다. 이카티에서 가져온 옷을 입고 샌들을 신었다.

침대와 구석의 찬장, 바닥에 놓인 레베카의 신발 그리고 침대 위에 접힌 유니폼을 천천히 둘러보았다.

내 나일론 가방을 꺼내 안에다 물건을 집어넣었다. 엄마 성경책, 이카티에서 가져온 900나이라, 연필과 노트, <Better English>와 문법책들. 레베카의 구슬 허리끈을 집었다. 한참을 쳐다보다가 고개를 저으며 가방에 넣었다. 야간 사람이니까 어쩌면 언젠가는, 직접 만나서 돌려줄 수 있을지도 몰라.

이카티를 생각하니 서러움이 와락 몰려왔다. 대여섯 살 무렵 에니타와 강가에서 놀던 시절, 얼굴에 물을 튀기며 앞으로 인생이 어떻게 될지 아무것도 모른 채 그저 즐겁기만 하던 시절. 산꼭대기에서 타이어가 데굴

데굴 굴러 내려가듯, 마음이 사정없이 아래로 굴렀다. 엄마…. 조용히 재채기를 열 번 하는 거 같던 엄마의 웃음소리. 내 친구였던 카디자. 매트에 누워 밤 깊도록 두런두런 이야기를 나누던 우리의 수많은 밤들. 레베카. 어디에 있든 평안하길.

카유스를 생각했다. 보고 싶어서 머리가 돌아버릴지도 모른다는 두려움에 너무나도 오랫동안 마음속에 묵혀두었던 내 동생. 그러자 무릎이 꺾였다.

바닥에 쓰러져 울기 시작했다. 엄마를 생각하면서. 아팠을 때나 건강했을 때나 상관없이 늘 학비를 벌기 위해 종종거렸던 엄마. 훨훨 타는 이카티의 태양 빛을 받으며 퍼프-퍼프를 백 개씩 튀길 때도 있었다. 단 한 개도 팔지 못했다며 촉촉이 젖은 눈가로 종종 밤늦게 터덜거리며 집에 왔던 엄마. 아빠도 생각났다. 여자애는 목소리도, 꿈도 없다고 생각하는 아빠. 뇌도 없는 쓸모없는 쓰레기로 여기는 아빠.

빅 마담을 생각하면서도 눈물을 흘렸다. 이 커다란 집, 슬픔으로 가득한 커다란 새장 같은 집에 갇혀 지내는 빅 마담. 이야. 엄마가 챙겨드린 덕분에 내게 친절을 베풀었던 할머니. 카디자. 자신을 죽게 버려둔 남자를 사랑했고 그 사랑 때문에 죽은 여인. 그리고 나를 위해서도 울었다. 좋은 기억, 행복한 기억. 그 모든 걸 잃은 나. 고통스러웠던 과거와 이제 밝은 미래가 생긴 나.

애절하고도 잔잔한 울음이었다. 심장을 후려치면서도 따뜻하게 치유하는 울음이었다. 그렇게 우는데 멀리서 누군가 내 이름을 부르는 소리가 들렸다. 마치 어디선가 흘러내리던 개울이 뚝 그치는 것처럼 울음을 뚝 그치게 하는 소리.

얼른 얼굴을 닦고 일어나 찬장에 있던 옷걸이를 집어 들었다. 침대 위에 꿇어앉아 옷걸이를 비틀고 펼쳐 가느다란 펜처럼 만들었다. 그리고 그 끝으로 천천히 벽을 긁었다. 떨어지는 흰색 페인트 조각들을 후후 불면서 계속, 계속 글자를 새겼다. 하도 힘을 주어 쓰다 보니 목과 손가락이 저려 왔다.

다 쓰고 나자 침대에서 내려와 나일론 가방을 들었다. 문가에 서서 내가 새긴 글자를 바라보았다. C는 사각형을 반만 그린 거 같고 A는 거의 삼각형이었지만 그래도 읽을 수 있었다.

ADUNNI & REBECCA

방을 나갔다. 슬프고 쓰라리고 행복했던 그 모든 기억의 문을 닫았다. 사람들이 레베카나 나를 잊어버리더라도 우리가 같이 썼던 이 방의 벽은 우리가 여기 있었다는 걸 알게 해주리라. 우리가 인간이었다는 걸. 소중하고 중요한 인간이었다는 걸.

56장

"코피 아저씨, 저 붙었어요!" 내가 부엌으로 우당탕 뛰어 들어가 소리쳤다. "저 학교에 가게 됐어요!"

코피 아저씨가 반죽하던 밀가루를 툭 떨어뜨리고 내가 서 있는 곳으로 달려와 얼른 안아주었다. "아, 아두니. 의사 부인이 빅 마담과 얘기하는 걸 방금 엿들었단다. 네가 합격하다니! 축하한다." 아저씨가 훌쩍이더니 앞치마 자락으로 눈을 훔쳤다. "그 학교 내가 알아. 내가 언제고 너를 보러 가마. 미즈 티아를 보러 올 때마다 나한테 전화하렴. 네 휴대전화에 내 전화번호 저장해놨다."

내 눈이 둥그레졌다. "저한테 휴대전화 있는 거 아셨어요?"

"찰레, 네가 가져온 그날 바로 알아챘다. 내가 비밀번호도 안다고. 찰레라는 이름으로 저장해뒀다. 내 벗이여, 가끔 내게 전화해주겠니?"

행복의 눈물이 절로 나왔다. "코피 아저씨, 감사해요. 내 벗이여, 장학금을 신청해보라고 격려해주시고 전부 도와주셔서 감사해요."

아저씨가 손사래를 쳤다. "어휴, 내가 한 거라곤 너한테 정보를 주고 격려해준 것뿐이지. 내 딸이어도 똑같이 했을 거다. 힘든 일은 네가 다 했지. 너랑 저 여자, 의사 부인이." 아저씨가 목소리를 낮췄다. "그래서 편지를 어떻게 하든?"

"찢어버렸어요… 조각조각." 내가 기운 없는 목소리로 대답했다.

아저씨 얼굴이 어두워졌다. "그 애한테 그런 끔찍한 일이 일어난 줄 내가 알았다면 어떻게든 나섰을 텐데."

"우리가 할 수 있는 일은 이제 없어요. 빅 마담이 무슨 일이 있었던 건지 말해줬어요."

코피 아저씨에게 자초지종을 말해주자 눈동자에 슬픔이 차오르더니 이내 잔잔해졌다. "그 애가 어디에 있든, 잘 지내길 바라는 수밖에 없겠구나. 넌 그 애를 위해서 할 수 있는 최선을 다했다." 아저씨가 내 볼을 살살 쓰다듬었다. "이제 가서 너의 새로운 인생을 마음껏 즐기렴. 내 집이 완공되면 놀러 오려무나."

"그런데 그동안 제 월급은요? 빅 마담에게 물어볼까요?"

"찰레, 그건 잊어라. 내가 모든 일에 지혜롭게 굴라고 했지. 이건 자유를 얻을 수 있는 아주 드문 기회다. 얼른 잡아서 튀어야지!"

코피 아저씨와 헤어지고 본관으로 뛰어갔다. 하지만 빅 마담과 미즈 티아에게 가기 전, 다이닝 룸을 지나 서재로 들어갔다. "고마웠어." 책장에 있는 모든 책들을 훑어보았다. "정말 고마웠어." <나이지리아에 관한

사실들>을 들어 반짝이는 지도와 초록색과 흰색, 초록색의 나이지리아 국기가 그려진 표지를 가만히 쓸어내렸다. 페이지마다 사실을 기록한 글자들이 가득했는데.

"고마웠어." <콜린스> 책 그리고 나의 소중한 친구가 되어준 모든 책들에게도 인사를 건넸다. 감옥 같은 이 집에서 내가 자유를 쟁취할 수 있게 도와줬으니까.

그렇게 잠시 서 있었다. 책장을 보며 가만히, 조용히. 이곳이 엄마의 무덤인 양. 관에다 감사의 모래를 들이붓고 있는 것처럼. 하지만 지금은 슬픔만 아니라 기쁨과 감사가 뒤섞인 모래였다.

얼마나 오래 그렇게 서 있었을까? 내 속에서 이제 가야 한다는 따스한 해방감 같은 게 느껴졌다. 서재를 나오면서 문을 닫지 않았다. 문을 열어둬서 책의 기운이 전부 나를 따라오게 하고 싶었다.

"왜 이렇게 오래 걸렸어!" 응접실에 가자 미즈 티아가 외쳤다. 발은 춤추는 듯 가볍고, 눈동자에는 불꽃이 일었다. "갈 준비 됐니?"

빅 마담이 수족관 옆 의자에 앉아 있었다. 고개를 숙이고 계속 휴대전화 화면을 넘겼다.

"준비됐습니다."

"다다 부인." 빅 마담이 고개를 들었다. 그렇게 슬프면서도 화난 눈빛은 처음이었다. "아두니는 아주 똑똑한 아이입니다. 애가… 잘해줬어요. 행운을 빕니다. 그리고 아두니." 그러고는 소파에서 일어나 내 앞으로 다가왔다. 눈동자가 다 타버린 불꽃처럼 낮게 일렁거렸다. "네 일에만 집중하면서 사는 게 좋을 거다. 네 미래만 생각하면서." 잔잔한, 거의 속삭이는 목소리였다. "네 삶에만 집중하면서. 내. 말. 알아. 듣겠니?"

빅 마담이 힘주어 말한 네 마디가 경고로 다가왔다. 편지에 관한 일은 그 누구에게도 털어놓아서는 안 된다. 내가 해준 이야기도. 알겠니?

"알겠습니다. 안녕히 계세요."

빅 마담은 고개는 끄덕였지만 대답은 하지 않았다. 그리고 뒤로 돌아 방을 나가며 방문을 조용히 탁 닫았다. 나와 미즈 티아는 빅 마담이 다시 돌아올 것 같아 잠시 문을 응시했다. 하지만 돌아오지 않았다. 대신 계단을 올라가는 발소리가 들렸다. 한 계단씩 소리가 점점 옅어지더니 문을 세게 쾅 닫아 온 집 안이 흔들렸다.

"하나님, 맙소사!" 미즈 티아가 조용히 말했다. "우리 이제 여기, 젠장, 빨리 여길 나가면 안 될까?"

우리는 응접실을 나와 문을 닫고 게이트 쪽으로 걷기 시작했다.

"왜 빅 마담이 너랑 따로 얘기하고 싶어 한 거야?" 제일 앞에 놓인 화단을 지날 때 미즈 티아가 물었다. "꽤 오래 얘기하던데. 바닥에 찢어진 종이랑 연관이 있는 거야? 편지였니?"

나는 문제를 덮으려 거짓말을 할까, 다시는 이 일을 꺼내지 말까 망설였다. 하지만 이 감옥 같은 집에서 나오고 나니 이제는 빅 마담이 나를 공포의 상자 안에, 마음의 감옥 안에 가둘 수 없다는 걸 깨달았다.

"네, 맞아요. 편지는 레베카와 연관이 있어요. 걔가 쓴 거예요." 그렇게 말하고 뒤로 돌아 거대하고 강렬한 동시에 우울한 빅 마담의 집을 바라보았다. "이따 밤에 다 얘기해드릴게요."

미즈 티아에게 슬프거나 화난 삼정을 보여줄 수 없는 문자 대신 둘이

서 얼굴을 맞대고 진심을 털어놓겠다고 말할 수 있어서 기분이 좋았다.

빅 마담에게 공포의 상자를 되돌려준 것도 기분이 좋았다. 상자 위에 열쇠를 두고 그 상자가 원래 있어야 할 곳인 그 집에 놔두고 왔으니까.

"의사 선생님이랑은 어떻게 됐어요?" 허리를 세우고 속도를 내며 걸었다. "좀 좋아졌나요?"

"아주 많은 일이 있었어." 미즈 티아가 한숨을 후유 내쉬었다. "그런데 잘 해결할 수 있을 거 같아."

"그럴 거 같다고요?" 미즈 티아의 표정을 살피려고 햇살을 손으로 가리며 물었다.

"그럴 거 같아." 미즈 티아가 고개를 끄덕였다. "우린 '입양'이란 제도를 알아보기로 했어. 그게 무슨 뜻인지 아니?"

내가 고개를 저으며 <콜린스>에서 뜻을 찾아보겠다고 했다. 그런데 생각해보니 그 책을 두고 왔다는 걸 깨달았다. 그래, 나는 이제 이 삶을 뒤로하고 새로운 삶을 살게 되었지.

"이따 말해줄게." 미즈 티아가 내 손을 꼭 잡았다. "내일은 오늘보다 더 나은 날이 될 테니까. 그렇지?"

처음으로, 나는 어떤 대답도 하지 못했다.

오늘보다 더 좋은 날이라니, 잘 상상이 되지 않았다. 하늘에는 회색빛 푸른 하늘이 드넓게 펼쳐져 있고, 공기는 새 희망과 새 힘의 냄새로 가득했다. 하지만 오늘보다 더 좋은 날, 아빠, 카유스와 장남을 만날 그날 혹은 내가 편안한 마음으로 이카티에 놀러 가거나, 가족이 나를 찾아오게 될 날이 꼭 올 것이다.

그날은 올 것이다. 내 커다란 목소리가 나이지리아 전역에, 세계 곳곳에 울려 퍼질 날이. 여자애들이 자신만의 목소리를 낼 방법이 있을 것이다. 내가 학교를 졸업하고 여자애들이 학교에 다닐 수 있는 방법을 찾아낼 것이기 때문이다.

그날은 올 것이다. 내가 선생님이 되어 아빠에게 차를 사주거나 집을 지을 돈을 보내는 날이. 혹은 엄마와 카디자를 추모해 이카티에 학교를 세울 수도 있다. 미래에 무슨 일이 일어날지 누가 확실히 알 수 있을까? 그래서 나는 고개를 끄덕였다. 그건 사실이기에. 미래는 언제고 다가올 것이고, 언제나 더 좋은 일이 일어날 테니까. 어떨 땐 그리 보이지 않을지라도, 우리는 희망을 품는 것이다.

이른 아침, 커다란 검은색 정문을 지나 차분히 미즈 티아의 집을 향해 걷기 시작했다. 그 게이트는 내가 부엌에 있는 도톰한 누런 천으로 하루에 네 번씩 닦던 것이었다. 부자의 전유물인 공작새가 시끄럽게 울어대는 집들로 가득한 웰링턴 로드에서 드디어 미즈 티아의 집으로 들어갔다. 하얀 집 지붕 위에 유리들이 반짝이면서 나한테 어서 와, 아두니 하며 인사하는 거 같았다. 너의 새로운 자유를 축하해.

감사의 글

감사드리고 싶은 분이 많습니다.

하나님. 내뱉는 모든 숨마다, 단어마다, 이 은혜로운 선물을 주심에, 그리고 앞으로 주실 선물들에 감사드립니다.

펠리시티 블런트. 이 책에 모든 것을 쏟아부어 주셨습니다. 믿기 힘들 정도로 대단했어요. 한마디로 최고였습니다. 대서양 양쪽에 계신 훌륭한 편집자인 에마 허드만과 린지 로즈. 내내 친절하고 다정하게 대해주셔서 고맙습니다. 책을 편집하는 동안 탁월한 제안을 해주시고 인내심을 발휘 해주셨죠. 커티스 브라운 UK, ICM 파트너스, 셉터, 더턴의 환상적인 팀 도 생각납니다. 미국에서 이 책을 응원하고 밀어주신 젠 조엘을 포함해 로지 피어스, 멜리사 피멘텔, 클레어 노지에르, 루이스 코트, 헬렌 플러드, 어맨다 워커, 제이미 냅, 레일라 시디퀴를 비롯해 쉬지 않고 일해준 모든 분들에게 고마운 마음을 전합니다.

바스소설상(Bath Novel Award)을 제정한 캐럴라인 앰브로스. 운명 같은 일을 해낼 수 있게 도와주시고 저 같은 작가들에게 기회를 주기 위해 애써주셨습니다. 2018년 바스소설상(Bath Novel Award)을 수상하며 제 인생은 완전히 바뀌었어요. 줄리아 벨. 사무실에서 또는 교실에서 우리가 나눈 그 모든 대화들을 생각합니다. 또한 최고의 워크숍 그룹을 헌신적으로 이끌어주셨습니다. 버크벡 대학교 석사과정의 #슈퍼그룹에도 감사의 인사를 전합니다. 석사과정 동안 중요한 조언과 응원을 보내주었습니다. 우리가 함께했던 즐거웠던 목요일 저녁의 추억은 저에게 소중한 기억으로 남아 있습니다. 러셀 셀린 존스 교수님. 3천 자 원고를 제일 처음 읽어주시고 제가 평생 꿈꿔온 일을 이룰 수 있다는 가능성을 열어주셨습니다.

나의 소중한 가족. 테주 소모린 교수님. 제가 걸어온 모든 과정을 후원해주시고 소중히 여겨주셨습니다. 나를 늘 '공작부인'이라고 부르는 엔지니어 아사크 다레. 당신의 눈에는 내가 귀족처럼 보이기 때문이겠죠. 바쁜 일정에 쫓기면서도 시간을 쪼개 내가 쓴 모든 글을 꼼꼼히 읽고 조언해주셨습니다. 그 누구보다 대단한 인물이자 내 심장인 세그스. 첫날부터 나를 믿어준 '예미'. 내 심장인 딸들. 여러 방법으로 이 소설의 영감을 불어넣고 정보를 제공해주었습니다. 미시즈 모두프 다레와 미시즈 부솔라 아워후와, 시스 토인, 앤디 조크, 올루스코와 자매들. 따뜻한 음식과 절기마다 건네는 다정한 인사, 사랑과 응원에 감사드립니다. 글리츠얼루어 패브릭스의 워라. 급박한 요청에도 옷감에 대해 가르쳐주셨죠. 이루 표현

할 수 없을 만큼 사랑합니다.

아두니. 너의 이야기를 들려줘서 참 고마워. 글을 쓰는 여정 동안 내가 가장 밑바닥에 있을 때 나를 찾아와줬지. 서툴고 필사적인 영어로 내게 들려준 단어들. 어느 날 아침 문득, 귀에 들려온 그 단어들은 처음에는 속삭임이었지만 이후로 거의 3년이나 끈질기게 커다랗게 외치던 너의 목소리는 나와 너의 모든 것을 바꾸었단다. 나아가 너 같은 처지에 있는 소녀들의 모든 것을 바꾸길 바라 마지않는다. 그리고 사랑하는 독자들. 이 여행길을 같이 걸어주어 고맙습니다. 그리고 앞으로 더 있을 여행길에도 동참해주길 바랍니다.

감사합니다.

이 책에 나온 나이지리아에 관한 사실은 모두 온라인에서 찾을 수 있습니다.

아이 엠 아두니

1판 1쇄 인쇄 2021년 7월 5일
1판 1쇄 발행 2021년 7월 13일

지은이 아비 다레 Abi Daré
옮긴이 박혜원

펴낸이 김혜진 / 정기영
표지 디자인&디자인 조혜림
표지 그림&일러스트 김혜진
교정교열 최현미
인쇄/조판 안준용(책과 6펜스)

펴낸곳 모비딕북스
출판등록 2019년 1월 5일 제2020-000277호
주소 서울 용산구 서빙고로 31 용산시티파크 2단지 219호
전화 070-4779-8822
이메일 jky@mobidickorea.com
홈페이지 www.mobidickorea.co.kr
페이스북 www.facebook.com/mobidicbook
인스타그램 mobidic_book
유튜브 mobidicbooks

ISBN 979-11-966019-9-7

옮긴이 **박혜원**

대학교에서 영어학을 전공하고 대학원에서 영어 교육학으로 석사학위를 받았다. 대기업에서 사회생활을 시작해 중고등학교 교사를 거쳐 글밥 아카데미를 통해 번역가의 길로 들어섰다. <유학영어 길라잡이(공저)>를 썼고, <이상한 나라의 앨리스> <빨강 머리 앤> <맥주를 만드는 사람들> <어린 왕자> 등을 번역했다. 책을 사랑해 8년째 북클럽을 이끌고 있으며, 네이버 블로그 '번역하는 사람 in Canada'을 운영하고 있다.